Offert
par
l'Alliance Française
de
Paris

DATE DUE

il: 4415463			
10/19/83			
il: 7022747			
12-19-98			
GAYLORD			PRINTED IN U.S.A.

LA VIE QUOTIDIENNE
DES
ARTISTES
FRANÇAIS
AU XIXe SIÈCLE

JACQUES LETHÈVE

LA VIE QUOTIDIENNE

DES

ARTISTES FRANÇAIS

AU XIXe SIÈCLE

HACHETTE

INTRODUCTION

I L SERAIT paradoxal de prétendre que les artistes français du XIXe siècle sont mal connus. Leurs œuvres ne
figurent-elles pas dans les musées du monde entier ?
Les amateurs ne se disputent-ils pas, à coup d'enchères
parfois fabuleuses, celles qui demeurent dans le domaine
privé ? Ce ne sont pas seulement les historiens mais les
romanciers et les cinéastes qui retracent, pour le grand
public, la destinée d'un Toulouse-Lautrec ou d'un Gauguin.

Hormis pourtant ces cas exceptionnels, on ignore souvent
les conditions dans lesquelles ont vécu et travaillé les
auteurs de tant de chefs-d'œuvre. C'est pourquoi notre
propos n'est pas de rappeler les anecdotes singulières ni
les traits de quelques génies ; il est d'évoquer toute une
classe sociale, plus nombreuse qu'on ne pourrait croire :
258 artistes exposent au Salon de 1801 ; ils sont 1 280 en
1831, 3 190 en 1880. Et beaucoup d'autres, qui n'ont jamais
été reçus dans les expositions officielles, ont pourtant vécu
de leur peinture ou de leur sculpture. Le Bottin de 1899
dénombre près de 2 500 personnes revendiquant, à Paris
seulement, le métier des beaux-arts.

Quel apprentissage ont subi ces artistes, quelles facilités
ou quelles difficultés matérielles ils ont rencontrées, quels
contacts leur ont été possibles avec la société de leur temps,
voilà ce que nous avons cherché à savoir, et, de ce point
de vue, les honnêtes tâcherons, les peintres à succès mais
aujourd'hui oubliés sont aussi significatifs que les grands

maîtres. Horace Vernet ou Gigoux nous intéressent autant
que Delacroix ou Renoir et les gagne-petit nous apprennent
au moins les dangers auxquels ont échappé leurs camarades
plus favorisés. C'est un monde varié où le génie côtoie la
médiocrité, mais dont nous ne pouvons malheureusement
dégager tous les aspects. Si les peintres apparaissent ici
plus souvent que les sculpteurs, c'est que les témoignages
sont plus rares en ce qui concerne ces derniers. Les architectes, soumis à des impératifs particuliers, ne figurent qu'à
l'occasion. Enfin nous avons laissé de côté les artistes de
province, faisant la part belle, trop belle sans doute à
Paris, mais Paris est déjà le carrefour de toutes les ambitions
et le creuset de tous les talents.

Henri Focillon a fait remarquer que l'*artiste* a joué au
XIXᵉ siècle le rôle que tinrent successivement aux siècles
précédents l'humaniste, l'honnête homme puis le philo-
sophe. C'est que, dans une société en pleine transformation, il est devenu beaucoup plus que l'artisan habile
auquel le réduisait trop souvent l'Ancien Régime. Le mouvement romantique en fait même un inspiré et parfois un
mage : dominé par les valeurs bourgeoises, le public du
nouveau siècle ne sait pas s'il doit l'admirer ou redouter
sa fantaisie. Mais il finira par représenter un idéal, dont
les raffinés de la Belle Époque imiteront le genre de vie
sinon les travaux.

En ouvrant la porte des ateliers, nous allons rencontrer
souvent des hommes simples qui ne sont ni des démiurges
ni des princes, mais qui, malgré la diversité de leurs talents,
ont toujours une haute idée de l'art. A défaut de découvrir
les secrets de la création et du génie, nous pouvons espérer
mieux comprendre les conditions dans lesquelles ils ont
créé tant d'œuvres peintes ou sculptées dont certaines sont
mises aujourd'hui au rang des plus belles de tous les temps.

CHAPITRE PREMIER

MAITRES ET APPRENTIS

L A « VIE D'ARTISTE » est un mirage : elle attire les jeunes gens et effraie leur famille. Le jeune épicier rêve de « cette existence échevelée, fiévreuse, immensément balocharde [1] » dont parle un chroniqueur de 1855. Pour l'homme moyen du XIXe siècle, elle représente une suite de joies et de satisfactions glorieuses, obtenues sans contraintes morales ou matérielles.

Les plus courageux, les plus déterminés à réussir dans la carrière des arts se laissent aller parfois à ce rêve. Mais la réalité est plus austère et plus rude la voie qui mène, même les mieux doués, à la réussite et aux honneurs. Avant de s'affirmer aux yeux des autres, il faut apprendre tous les éléments d'un métier difficile, se faire accepter des maîtres, réussir des concours, l'emporter sur de nombreux rivaux.

La vie d'artiste commence du jour où le jeune garçon, décidé à peindre ou à sculpter, consacre désormais le meilleur de son temps à l'apprentissage de son art et où il va s'inscrire chez un maître connu. S'il est provincial, le voilà souvent, pour la première fois, dans la capitale et obligé d'assurer lui-même son avenir. Il a seize ou dix-huit ans, rarement davantage, et il n'est riche que d'une recommandation et de la confiance qu'il met dans sa vocation.

Cette vocation, qui peut dire comment elle est née ? Le goût de dessiner avec succès le profil d'un camarade ou d'un professeur, d'esquisser sur le papier le souvenir d'une scène vécue ou d'un paysage a pu attirer l'attention des siens ou d'un professeur. Félicité ou morigéné, l'enfant prend conscience d'un don et, s'il réussit médiocrement dans ses études, d'une supériorité qu'encourage, un jour ou l'autre, un maître de dessin ou un ami de la famille.

D'autres vocations sont nées du choc d'une œuvre d'art aperçue au musée ou chez un amateur. Manet n'oublia jamais les visites dominicales au Louvre en compagnie de l'un de ses oncles. Delacroix affirmait qu'il était devenu peintre sous l'obsession de détails merveilleusement réussis dans des tableaux célèbres, tels que le capuchon orange sur les épaules du serviteur debout à gauche dans les *Noces de Cana,* ou les gouttes d'eau ruisselant sur la croupe des naïades dans l'*Entrée de Marie de Médicis à Marseille.* Rude, petit Dijonnais, assistant par hasard un dimanche à la distribution des prix de l'école de dessin que dirigeait Devosge, sortit convaincu, par les discours qu'il venait d'entendre, du rôle éminent de l'enseignement artistique. Et Carpeaux n'avait que sept ans lorsqu'il fut témoin à Valenciennes de l'apothéose de son cousin le statuaire Lemaire, récemment nommé dans la Légion d'honneur. Ebloui, il décide : « Je veux être sculpteur [2] ! »

Ces révélations enfantines, souvent précoces, sont rarement encouragées par les parents. La formule populaire dit : « Gueux comme un peintre. » Dans les milieux fortunés, on craint la misère et la déchéance que représente la position sociale de l'artiste. Les parents de Manet l'obligent à se présenter plusieurs fois à l'École navale ; ceux de Bazille admettent qu'il fasse de la peinture à condition de ne pas abandonner ses études de médecine. Le père de Corot, commerçant aisé, lui fixe un choix : 100 000 francs pour s'établir marchand de draps, ou une pension de 2 000 francs s'il veut vraiment peindre : la vocation l'emporte.

Aux familles pauvres, la carrière des arts apparaît comme trop incertaine et trop peu sérieuse. Or, beaucoup de grands artistes sortent de milieux très modestes : Prud'hon est fils d'un tailleur de pierres, Rude d'un chaudronnier, Millet d'un paysan, Renoir d'un tailleur... Finalement peu nombreux sont les jeunes gens encouragés par leur famille dans la voie des arts ; pour un Detaille, pour un Albert Besnard qui ont cette chance, combien connaissent la méfiance quand ce n'est pas la réprobation ? Comment n'en concevraient-ils pas à leur tour une certaine hostilité à l'égard de la famille et de la société tout entière ?

Pourtant la société n'est pas toujours ingrate pour le jeune homme qui manifeste des dons, en province surtout. Les autorités locales sont souvent plus ouvertes qu'on ne le penserait aux questions artistiques : « Tel conseil général que je pourrais nommer, envoie tous les ans à Paris au moins un Raphaël ou un Michel-Ange en herbe [3]. » Lauréat d'une des nombreuses écoles d'art, ou plus simplement de dessin — on en comptait en France cinquante-cinq sous Louis-Philippe —, le garçon bien doué part pour la capitale avec dans son gousset le premier mois d'une pension, qu'on lui versera pendant trois ou quatre ans, s'il n'oublie pas d'envoyer une de ses premières œuvres pour le musée du chef-lieu ou une chapelle de la cathédrale.

Ainsi le département du Maine-et-Loire attribua à Maindron une bourse annuelle de 500 francs pour qu'il devienne sculpteur ; Chapu toucha plus tard 200 francs par an de la Seine-et-Marne, somme qui atteignait 1 000 francs, l'année où il obtint le prix de Rome. De même Baudry eut 400 francs du département de la Vendée et quelques années après 1 200 francs.

David d'Angers ne partit, lui, de sa ville natale qu'avec 40 francs en poche ; encore c'était un prêt de son professeur de dessin. Mais il se rendit à Paris avec une assurance qui lui faisait dire : « Dans trois ans, j'aurai le Grand Prix de Rome [4] ! » Le mieux est qu'il tint parole.

Arrivé parfois à pied, plus généralement débarqué de la diligence ou, dans la deuxième moitié du siècle, du chemin de fer, le jeune garçon s'inscrit bien vite auprès du maître auquel on l'a recommandé. A défaut de recommandation, il peut toujours présenter quelques échantillons de son talent. Sauf d'exceptionnels autodidactes, tous commencent ainsi leur apprentissage. Fréquenter l'atelier d'un maître est le seul moyen de se préparer aux différents concours de l'École des beaux-arts. Voie difficile au bout de laquelle se dresse ce fameux prix de Rome, véritable antichambre de la gloire. Si le débutant n'ignore pas que d'autres ont réussi à se faire un nom d'une façon moins classique, rares sont ceux qui, avant la fin du XIXe siècle, renoncent à s'assurer au départ de leur carrière le prestige attaché aux institutions officielles.

*
* *

La plupart des écoles ou des corps professionnels pratiquent ce que les tribus primitives considèrent comme des rites d'initiation. Inutiles brimades ou formation indispensable, ces cérémonies ont été imposées avec une grande constance aux nouveaux venus dans les milieux des beaux-arts. Aussi la plupart des artistes ont-ils gardé un souvenir précis de leur entrée dans l'atelier où ils ont débuté. Ils racontent ce qu'était la réception du nouveau venu avec un luxe de détails où l'on perçoit de la complaisance pour des souvenirs de jeunesse embellis dans l'âge mur. Car ces farces sont rarement de bon goût, et il faut beaucoup d'indulgence pour en apprécier l'esprit.

Toute réception d'un nouveau comporte un schéma similaire, mais l'imagination du massier, meneur de jeu de l'atelier, permet bien des variantes. L'une des épreuves traditionnelles consiste dans un récit qu'une caricature de 1843 nous présente ainsi : « Le nouveau racontera l'histoire de sa vie et les circonstances qui l'ont déterminé à suivre la carrière des beaux-arts, puis, dans un style moins élevé, il narrera l'histoire de ses premières amours [5]. »

Autre épreuve obligatoire mais susceptible de faire souffrir la pudeur du novice : dans la tenue d'Adam, il doit pousser quelque chanson, réussir des exercices d'équilibre et accepter sans trop de mauvaise humeur des quolibets de toutes sortes. S'il est jugé mal bâti ou trop maladroit, on le badigeonne de bleu de Prusse en différents points du corps. Souvent le massier, pour mieux éprouver l'élève, feint d'être le patron, et le met ainsi dans des situations embarrassantes. Le caricaturiste Cham, alors massier de l'atelier Delaroche, a passé pour très fort dans les interrogatoires saugrenus. A un nouveau qui confessait manger des sardines à l'huile, il assenait cette réflexion : « A l'huile ! mais malheureux, l'huile de poisson ne sèche jamais ; rien n'est plus mauvais pour la peinture [6] ! »

Malheur au nouveau dont la timidité ou une assurance

excessive déplaisent à ses condisciples. Les plaisanteries tournent alors en brimades brutales, dont la plus courante consiste à attacher le malheureux pendant plusieurs heures et tête en bas aux barreaux d'une échelle. Les habitants du quartier de l'École des beaux-arts ont souvent délivré des jeunes gens abandonnés dans cette position le long d'un mur. Il arrive que ces épreuves se terminent par des membres brisés. Plus tragique encore fut, en 1843, la mort d'un novice qui, victime d'une trop grande frayeur, mourut dans la nuit d'une crise cardiaque. On comprend que Ingres ait interdit les brimades dans son atelier ; mais il fallait son exceptionnelle autorité pour suspendre une tradition qui n'a pas cessé de se perpétuer.

L'entrée dans un atelier comporte aussi un appel à la bourse du nouveau : payer à boire aux anciens est une coutume qui va de soi, mais elle s'accompagne d'un versement de 15 à 25 francs appelé « la bienvenue ». Les frais ne se bornent pas là, puisqu'il faut participer à la « masse », en donnant chaque mois de 12 à 25 francs dans un atelier de peinture, un peu moins chez les sculpteurs. Cette somme sert à payer les professeurs, les modèles et de menus frais tels que le savon noir pour laver les pinceaux. Elle paraît parfois bien lourde à un débutant, et l'on cite le cas de Granet qui dut quitter, au bout de quelques mois, l'atelier de David, faute de pouvoir cotiser régulièrement à la masse.

Maître des finances de l'atelier, le massier possède un pouvoir considérable. Élu parmi les anciens les plus sympathiques, c'est en général un garçon joyeux et dynamique. Porte-parole de ses camarades auprès du patron, il est aussi l'homme de confiance de ce dernier ; il tient le registre des modèles, organise les distractions de l'atelier, surveille le matériel et fait payer les carreaux cassés.

Le nouveau venu est juste à l'autre bout de la hiérarchie et, jusqu'à ce qu'un autre novice le relaie, il fait office de « rapin ». Ce terme d'origine obscure s'est répandu dans le premier tiers du siècle, et son extension l'a fait appliquer à tous les artistes en herbe et finalement à tous les artistes ratés. Mais essentiellement, il désigne le nouveau dans l'exercice de ses fonctions. Quelque peu domestique de l'atelier, le rapin doit être matinal pour aérer le local en été et allumer le poêle en hiver ; cela suppose sa présence avant six heures dans la belle saison, avant huit heures dans les jours courts. Il veille encore au nettoyage, remplit les cruches, broie les couleurs. A la pause, il fait les courses de ses camarades qui l'envoient porter des lettres, acheter du pain ou du tabac.

*
* *

L'atelier est une grande pièce rectangulaire, au plafond beaucoup plus élevé que dans un logis ordinaire. L'éclairage y vient de fenêtres hautes, situées d'un seul côté ou encore d'une verrière oblique d'où tombe le jour froid venu du nord ; le soleil ne doit pas pénétrer pour éviter les reflets et les taches de lumière. Une toile légère peut voiler ce vitrage pour atténuer la chaleur pendant l'été.

Sur les murs restés nus, quelques bustes, quelques bas-reliefs accrochent la poussière sur leur plâtre trop blanc. Mais parfois des toiles décorent les parois : esquisses abandonnées, copies du maître ou de ses élèves. Des inscriptions à la craie ou au fusain rappellent des dates, des courses à ne pas oublier, donnent des adresses de modèles ou de marchands. Un croquis sommaire caricature un des élèves ou quelque membre de l'Institut. Des raclures de palette, des barbouillages informes s'étalent un peu partout. Tournées à l'envers, des toiles neuves montrent, sur leur châssis, en grosses lettres noires, le nom du marchand et voisinent avec des accessoires variés : vases, armes, vêtements ou perruques.

L'activité de l'atelier se rassemble au centre de la pièce, dans l'espace dégagé où tombe la meilleure lumière. Tout au milieu, ou parfois le long d'un des murs, un podium destiné au modèle. Celui-ci, homme ou femme, généralement nu, à l'occasion drapé, est assis sur un tabouret, allongé sur un divan, à moins qu'il ne reste debout dans une pose figée que l'aident à maintenir des cordes venues du plafond, une barre scellée au mur ou des talonnières pour fixer le pied qui ne s'appuie pas sur le sol.

Les élèves assurent sur leurs genoux le carton qui supporte

la feuille ou, debout, travaillent derrière un chevalet. Mais ils dessinent plus souvent qu'ils ne peignent, au crayon gras, au crayon de plombagine que Conté a lancé en 1795, au fusain, à la craie, évaluant les proportions du modèle, les yeux mi-clos, soignant les demi-teintes d'une estompe attentive, effaçant à la gomme, hachurant d'un geste plus ou moins rapide, plus ou moins sûr, selon l'habileté et le tempérament — bref, reproduisant des gestes qui n'ont pas changé depuis qu'il y a des hommes et qu'ils dessinent. Mais s'est-on jamais tant soucié qu'alors de tracer des traits purs, de soigner les modelés, d'obtenir des ombres qui tournent, mécaniquement ?

Relégués dans les coins sombres, gênés par leurs camarades, voyant le modèle sous un angle peu favorable, les nouveaux envient les meilleures places qui reviennent aux anciens. Dans certains ateliers, elles sont attribuées en tenant compte du classement hebdomadaire ou mensuel ; chez Louis David, on les tirait au sort au début de chaque semaine.

Ces jeunes gens sont bruyants, prêts aux propos les plus endiablés. Quelquefois un élève se délasse et délasse les autres en jouant de la guitare. Certains groupes sérieux organisent des lectures de poèmes, et c'est ainsi que la littérature romantique pénètre les jeunes esprits. Des maîtres, comme Chapu, font lire des textes d'esthétique ou des propos d'artistes. Mais trop souvent fusent des refrains plus ou moins stupides, plus ou moins obscènes. Un vaste chahut termine la séance, d'où le matériel sort difficilement indemne.

Les souvenirs évoqués par les artistes de ces heures d'atelier laissent perplexe. Les uns semblent avoir connu une atmosphère de sérénité studieuse au milieu de jeunes génies, préoccupés seulement de pensées idéales. Les autres soulignent, au contraire, la futilité des propos et la grossièreté des manières. Willette va jusqu'à dépeindre ses camarades de l'atelier Cabanel, vers 1875, comme les pires gouapes, terrorisant les jeunes, dilapidant la masse dans des beuveries. Et Raffaëlli, qui étudia, un peu plus tard chez Gérome, a laissé de cet atelier une description sinistre : « Jamais, jamais, dans cette réunion d'hommes appelés

à être des artistes, une discussion d'art, jamais une idée
élevée. Toujours et toujours, cette *blague* immonde et stu-
pide, toujours l'ordure [7]. »

*
* *

Tout change en présence du professeur. Mais, bien qu'il
dirige l'enseignement, le maître, le « patron » ne prend
réellement contact avec ses élèves qu'une ou deux fois
par semaine. Rares sont ceux qui, comme Rude, viennent
tous les jours. Cette visite représente donc un moment
crucial dans la vie de l'atelier. Aussi l'attention se fige,
le chahut s'apaise ; préoccupés d'un jugement qui va déci-
der de la poursuite de leur travail, les élèves sont déférents
envers le maître. Aussi est-ce par malchance que Guérin,
entrant dans son atelier, reçut un jour un pot d'eau placé
au-dessus d'une porte : le pot était destiné à un camarade
de Géricault, mais Géricault fut renvoyé.

Le sens et le style des corrections varie grandement avec
les hommes. Il y a ceux qui, tel Delaroche, aiment parler
haut et faire profiter la communauté des remarques faites
à chacun ; ceux qui, au contraire, comme Gleyre, préfèrent
donner discrètement les observations nécessaires. Jules
Lefebvre mettait un vêtement de travail en arrivant, pour
mieux s'intégrer à l'atelier. Gustave Moreau gardait ses
gants, ce qui lui évitait la tentation de retoucher l'œuvre
présentée. Un des élèves de Girodet nous a laissé un croquis,
montrant le maître pendant la correction, la canne à la
main et le haut-de-forme en tête [8]. Ingres, en revanche,
ne se privait pas d'intervenir : « Il avait l'habitude, nous
dit Balze, de corriger nos dessins avec l'ongle de son pouce,
avec une sûreté si parfaite et une si grande énergie que bien
souvent le papier était coupé, joignant ainsi la pratique à
la théorie [9]. »

Ingres passait pour impitoyable, et il n'y avait qu'une
manière de voir, la sienne. Ce type de professeur a décou-
ragé plus d'un élève bien doué mais indépendant. Ainsi le
doux Odilon Redon fit-il figure de rebelle aux yeux de
Gérome : « Il cherchait si visiblement à m'inculquer sa
propre manière de voir et à faire un disciple ou à me
dégoûter de l'art même [10]. »

Il est exceptionnel qu'un artiste d'un certain renom n'ait pas songé à former des élèves. Transmettre les principes qui sont les siens, les recettes qu'il a reçues lui-même d'un maître de valeur, quoi de plus souhaitable ?

L'apprentissage sous sa forme traditionnelle, celle par laquelle se forment encore les artisans, est plus rare au XIXᵉ siècle. Chapu s'était initié de cette façon à la sculpture dans l'atelier de Pradier, en lui préparant son travail et en recevant au passage d'utiles conseils. Quand il voulut reprendre cette méthode, il éprouva des difficultés ; en 1887, il se plaint à un ami que les élèves de l'École des beaux-arts, venus chez lui pour se perfectionner, soient « trop grands seigneurs pour se plier aux basses œuvres d'un atelier [11] ». Delacroix eut ainsi autour de lui, après 1838, des jeunes gens en apprentissage ; mais il forma surtout les aides qui lui étaient indispensables dans ses grands travaux de décoration.

Ceux qui ouvrent, à l'écart du lieu de leur travail quotidien, un atelier distinct pour l'enseignement, agissent souvent ainsi pour remplacer un confrère défaillant ou sur la sollicitation de jeunes gens qui les admirent. Gleyre reprit, fin 1843, l'atelier de Delaroche, mais Delaroche lui-même avait succédé à Gros et Gros avait remplacé David. On voit ainsi ce que fut la succession des maîtres dans un atelier prestigieux qui avait d'abord eu la chance d'être logé dans les bâtiments mêmes du Louvre.

Gleyre pourtant hésita et ne céda qu'à la supplication de ses jeunes admirateurs : il devait, pendant vingt-sept ans, voir défiler cinq à six cents peintres, formant des élèves non seulement de la plus pure tradition académique, mais des indépendants comme Bazille Sisley, Renoir et Monet. Ingres avait de même accédé à la demande d'un groupe mené par Amaury-Duval, dont le père, fonctionnaire au bureau des Beaux-arts, lui avait rendu service. Rude fut sollicité par les élèves de David d'Angers qui, trop dispersé par ses voyages, les avait finalement abandonnés [12].

Dans le cas de Couture, c'est pratiquement le succès d'un seul tableau qui lui valut d'être réclamé comme maître. Ses *Romains de la décadence* avaient été la grande révélation du Salon de 1847. Très imbu de sa personne, Couture résuma dans un petit livre, *Méthode et Entretiens d'atelier,* ses principes fort discutables. C'est chez lui pourtant que passèrent, entre autres, Puvis de Chavannes et Manet. Manet, élève indocile, resta huit à neuf ans sous la coupe de Couture, bien que celui-ci lui ait dit une fois qu'il valait mieux quitter un maître quand on en contestait l'enseignement. Les modèles eux-mêmes supportaient mal les observations du jeune Manet, qui critiquait leur manque de naturel. Dubosc, une manière de célébrité dans le monde des modèles, se regimba un jour :

« Monsieur Manet, lui dit-il, M. Delaroche n'a jamais eu pour moi que des éloges, et c'est dur d'être méconnu par un jeune homme comme vous.

— Je ne vous demande pas l'opinion de M. Delaroche, je vous donne la mienne.

— Monsieur Manet, articula Dubosc d'une voix étranglée par l'émotion, grâce à moi, il y en a plus d'un qui est allé à Rome.

— Nous ne sommes pas à Rome et nous ne voulons pas y aller. Nous sommes à Paris, restons-y [13] ! »

Rien d'étonnant à ce que, parvenu à une difficile mais toujours grandissante notoriété, Manet se soit refusé à enseigner à son tour. Et pourtant il fut sollicité par les élèves de Lehmann, titulaire après 1873 d'un atelier à l'École des beaux-arts. S'élevant contre l'autoritarisme stérile de Lehmann, ses élèves chantaient :

> Courbet, Manet, tous ceux qu'ont du génie
> N'ont pas la croix, ça dégoûte de la vie [14]...

Des peintres secondaires ont pu se révéler comme des professeurs excellents. Il est frappant de constater que les patrons d'ateliers importants, dans les dernières années du siècle, sont dans l'ensemble des artistes dont l'œuvre est tenue aujourd'hui pour médiocre ; leur influence a été néanmoins bénéfique lorsqu'ils se sont montrés compréhensifs à l'égard des talents originaux. Si Gérome a imposé à tous ses élèves, pendant trente-neuf ans, la même conception du style, Cormon, spécialiste de scènes préhistoriques laborieusement composées, a facilité l'essor de Toulouse-Lautrec, d'Anquetin et d'Émile Bernard. On peut lui savoir gré d'avoir accepté dans son atelier, en 1886, Vincent van

Gogh qui n'était alors qu'un assez inquiétant Hollandais de trente-trois ans, fraîchement débarqué à Paris.

Le cas de Gustave Moreau est encore plus singulier. Enfermé dans un symbolisme compliqué, le peintre de *Salomé*, d'*Œdipe et le Sphinx*, fut un éveilleur de vocations. Pour les jeunes artistes qui avaient réclamé, en 1892, sa nomination à l'École des beaux-arts en remplacement de Delaunay, il sut exercer sa charge comme un véritable sacerdoce. Passant plus de deux heures parmi ses élèves à l'atelier, retrouvant au Louvre ceux qu'il avait chargés d'une copie, attirant certains d'entre eux chez lui, il fut un maître excellent pour des hommes appelés à suivre des voies pourtant divergentes et qui s'appelaient Matisse, Rouault ou Marquet [15].

*
* *

Entré dans l'atelier d'un maître, l'apprenti artiste ne commence pas à zéro. Il a déjà fait ses preuves qu'on peut juger sur pièces. Il n'en est plus au b-a-ba des écoles de dessin où l'on apprend à tracer avec soin des yeux, des bouches et des nez. Mais il n'est pas question de le laisser peindre avant qu'il ne soit parfaitement sûr de son dessin. Balze, élève d'Ingres, nous explique comment celui-ci procédait avec le nouveau : « M. Ingres le plaçait « au cadre », c'est-à-dire devant le modèle, estampe ou dessin d'après les chefs-d'œuvre de l'art et principalement de Raphaël pour lequel il professait le culte le plus profond. Ce jeune homme y restait souvent de cinq à six mois avant de passer aux reliefs [16]. » Dans l'atelier de Girodet, ce sont les œuvres du maître, dans leur traduction lithographique par Aubry-Lecomte, qui devaient être copiées [17].

Quel que soit le genre auquel se destine l'élève, l'apprentissage consiste d'abord à représenter la figure et le corps humains. Il les étudie d'après les gravures, puis d'après les plâtres — ce qu'on appelle dessiner d'après la bosse —, enfin d'après le modèle vivant. On recopie pour commencer ces modèles de dessin, vulgarisés à la fin du XVIIIe siècle grâce à la gravure en manière de crayon, que publie Lebarbier ; la lithographie, née avec le nouveau siècle, les multiplie dans un style aussi fade que facile à imiter. Un élève de Gros,

Bernard Julien, parvient à vivre, après 1840, en répandant d'innombrables recueils de ce type : *Études académiques, Fantaisies par divers artistes*, autant de variations d'après des fragments d'œuvres célèbres. On trouve même dans les ateliers des *Cours progressifs de paysage* pour apprendre à dessiner des groupes d'arbres, des barrières rustiques ou des ponts sur des ruisseaux [18].

Admis à travailler d'après la bosse, l'élève franchit un nouvel échelon. Il s'exerce devant les moulages mis à sa disposition, motifs d'architecture, bustes, bas-reliefs, et pour finir statues d'après l'antique, telles que le *Gladiateur* ou le *Laocoon*. Car l'antique seul est noble, pour des raisons à la fois esthétiques et morales, et l'artiste doit tendre à rejoindre les grands modèles dans leurs transpositions idéales. Parallèlement, on perfectionne ses connaissances en le renvoyant au livre classique de Pierre Chompré ; ce *Dictionnaire abrégé de la fable pour l'intelligence des poètes et la connoissance des tableaux et des statues dont les sujets sont tirés de la fable* date de 1727 ; en 1855, il en était à sa vingt-huitième édition, et il sera réédité jusqu'à la fin du siècle. C'est une mine de renseignements mythologiques et allégoriques : elle aide non seulement à comprendre les œuvres classiques mais à nourrir l'inspiration de qui veut les imiter.

En attendant le jour encore lointain où il pourra laisser courir cette inspiration, le bon élève s'initie à une série de recettes, de conventions d'où toute réaction personnelle est absente. D'ailleurs, on s'acharne au détail sans voir les ensembles. Charles Blanc dira : « On nous enseignait à finir avant de nous enseigner à construire [19]. »

Il en va de même lorsqu'on passe au stade suivant, l'étude du modèle vivant, tenu pour l'alpha et l'oméga de la formation artistique. Le modèle nu est lui-même transposé pour se rapprocher des canons antiques que la nature fournit rarement. Malheur à qui prétend représenter ce qu'il voit, et Manet a rapporté les reproches que lui faisait Gleyre : « Vous avez un bonhomme trapu, vous le peignez trapu ! Il a des pieds énormes, vous les rendez tels quels. C'est très laid, tout ça ! Rappelez-vous donc, jeune homme, que quand on exécute une figure, on doit toujours penser à l'antique [20]. »

Et Manet, dont nous connaissons déjà les démêlés avec les modèles, se plaignait ainsi dans l'atelier de Couture : « Je ne sais pas pourquoi je suis ici ; tout ce que nous avons sous les yeux est ridicule. La lumière est fausse, les ombres sont fausses. Quand j'arrive à l'atelier, il me semble que j'entre dans une tombe. Je sais bien qu'on ne peut faire déshabiller un modèle dans la rue. Mais il y a les champs et, tout au moins l'été, on pourrait faire des études de nu dans la campagne, puisque le nu est, paraît-il, le premier et le dernier mot de l'art [21]. »

La primauté du dessin est un autre dogme de cet enseignement. Ingres affirmait : « Le dessin comprend les trois quarts et demi de ce qui constitue la peinture. » Bien sûr, nous trouvons là un écho indirect des polémiques qui opposaient à Delacroix l'auteur de *L'Apothéose d'Homère*. Mais la couleur fut longtemps considérée, on ne sait trop pourquoi, comme révolutionnaire. Gleyre, lui aussi, mettait en garde ses élèves : « Cette satanée couleur, dit-il un jour, va vous tourner la tête [22]. »

Il faut pourtant bien en arriver là et apprendre à recouvrir sa toile. Mais pour les partisans de la tradition davidienne et ingriste, les teintes doivent rester discrètes ; certaines couleurs, tels le vert Véronèse, le jaune indien, la laque de Smyrne, sont tenues pour séditieuses. Plus tard, l'emploi du bitume, dans lequel se noient les ombres, sera au contraire abusivement conseillé. Pour apprendre à peindre, l'exercice le plus recommandé, c'est, encore une fois, la copie d'après les maîtres. A ce stade pourtant, les reproductions ne suffisent plus : on doit travailler en face des originaux, et c'est pourquoi nous retrouverons tant d'artistes, munis d'une carte de leur professeur et d'une autorisation, leur chevalet planté dans les galeries du Louvre.

*
* *

Figé dans ses recettes, dominé par la reproduction servile des œuvres existantes, cet enseignement freinait l'épanouissement de la personnalité. Il a fallu le sursaut de quelques artistes indépendants pour rappeler que, selon la formule du Vinci, la peinture est *cosa mentale* et que l'art commence quand l'esprit découvre et intervient. Aussi sommes-nous sensibles aujourd'hui aux apports dans l'enseignement traditionnel de quelques esprits originaux : ils ont, plus que leurs confrères, contribué à l'évolution de l'art français.

Un homme modeste, mais auquel ses élèves ont volontiers exprimé leur reconnaissance, c'est Lecocq de Boisbaudran. Professeur puis directeur de 1841 à 1869 de la « petite école », il a donné sa notoriété à cet établissement. L'École royale de dessin et de mathématiques, fondée sous Louis XV pour former des artisans et plus spécialement des ornemanistes, aurait pu être confondue avec divers cours disséminés dans la capitale mais dont les élèves ont rarement dépassé le stade de l'amateurisme ou du dessin utilitaire, si de sa section supérieure n'étaient sortis des artistes comme Régamey, Fantin-Latour, Alphonse Legros, Carpeaux, Dalou, Rodin. L'essentiel de la méthode de Lecocq de Boisbaudran consistait dans la substitution de la mémoire à la copie directe des modèles. Ses disciples en retiraient une grande souplesse d'expression et beaucoup plus de caractère dans le rendu des formes et des couleurs [23].

Courbet, lui aussi, tenta une expérience d'enseignement originale, d'ailleurs sans lendemain. Désireux de laisser à chacun sa pleine liberté, il n'accepta qu'après beaucoup d'hésitation la direction d'un atelier d'élèves. Son désir de favoriser le réalisme, le poussa à élargir le choix des modèles. Aux personnages, il adjoignit des animaux et, dans un local du 83, rue Notre-Dame-des-Champs, on vit un cheval, un bœuf, un chevreuil. Courbet ne pensa pas qu'il eût peut-être été plus « réaliste » d'aller observer ces animaux dans leur milieu habituel. Le propriétaire de l'atelier, ouvert en décembre 1861, demanda la résiliation du bail dès le 2 février suivant, en raison des dégâts qu'il constatait dans les lieux : Courbet renonça à avoir des disciples [24].

Une autre façon de respecter la personnalité du futur artiste, c'est de lui permettre de s'entraîner à sa guise, sans conseils ni sanctions. Ancien modèle de David, le nommé Suisse l'avait fort bien compris. Pour 7 francs par mois, plus tard pour 10 francs, il rassembla, dès le début de la Restauration, des modèles hommes ou femmes, devant lesquels il était permis de s'exercer hors de la férule de tout professeur. Son local situé quai des Orfèvres, au coin du boulevard du Palais, vit défiler une bonne partie des notoriétés du siècle. Citer Ingres, Préault, Courbet, Manet, Cézanne parmi les habitués de l' « académie Suisse », suffit à montrer le rôle qu'elle a pu jouer pour entraîner les artistes, même s'ils n'y trouvaient qu'un complément de formation [25].

Une autre pépinière d'art doit être citée, à cause du grand nombre de peintres qui y sont passés et de quelques aspects originaux de son organisation. Comme les autres ateliers, l'atelier Julian — on dit aussi l'académie Julian — permettait de préparer l'École des beaux-arts ; mais la souplesse de sa formule remplaça pour certains l'enseignement officiel. Peintre médiocre mais esprit ingénieux, Rodolphe Julian eut l'idée d'offrir, aux candidats virtuels ou refusés à l'École, un lieu de travail sans contraintes. Après des débuts difficiles vers 1868, dans un ancien cours de danse du passage des Panoramas, les premiers habitués en entraînèrent beaucoup d'autres en vantant les avantages de la maison. Un des principaux était d'ouvrir tous les jours, sauf le dimanche, de huit heures du matin à la nuit, offrant ainsi deux séances de modèles, alors que les autres ateliers, y compris ceux des Beaux-Arts, fermaient tout l'après-midi. Un autre avantage était d'accepter les élèves de tous âges, si bien qu'on y vit souvent revenir des lauréats officiels après leur entrée à l'École.

Julian ne put suffire à assurer l'enseignement, mais il sut attirer des professeurs en renom et même des académiciens. Les noms de Gustave Boulenger, de Bouguereau, de Chapu, de Flameng, de Carrier-Belleuse écartent toute idée de rupture avec la tradition académique. D'ailleurs, à la fin du siècle, on put accuser l'académie Julian de favoriser une sorte de maffia, les professeurs et certains de leurs élèves s'épaulant réciproquement dans les élections au jury du Salon et la distribution des récompenses.

Julian eut quelque six cents élèves vers 1889 et il dut multiplier ses ateliers : rue de Berri, trois d'entre eux furent réservés aux femmes. Le principal atelier des hommes logea rue Saint-Denis, avant que n'en fût créé un nouveau, sur la rive gauche, rue du Dragon. Du premier, Paul Sérusier fut quelque temps massier : il l'était quand il rencontra Gauguin et qu'il rapporta les théories de l'homme de Pont-Aven à ses camarades plus jeunes : Maurice Denis, Bonnard, Vuillard.

Ce n'est pas seulement le groupe des Nabis qui naquit au sein de l'académie Julian. Les concours mensuels et les corrections n'impliquant aucune obligation, demeurait qui voulait à condition de payer la masse. Un garçon indépendant trouvait plus de profit dans les avis d'un camarade, dont il partageait les idées, quitte à retourner sa toile vers le mur avant le passage du professeur, avec une impertinence généralement tolérée. Ainsi se créa une atmosphère de liberté qui trouva des échos jusqu'à Londres et à Munich. Les étrangers, écartés de l'École par des mesures discriminatoires, George Moore, Lovis Corinth, William Rothenstein et bien d'autres, vinrent directement s'inscrire chez Julian, apportant un air nouveau et remportant chez eux la connaissance de l'art français [26].

D'ailleurs, si discutable qu'y fût alors à certains égards l'enseignement des beaux-arts, c'est tout de même à Paris que, de tous les points du monde, les futurs artistes souhaitaient venir recueillir à la fois une tradition qui avait fait ses preuves et un esprit de libre création.

CHAPITRE II

DE L'ÉCOLE DES BEAUX-ARTS
A LA VILLA MÉDICIS

Lorsqu'il s'inscrit à un atelier, le jeune artiste désire avant tout perfectionner ses dons naturels et apprendre les éléments indispensables de son art. Mais, si peu conformiste qu'il soit, il n'ignore pas qu'il doit également préparer sa carrière : comment parviendra-t-il à se faire connaître, quand sera-t-il accepté au Salon, qui lui procurera les commandes des amateurs ?

L'appui d'un patron influent lui sera donc nécessaire, et plus encore peut-être des titres dont le prestige reste intact auprès du public. Sortir de l'École des beaux-arts, être lauréat du Grand Prix de Rome constituent des atouts que ne remplace pas l'affirmation d'un talent original. On comprend qu'en dehors de quelques autodidactes et d'esprits particulièrement indépendants, plus nombreux d'ailleurs vers la fin du siècle, tous rêvent d'abord d'accéder à la voie royale du succès en devenant élèves de l'École des beaux-arts.

Pendant la plus grande partie du siècle, l'accès à l'École n'est d'ailleurs pas tellement difficile : la réussite dans un atelier connu permet de s'y inscrire, la recommandation d'un patron sérieux, encore mieux écouté s'il est membre de l'Institut, constituant un sésame suffisant. Inscrit, le jeune artiste peut travailler et profiter des corrections des professeurs, mais il n'acquiert définitivement le titre d'élève que s'il obtient une médaille dans un des successifs concours qui lui sont proposés. C'est seulement après 1883 qu'est institué un véritable concours d'entrée, avec deux séries d'épreuves, pratiques et théoriques.

Cette obligation de « concourir aux places » forme la contrainte essentielle de l'École. Les concours, dont certains se perpétuent depuis le xviiie siècle, maintiennent les élèves dans une émulation permanente : concours de figures dessinées, de figures modelées d'après l'antique et d'après le modèle vivant, de têtes d'expression, de composition historique, longue suite d'échelons pour la plupart obligatoires. Au sommet, le fameux prix de Rome, précédé d'épreuves préliminaires dont la réussite dans les concours antérieurs permet d'être dispensé en partie.

Par ailleurs, la liberté est totale ; les élèves peuvent peindre ou sculpter d'après le modèle pendant deux heures par jour, sous la direction assez théorique de professeurs. Jusqu'en 1863, ces maîtres sont choisis par l'Institut parmi ses membres, mais chacun des douze professeurs est responsable seulement de l'enseignement pendant un mois : si la tradition académique est la seule reconnue et appliquée, la ronde des maîtres n'assure aucune continuité.

En 1863, on fit grand bruit autour d'une réforme de l'École, décidée par décret impérial, sans consultation de l'Institut, et l'Institut protesta contre cette atteinte à son prestige. L'un des mérites de la réforme fut pourtant de créer des ateliers fixes dirigés par un seul professeur, mais comme les professeurs, nommés par le ministre, continuèrent d'être pris parmi les académiciens, le changement porta plus sur la structure de l'enseignement que sur son esprit. Désormais, existent donc trois ateliers de peintres — dont l'un eut à sa tête jusqu'en 1903, pendant trente-neuf ans, le même Gérome —, trois ateliers de sculpteurs, et aussi deux ateliers pour la gravure en taille-douce et la gravure en pierres fines, autre nouveauté. Pour remplacer quelques vagues cours théoriques, des cours d'anatomie, de perspective, d'histoire de l'art, d'archéologie, d'esthétique entrèrent dans un programme obligatoire. La nomination d'un directeur à la tête de l'École compléta cette réorganisation, mais pendant vingt ans encore, les professeurs restèrent maîtres de l'admission des élèves, acceptant même des élèves libres selon leur bon vouloir.

Ce statut anarchique de l'École des beaux-arts résulte en fait d'une cote mal taillée entre des traditions héritées de l'Ancien Régime et la volonté de rompre avec cette conception officielle de l'art. Les anciennes académies, celle de peinture et de sculpture, remontant à une initiative de Le Brun, et celle d'architecture, datant de 1694, avaient dans leur principe une vocation d'enseignement. En les supprimant, la Révolution aurait donc brisé la tradition de ces maîtres qui transmettaient aux plus jeunes leur expérience, si quelques artistes ne s'étaient alors dévoués pour assurer la continuité dans des conditions précaires. Lorsque fut fondé l'Institut en 1793, puis lorsque les académies s'y réorganisèrent en son sein en 1816, il parut tout naturel de lui rattacher l'enseignement officiel. C'est ce privilège contesté qui fut attaqué par la réforme de 1863. Mais comme l'Académie des beaux-arts garda la haute main sur les prix de Rome et sur l'Académie de France à Rome, l'arbitrage des plus hautes récompenses resta sous sa coupe. On comprend ainsi que l'Institut, où le recrutement par cooptation assure la permanence des mêmes principes, ait pu maintenir l'enseignement officiel tout au long d'une ligne droite, que les esprits novateurs considèrent comme une ornière [1].

*
* *

Les ateliers de l'ancienne académie logeaient au Louvre ; ils en furent chassés en 1807 pour s'installer, avec l'Institut, de l'autre côté de la Seine, dans l'ancien collège des Quatre-Nations. Jusque vers 1830, ils y occupèrent plusieurs pièces peu confortables dont deux abandonnées par le sculpteur Houdon qui en avait fait « le sacrifice à la patrie [2] ».

Dès 1816, le transfert de l'École fut prévu dans l'ancien couvent des Petits-Augustins, mais la transformation des lieux s'étendit sur une quarantaine d'années. Le projet de la nouvelle École, dont les architectes furent Debret puis Duban, correspondait à une conception assez singulière. Les bâtiments destinés au cours, à l'administration, aux expositions, devaient en effet intégrer non seulement les restes du couvent, mais une partie des épaves arrachées aux destructions révolutionnaires et déposées en ces lieux grâce au zèle d'Alexandre Lenoir : parmi elles, des morceaux aussi importants que le portique du château d'Anet et l'arc de Gaillon. Après 1858 une autre construction sur le quai Malaquais, en 1884 l'annexion de l'hôtel de Chimay, construit au XVIIe siècle, accrurent encore l'aspect hétéroclite de l'ensemble.

Le palais des études, au centre, affecté aux cours théoriques et aux séances solennelles, tira bientôt sa célébrité de la longue fresque dont Paul Delaroche décora l'hémicycle de la grande salle et qui fut tenue dans sa nouveauté pour un des sommets de la peinture de tous les temps. Plus utiles à l'enseignement devaient être les reproductions des grands chefs-d'œuvre sous la forme de copies et de moulages. Des fragments d'architecture, des statues célèbres, principalement antiques, y côtoient des copies peintes exécutées par d'anciens élèves de l'École. C'est ainsi que l'ancienne chapelle du couvent a recueilli le *Jugement dernier* de Michel-Ange, copié à la Sixtine par Sigalon en 1833. La salle voisine, dite salle Melpomène, abrite un encombrement vertigineux de copies de toutes les époques, qui offrent un curieux spectacle au nouvel arrivant. Les plâtres poussiéreux donnent une idée lointaine des marbres grecs, et les peintures exécutées par des apprentis, habiles mais sans génie, sont encore plus éloignées des originaux. Quelles impressions fausses pour ceux qui n'ont pas la chance de retrouver, au cours des différents voyages, le contact avec les œuvres authentiques !

Si l'atmosphère générale des bâtiments de l'École a favorisé la copie académique et l'éclectisme si longtemps en honneur chez les artistes du XIXe siècle, il faut reconnaître que cette atmosphère a plu et que les contemporains en ont souvent vanté les charmes [3]. La réforme de 1863 imposa pourtant d'autres transformations. Il fallut, par exemple, créer les ateliers qui n'avaient pas été prévus dans le plan d'origine. On aménagea en la cloisonnant une ancienne galerie d'exposition, mais les bruits s'y transmettaient d'une pièce à l'autre avec si peu de discrétion que les élèves d'un atelier devaient, lors de la visite du patron, prévenir leurs camarades des ateliers voisins pour qu'ils missent une sourdine à leur chahut. L'aménagement de l'hôtel de Chimay, en 1890, donna à ces ateliers des conditions de fonctionnement plus convenables.

*
* *

Les multiples concours et en particulier le concours suprême qui désigne chaque année les lauréats des prix de Rome se passent dans le bâtiment des loges, situé à l'aile gauche de la cour centrale [4].

Tout Français âgé de plus de quinze ans et de moins de trente peut, en principe, se présenter pour le prix de Rome, sans même être élève de l'École. Mais des épreuves préliminaires, dont les médaillés de l'École sont en partie exemptés, réduisent les candidats à vingt puis à dix pour la peinture, à huit pour la sculpture et à huit pour l'architecture. Ces concours imposent aux candidats l'exécution d'une esquisse dans le temps limité d'une journée. La dernière épreuve, le concours de Rome proprement dit, exige une plus grande endurance : les candidats ont deux grands mois devant eux au bout desquels ils présentent une œuvre achevée, les peintres une toile dite de 80, c'est-à-dire de 1 mètre 50 sur 1 mètre 20, les sculpteurs, tantôt un bas-relief de 1 mètre 55 sur 1 mètre 15, tantôt une figure en ronde-bosse de 1 mètre 20 de proportion.

Choisi par les membres de l'Institut, le sujet est tiré au sort le matin même de l'épreuve pour éviter des indiscrétions. Un académicien désigné par ses confrères, quelquefois le secrétaire de l'École, en fait la lecture aux candidats sur le perron du bâtiment des loges ; au silence qui accompagne cette lecture succède le vacarme des jeunes gens qui se précipitent à l'étage pour prendre possession des locaux.

Ces messieurs de l'Institut prennent les sujets dans l'histoire antique et biblique parmi les épisodes susceptibles d'une importante mise en scène. On demande aux futurs prix de Rome d'imaginer le retour du jeune Tobie, la rencontre d'Ulysse et de Nausicaa, saint Pierre guérissant un boiteux. Ils doivent être suffisamment familiarisés avec les grandes figures antiques pour pouvoir illustrer, avec leur seule imagination, une de ces situations conventionnelles mais riches d'allusions érudites dans lesquelles on résume le grand art.

Les candidats ont trente-six heures devant eux pour présenter une esquisse, assez précise, indiquant assez nettement les grandes lignes de la composition pour que rien ne puisse être changé dans le tableau définitif. Le calque de cette esquisse, placé dans un portefeuille fermé d'un sceau, ne reverra le jour qu'au moment du jugement, quand on confrontera l'esquisse avec l'œuvre terminée. Car le concurrent ne doit pas transformer son inspiration primitive sous l'influence de conseils ou de modèles extérieurs. Ce système met l'accent sur la construction de l'œuvre et le choix des personnages, puisque c'est là que doit se fixer, dès le départ et sans retouche possible, l'inspiration du candidat.

Aussi ces trente-six heures, déterminantes, imposent-elles au logiste un régime de prisonnier : il ne mange pas ou déjeune à « la gargote », approvisionnée par un gardien ou un marchand de vins voisin ; il couche en loge sur un vieux matelas ou dans un fauteuil ; il n'a droit de prendre l'air que deux fois par jour dans la cour sans pouvoir communiquer avec quiconque ni être perdu de vue par les gardiens.

Une fois les esquisses remises, soixante-dix journées lui sont laissées pour accomplir l'œuvre définitive. Naturellement le régime est beaucoup plus libre pendant ces deux grands mois. Les concurrents ne sont plus tenus de coucher sur place et sortent comme ils veulent. Mais, en dehors du directeur, de l'inspecteur de l'École et des modèles, hommes ou femmes, agréés, nul ne peut entrer dans les loges, y compris les autres concurrents. Il n'est pas permis non plus d'introduire du dehors des maquettes, des calques, des dessins, des gravures — à la fin du siècle on ajoutera : des photographies. Si le candidat a le droit de préciser son inspiration à l'extérieur, il ne doit ramener aucun document.

La fièvre monte quand viennent les dernières semaines du concours. Les amis des logistes engagent des paris sur les vainqueurs d'après les nouvelles qui parviennent à filtrer. Aux dernières heures du dernier jour, le jour du « salopage », les portes s'ouvrent largement, et les concurrents sont autorisés à se rendre visite : en voyant l'œuvre de leurs voisins, grandit en eux l'espoir ou le découragement. A six heures, les loges sont définitivement abandonnées, et un membre du jury appose les scellés.

Un temps de purgatoire commence alors, interminable pour les concurrents. Puis les tableaux, vernis, sont exposés publiquement pendant trois jours et le jugement rendu. Si les autres concours relèvent des diverses sections de peinture et de sculpture de l'Académie, le prix de Rome est attribué par l'Académie des beaux-arts tout entière : il en résulte que les architectes jugent les peintres, les sculpteurs, les architectes, et que les musiciens eux-mêmes ont leur voix dans le scrutin.

La proclamation officielle des résultats a lieu dans la grande salle de l'Hémicycle et chaque grand prix, « élève de M. X. », est chaudement félicité et applaudi. Il ne reste plus aux lauréats qu'à fêter leur succès, souvent par un dîner auquel les patrons sont conviés, et à attendre leur départ pour la Ville éternelle, en songeant à la gloire qui ne peut désormais manquer de leur sourire.

Combien pourtant de prix de Rome continuent à être tenus par la postérité pour des artistes incontestables ? Que de noms aujourd'hui obscurs dans ce palmarès annuel, où manquent en revanche beaucoup de ceux que nous admirons. Ni Delacroix, ni Géricault, ni Corot, ni aucun des peintres de Barbizon n'y figurent ; ni, bien sûr, Courbet, Manet, Degas, ni aucun des impressionnistes. Ingres, lauréat de 1801, est pratiquement le seul grand nom des peintres du XIXᵉ siècle ; les autres ont vu leur gloire bien déchue, de Flandrin à Hébert et à Bouguereau.

On trouve plus d'artistes importants parmi les sculpteurs : David d'Angers, Rude, Pradier, Carpeaux, Falguière viennent en tête d'une liste qui ne comprend pourtant ni Rodin ni Maillol. Et si les principaux architectes sont des lauréats de Rome — Labrouste, Vaudoyer, Baltard, Garnier —, aucun d'entre eux, sauf peut-être le dernier, n'a atteint la grande notoriété [5].

*
* *

L'obtention du prix de Rome n'est pas une garantie de

génie, elle facilite pourtant le départ du jeune artiste dans la carrière qu'il a choisie. Au lendemain de sa victoire, son avenir lui apparaît dans une perspective toute nouvelle. Pour l'immédiat, le soulagement succède à l'effort, et aussi l'impression que débutent de merveilleuses vacances. Les artistes français ont toujours été fascinés par l'Italie et, depuis la Renaissance, leurs regards se sont tournés vers un pays qui recèle les chefs-d'œuvre des anciens et ceux de leurs héritiers directs. En créant l'Académie de France à Rome en 1666, Colbert voulut donner aux académiciens français le moyen de développer leur action en faveur d'un art inspiré par la tradition italienne. Le lauréat du Grand Prix de Rome est donc un privilégié : son succès lui permet de réaliser dans les meilleures conditions le rêve de tant d'artistes. Pour quatre ou cinq ans, le voilà assuré d'une vie agréable et d'une grande liberté de travail dans le séjour d'un palais romain. Même lorsque à la fin du siècle la valeur des prix de Rome aura été dévaluée dans l'esprit du public, beaucoup de jeunes gens ne sauront pas résister aux avantages qu'ils procurent.

Rome, certes, est loin de la France, et le voyage reste difficile ; abandonner le sol natal et sa famille, sans espoir raisonnable de retour avant plusieurs années, peut causer quelque inquiétude. Mais l'intérêt d'une existence nouvelle, le charme d'un pays enchanteur effacent bientôt les regrets chez les moins insouciants.

Le trajet jusqu'en Italie centrale constitue une première révélation. Le Lyonnais Simart l'écrit à ses parents en 1833 : « Le voyage de Lyon à Rome vaut seul le grand prix ! » C'est généralement en diligence qu'on se déplace et on doit être en janvier dans la Ville éternelle. Si la saison manque d'agrément, elle offre du moins un contraste plus marqué entre les climats. Tel, qui a traversé le mont Cenis sous la neige, découvre la plaine lombarde inondée de lumière. Certains préfèrent passer par la côte, ce qui leur évite les difficultés de la traversée des Alpes ; on peut même emprunter le bateau sur une partie du voyage. Henner en 1859, après avoir visité Gênes et Florence, s'embarque à Livourne et gagne Rome par Civitavecchia. De toute façon, la lenteur habituelle des transports permet de profiter longuement des paysages et de prendre un contact étroit avec les pays rencontrés. Les trajets à pied sont encore plus favorables à la découverte. Ainsi les lauréats de 1823, Bouchot, Duban et Dumont purent visiter une grande partie de l'Italie centrale tout à leur aise ; ils avaient fait affaire avec un voiturier de la rue Gît-le-Cœur, habitué de ce voyage et qui se chargeait de l'hébergement et de la nourriture ; mais ils n'hésitèrent pas à suivre la voiture à pied sur de très longs parcours.

Dans la deuxième moitié du siècle, le chemin de fer simplifie et accélère le voyage, mais il lui ôte quelques-uns de ses attraits. Néanmoins, on continue à s'arrêter en route pour prendre contact avec les œuvres d'art que révèle chaque étape. Les lauréats de 1866 firent un crochet par Venise, ce qui ne les empêcha pas de vouloir visiter toutes les petites villes entre Florence et Rome. Henri Regnault, en 1867, accompagna Hébert qui allait prendre son poste de directeur à la Villa Médicis. Ensemble ils prirent le train de Paris à Nice, la diligence de Nice à La Spezzia, de nouveau le train jusqu'à Florence où ils séjournèrent deux jours et demi. C'est encore par le train qu'ils gagnèrent Rome : leur voyage avait duré du 4 au 15 mars.

Habituellement, les lauréats de l'année voyagent ensemble et annoncent leur arrivée. En 1868, l'architecte arriva seul : cette entorse aux traditions fut peu goûtée des anciens pour qui l'accueil des nouveaux est un divertissement de choix. On va les attendre au nord de Rome, et la prise de contact s'accompagne de quelques fortes plaisanteries [6].

Installés parmi leurs anciens, les nouveaux venus ne tardent pas à apprécier les attraits de la Villa Médicis. Ils peuvent savoir gré à Napoléon d'en avoir fait le siège de l'Académie de France à Rome, en négociant avec les autorités papales l'échange du palais Mancini, sur le Corso, qui l'avait logée jusqu'à la Révolution. Bien que cette Villa, si heureusement située en un des points élevés de Rome, n'abrite plus les trésors rassemblés par le duc Ferdinand de Toscane à la fin du XVIᵉ siècle, elle reste somptueuse. Nul ne peut être insensible à l'harmonie de la façade sur les jardins, décorée et comme incrustée du blason des Médicis et de fragments antiques remployés entre les fenêtres, ni à l'agrément de la loggia soutenue par six colonnes et ouverte sur toute la largeur du corps central. Vers la ville, la vue s'étend jusqu'au dôme gris clair de Saint-Pierre ; de la terrasse, dominée par les deux campaniles carrés, les couchers du soleil sont magnifiques ; l'air vif des collines passe sur les frondaisons voisines du Pincio. Et comme l'on comprend l'enthousiasme des pensionnaires, celui de Flandrin par exemple, qui, venant rêver devant ce paysage, avait pris l'habitude de se signer après avoir trempé ses doigts dans la vasque allongée qu'abritent des chênes verts [7].

Côté jardin, l'ombre est d'autant plus précieuse qu'elle se fait rare dans cette ville de ruines et de pierres, et les pins de la Villa Borghèse prolongent encore la zone de verdure et de silence. Par les beaux jours, on dîne sur la terrasse. Suivent des promenades dans le *bosco*, butte artificielle aux frondaisons serrées d'où le regard porte jusqu'aux monts bleutés de la Sabine. Le crissement des cigales accompagne les parties de boules au milieu des massifs de buis et de lauriers-roses. D'autres préfèrent jouer à la *ruzzica*, une sorte de jeu de palets. Si les chambres, claires et aérées, sont situées dans les étages ou dans l'aile perpendiculaire de la Villa, les ateliers se trouvent disséminés dans les bosquets ou appuyés contre le vieux mur d'Aurélien, comme le pavillon de San Gaetano, avec deux logis et cinq ateliers, dont l'un fut occupé par Ingres.

On s'est plu quelquefois à opposer au charme des lieux la médiocrité de fait de la vie quotidienne. Tout dépend du tempérament des pensionnaires et de l'autorité du directeur. Chaque pensionnaire dispose, vers 1850, d'une pension de 100 francs par mois sur laquelle on prélève 25 francs pour constituer le pécule remis en fin de séjour. Il doit payer le chauffage et l'éclairage.

Situées dans les étages supérieurs ou dans l'aile perpendiculaire, les chambres sont simples mais vastes, claires et aérées. La nourriture est abondante, à en juger par une lettre adressée à l'ambassadeur de France, par Pâris, directeur en 1807, qui résume ainsi ses intructions :

Voici, d'après les ordres que Votre Excellence m'avait donnés, une esquisse du régime diététique de Messieurs les pensionnaires.

Au déjeuner : deux pagnotes et un verre de vin chacun.

Au dîner : le bouilli de bœuf, un rôti de veau, de volaille, etc.

Suivant la saison, une salade, un entremet et quelquefois le dimanche des petits pâtés, un dessert composé de deux choses différentes.

Au souper : un rôti. Suivant le temps, quelquefois du poisson, deux plats de légumes variés, le dessert comme à dîner [8].

Dans cette existence confortable, ce qui en fait gêne certains caractères trop indépendants, c'est la nécessité de vivre en communauté. Ils regrettent de se retrouver dans une salle à manger assez austère, avec un service de domestiques italiens inégalement stylés, et dans la promiscuité d'une quinzaine de jeunes gens dont les conversations ne sont pas toujours d'un niveau très élevé ni les plaisanteries des plus fines. Et pourtant, le mélange des talents et des vocations permet un brassage où le peintre entrevoit les projets de l'architecte, où le sculpteur découvre le musicien, puisque les musiciens bénéficient aussi du prix de Rome. Au milieu des banalités et même des sottises, le profit peut être grand d'échanger des théories et de confronter des rêves. Il est difficile de croire que rien n'est sorti des échanges de vues qu'ont pu avoir entre eux des jeunes architectes comme Duban, Duc et Vaudoyer, des hommes comme Berlioz et Hébert, comme Denys Puech et Debussy. Les anciens « Romains », même les moins sentimentaux, n'ont pas évoqué sans nostalgie ces moments privilégiés.

Tous n'apprécient pas également l'intérêt des obligations mondaines qui meublent les soirées. Le rôle du directeur est ici capital. Un Guérin, un Lenepveu, un Cabat, trop préoccupés de leur œuvre propre, ont vécu en marge des pensionnaires et loin de la société romaine. Léon Vaudoyer, en 1827, se plaignait des mornes réceptions organisées chaque jeudi par Guérin : « Il n'y a que des hommes et c'est à peine si l'on ose parler [9]. » D'autres directeurs au contraire, comme Horace Vernet ou Hébert, ont provoqué de vivantes réunions et, soucieux de la renommée de la France, fait de la Villa une annexe de l'ambassade.

Ingres, homme calme et peu mondain, aimait sentir les pensionnaires autour de lui et il avait avec eux des relations directes, aidé par sa femme qui veillait comme une mère sur leurs besoins. Jouant lui-même du violon — qui n'a entendu parler du fameux violon d'Ingres ? —, accompagné au piano par des élèves qui s'appelaient Gounod ou Ambroise Thomas, il animait des soirées musicales auxquelles le génial Liszt ne dédaignait pas de se mêler quand il passait par Rome.

Avant lui, Horace Vernet avait donné aux soirées de la Villa un éclat différent. Quoique peignant abondamment, il aimait particulièrement attirer les artistes étrangers présents à Rome. Sous son directorat, on vit Overbeck, Thorwalsen, Mickiewicz. Les pensionnaires n'avaient d'yeux que pour sa charmante fille qui jouait du tambourin, tandis que la compagnie dansait le *saltarello*. On dansa d'ailleurs beaucoup à certaines époques, et même l'austère Schnetz organisa des bals masqués où il aimait retrouver ses élèves, déguisés en *contadini,* évoquer ses toiles en des tableaux vivants. Schnetz se croyait même obligé d'assister au carnaval pour applaudir, sur le Corso, au milieu des confetti, le char des pensionnaires.

Au total la Villa Médicis a souvent constitué un centre d'art ouvert largement à la société romaine, aussi bien qu'aux membres influents de la colonie française, diplomates, militaires, ecclésiastiques ou artistes. Dans la vie des jeunes pensionnaires, un tel milieu laisse un souvenir ineffaçable. Leur titre leur vaut un prestige que marque le rang très honorable où on les place dans les cérémonies de la Rome papale. Pour des garçons souvent d'origine modeste, ce sont des occasions de s'affirmer dont beaucoup profiteront et qui facilitera leur carrière auprès des gens du monde.

*
* *

Mais le but essentiel de leur présence à Rome, c'est de permettre aux jeunes artistes, en cinq ans jusqu'en 1863, en quatre ans ensuite, de se perfectionner dans leur art au contact d'un milieu particulièrement riche en modèles du passé. Chacun interpréterait cette clause à sa manière si le règlement n'y veillait. Or, ils doivent, en échange de leur séjour, un nombre d'œuvres déterminé par un programme très précis. L'esprit de Louis XIV subsiste qui, en fondant l'Académie de France, songeait à enrichir ses palais : on attend de ces jeunes gens des originaux ou des copies destinés à orner les édifices publics.

Voici par exemple, d'après le règlement de 1868, modifiant assez peu les règlements antérieurs, le programme imposé à un élève peintre. Pendant sa première année de séjour, il doit exécuter une figure d'après nature, un dessin comportant deux figures au moins d'après une peinture de grand maître et enfin un dessin d'après une statue ou un bas-relief de l'Antiquité ou de la Renaissance. En deuxième année, on exige une esquisse peinte, un portefeuille de dessins d'après les maîtres et des études d'après nature, figure, monuments et paysage. La troisième année doit être consacrée à la copie d'un tableau de grand maître. C'est en quatrième année seulement qu'il exécute une œuvre de son cru, et, conformément au canon académique de la hiérarchie des genres, ce doit être obligatoirement un tableau d'histoire.

Ce programme frappe par son manque de fantaisie et par la marche impérative imposée au travail de l'artiste. Les directeurs n'ont pas cessé de lutter à ce sujet contre les pensionnaires. Il n'y a pas, en effet, que les paresseux pour résister à ce que Henner appelle « l'épée de Damoclès des envois ». Ceux-là préfèrent boire le vin des castelli dans les tavernes de la voie Appienne ou parcourir à cheval la Campagne romaine. Regnault, adepte de ces promenades, se justifie en disant : « J'aime mieux regarder et comprendre que de me mettre immédiatement au travail [10]. » Mais les tempéraments indociles secouent en vain le joug ; ils résistent d'autant plus que le choix des sujets et même des copies doit être soumis au directeur. En 1828, Guérin préconise la copie des Raphaëls du Vatican, avec l'arrière-pensée d'écarter du même coup ses pensionnaires des tentations romantiques qui commencent à les solliciter. Quatre ans plus tard, le critique Planche ironise dans *L'Artiste* sur l'étroitesse du choix qu'on leur permet : « Paul Véronèse est un homme dangereux dont on ne saurait trop se méfier ; bien que ses *Noces* occupent une place malheureusement trop grande dans le Salon carré du Louvre, il faut le prendre pour ce qu'il vaut. C'est une concession qu'on a pu faire au goût dépravé des visiteurs. Mais l'Académie se doit à elle-même de protester contre les conséquences dogmatiques qu'on en pourrait déduire [11]. »

Le sujet de l'œuvre originale ne motive pas moins de restrictions : ne doivent être retenues que des scènes empruntées à l'histoire ancienne, mythologique ou religieuse. Pendant la direction d'Horace Vernet, un pensionnaire a l'idée étrange de vouloir représenter « la peste de Rome sous le pontificat de Nicolas V ». L'auteur de tant de scènes napoléoniennes, inquiet, dégage sa responsabilité à l'égard de l'Institut : « M. Larivière, étant dans sa cinquième année, vient de commencer son tableau. Il a choisi un sujet du XVe siècle. Dans mon opinion, je n'ai pas cru devoir lui faire d'autre observation, sinon que l'Académie trouverait peut-être cette innovation mauvaise... [12] »

Les architectes furent les premiers à se rebeller fermement contre le cadre trop étroit qu'on leur imposait. Pour le projet de restauration d'un monument antique, on leur permettait bien de jeter un coup d'œil sur les ruines du Sud de l'Italie ou de la Sicile, mais le contact avec une architecture inspirée des Grecs leur fit souhaiter d'étudier le génie grec à sa source. Ils obtinrent gain de cause en 1845 et désormais, pour les prix de Rome d'architecture, le séjour en Grèce constitue le complément de leur séjour italien. Bien mieux, cette décision marque le début d'échanges fructueux entre Rome et Athènes. L'École française d'Athènes, dont quelques années plus tôt Sainte-Beuve avait été l'un des promoteurs, est justement créée en 1845-1846. Désormais son siège offre un foyer annexe aux jeunes architectes tandis que les archéologues, envoyés en Grèce et qui sont essentiellement des universitaires, vont bénéficier à leur tour de l'hospitalité romaine. Au cours de leur passage à la Villa Médicis, ils prennent des contacts enrichissants en flânant d'atelier en atelier dans la camaraderie des artistes. Désormais aussi, les architectes peuvent faire figurer des travaux de restauration des monuments hellènes parmi les « envois de Rome » [13].

Ces envois, que guette avec curiosité l'opinion parisienne intéressée aux beaux-arts, sont étroitement contrôlés par l'Institut. Dans ses jugements, l'Académie ne manque jamais de rappeler les principes du grand art à ceux qui sont tentés de s'en écarter. Quand, en 1858, le musicien Halévy, curieusement choisi comme rapporteur, combat le *Pêcheur napolitain* de Carpeaux en estimant que le jeune sculpteur devrait « élever son style sur de nobles sujets [14] », on voit la sclérose que peuvent entraîner de tels jugements et le désarroi où ils peuvent mener de jeunes esprits. Ce jour-là, la Villa Médicis apparaît, aux yeux de ceux qu'on sermonne, comme « une caserne académique ».

*
* *

Les déceptions et les contraintes n'empêchent pas le peintre Henner de considérer le séjour à Rome comme un paradis : « Dire qu'il n'y a plus que deux ans de ce bonheur ! » De son côté, le sculpteur Chapu écrit : « Je pense tous les jours que je n'ai plus que dix mois de pension [15]. » Sauf de rares exceptions, la plupart des « Romains » éprouvent la même terreur du départ.

C'est qu'on s'habitue vite aux sortilèges de Rome. Au XIXe siècle, la ville offrait dans ses aspects quotidiens un mélange de faste et de rusticité. A côté des chefs-d'œuvre du passé, le spectacle même de la rue amuse et distrait sans cesse : la pompe pontificale avec les carrosses des cardinaux et les tenues bigarrées des ecclésiastiques de tous rangs, la ferveur un peu bruyante des cérémonies religieuses, le grouillement même de la foule offrent au crayon des artistes d'inépuisables motifs. Beaucoup d'entre eux ont aimé fréquenter les quartiers populaires et en premier lieu le vivant Transtévère. Et puis ces jeunes Français sont émerveillés par la fraîcheur et la beauté des femmes italiennes. Tant de figures rappelant des Titiens ou des Botticellis sont là, naturellement mêlées à une foule sensible à tout ce qui touche à l'art. Henner s'extasie après beaucoup d'autres sur les facilités que les femmes romaines apportent au peintre :

Les plus pittoresques d'entre elles, et elles se connaissent en pittoresque, viennent vers vous quand elles vous voient avec une boîte de couleurs et vous disent : « *Signor, volete intratarmi ?* », c'est-à-dire : « Voulez-vous faire mon portrait ? » Elles ne demandent pas mieux et quand vous dessinez des maisons ou des monuments, elles se mettent exprès à côté, dans des poses si gracieuses et si belles qu'on oublie presque que le gouvernement vous envoie pour faire de la peinture d'histoire [16].

Que les filles romaines comme le vin des collines aient

offert une tentation trop facile aux jeunes artistes, faut-il
s'en étonner ? Certaines d'entre elles fréquentent la Villa
comme modèles. C'est un métier honnête auquel sont particulièrement vouées les paysannes de la Sabine, qu'on
appelle les « chauchardes » et qui portent un costume
plein de caractère. Souvent accompagnées d'un père ou
d'un frère, elles sont de mœurs sévères. D'ailleurs, le
règlement généralement respecté et qui a pour gardiens
aussi bien le portier que le directeur, s'oppose à ce qu'elles
s'attardent ailleurs que dans les ateliers et bien entendu
à ce qu'elles passent la nuit à l'Académie. Il n'en est pas
moins vrai que plus d'une idylle s'est nouée entre ces filles
au regard sombre et les artistes. Certains modèles prennent
leurs habitudes auprès d'un peintre ou d'un sculpteur et,
au bout de trois ou quatre ans, au départ du pensionnaire
deviennent des espèces de « veuves » que parfois console
le successeur.

Le roman, dont Carpeaux fut le héros, devait être particulièrement touchant. La paysanne, qu'il immortalisa sous
le nom de « la Palombella » qu'on lui donnait dans son
village, dut épouser un homme de son milieu, bien que
Carpeaux lui ait promis le mariage ; mais elle mourut de
chagrin peu de temps après [17].

La promesse faite par Carpeaux n'aurait pu être tenue,
en tout état de cause, qu'après son départ de Rome. Car
sur ce point encore, le règlement est impitoyable : les
pensionnaires doivent être célibataires et perdent leur
bourse s'ils se marient en cours de séjour. Cette clause
fut, tout au long du siècle, une source de difficultés pour
les directeurs comme pour les élèves. Sur les premiers
exemples qui s'étaient présentés, on avait fermé les yeux
du moment où les pensionnaires remplissaient par ailleurs
leurs obligations. La situation devint plus délicate quand
le concours de 1831 eut couronné deux artistes déjà mariés,
le peintre Schopin et le musicien Eugène Prévost. Leur
cas, comme les suivants, par exemple ceux des architectes
Baltard et Léveil, appartenant à la promotion de 1833,
furent tranchés de façon variable et inégalement juste. On
accorda à Schopin et à Baltard l'autorisation de travailler
à Rome, à condition qu'ils logent hors de la ville. Mais
le mariage de Léveil, contracté en Italie, agita beaucoup

le directeur qui était alors Horace Vernet. Alertant le ministre — c'était son ami Thiers —, il lui écrivit sans ambages : « Je suis persuadé que si on n'y met bon ordre, mon successeur n'aura plus à diriger à l'Académie que des nourrices et des bonnes d'enfants ; je crois qu'alors, au lieu d'un peintre, on pourrait lui substituer un accoucheur [18]. »

La situation de Léveil fut pourtant réglée dans le même sens que les précédents. En revanche, certains de leurs camarades préférèrent par la suite renoncer à leurs droits, au moment où ils se mariaient, pour éviter les complications. D'ailleurs, à partir de 1845, le règlement précise qu'il faut être célibataire pour pouvoir concourir au prix de Rome. Et quand, en 1886, Xavier Leroux, déjà pensionnaire, retourne à Paris pour se marier, on l'oblige à démissionner. Bien pis, le service militaire dont les « Romains » étaient exemptés en vertu d'une loi de 1807, le récupère alors pour cinq ans !

Un autre sujet de discussion et qui met en cause le principe même du séjour à Rome, tient dans l'interdiction de voyager, interdiction que l'amélioration des transports dans la deuxième moitié du siècle rend encore plus cruelle. La base de contrat reste la possibilité de demeurer pensionnaire de la Villa Médicis pendant quatre ou cinq ans. Faut-il en conclure que ce droit est une obligation ?

Bien sûr, les pensionnaires peuvent faire des excursions dans les petites villes de l'Italie centrale ; on les voit quelquefois à Naples, moins souvent à Florence. Les architectes obtiennent assez vite d'aller jusqu'en Sicile, avant qu'on leur accorde le droit de passer une partie de leur séjour à Athènes. Mais les peintres et les sculpteurs voudraient bien, eux aussi, disposer de telles facilités.

Il est d'ailleurs curieux d'observer que le problème des voyages se trouve lié aux attaques contre l'Académie de France. Ce sont, en effet, les partisans d'une rupture de la tradition qui voudraient offrir aux jeunes artistes d'autres horizons que ceux de la Campagne romaine et d'autres œuvres d'art que celles du Forum et du Vatican. Pourquoi le contact avec les grands Flamands ou les grands Hollandais, par exemple, aurait-il moins de vertus ?

La réforme de 1863 apporte quelques assouplissements en exigeant le séjour à Rome pendant la première et la dernière année seulement ; au cours des deux autres années, les élèves sont non seulement autorisés mais invités à voyager. Rares pourtant sont ceux qui, comme Henri Regnault, vont en Espagne et jusqu'au Maroc. Mais un seul pays reste finalement interdit, et paradoxalement il s'agit de la France. Seul un deuil familial peut justifier le retour à Paris. La rapidité grandissante des moyens de transport accroissait la tentation. Il y eut un scandale vers 1880 quand on s'aperçut que plus d'un pensionnaire se rendait clandestinement à Paris avec la complicité du secrétaire de l'Académie, un ancien zouave nommé Brondois.

C'est que la France, ce n'est pas seulement la famille et les amis, ce sont les Salons, les expositions où les anciens candidats refusés au prix de Rome commencent quelquefois à se faire un nom tandis qu'on s'attarde à flâner sous les ombrages de la Villa. Paris et la France, ce sont toutes les nouveautés de l'art vivant et elles n'ont pas toutes leurs sources dans l'imitation de l'antique. Malgré l'avantage que représentent pour le prix de Rome son titre et quatre années de perfectionnement aux frais de l'État, les vrais problèmes vont se poser à son retour. Il lui reste à s'installer et à se faire connaître vraiment aux yeux du public.

CHAPITRE III

LOGIS ET ATELIERS

UN POÈTE peut écrire dans une mansarde à la lueur d'une bougie ou sur la table d'un café, mais un peintre et plus encore un sculpteur ont besoin d'espace et de lumière.

Aussi au moment d'entrer dans la carrière, n'ont-ils rien de plus pressé que la recherche d'un atelier. L'atelier, c'est le lieu de travail de l'artiste et en quelque sorte son laboratoire. C'est là qu'il passe la partie active de son existence et parfois qu'il vit, mange et dort, lorsque le local ou ses annexes lui permettent de loger sur place. C'est donc là qu'on peut mieux le saisir dans sa vie quotidienne.

*
* *

Les privilégiés sont ceux à qui les commandes officielles ou quelque protection ont apporté l'attribution d'un local. Ce genre de faveur était monnaie courante sous l'Ancien Régime. Au XIXᵉ siècle, il ne s'agit plus que de survivances inégalement partagées. Elles ont encore joué un grand rôle dans la vie de certains artistes, tout en devenant plus rares avec les années.

Des lettres patentes, accordées par Henri IV en 1608 et confirmées par Louis XIV en 1671, avaient permis à des peintres et à des sculpteurs protégés par le roi, de loger dans les bâtiments mêmes du Louvre. Loin de mettre fin à cette faveur, les troubles révolutionnaires entraînèrent une véritable invasion des locaux réservés. Mais le Consulat saisit le double prétexte du rétablissement des corps savants, traditionnellement abrités au Louvre, et de l'exposition des objets d'art ramenés d'Italie, pour faire de la place. Un arrêté du 3 fructidor an IX (20 août 1801) expulsa d'abord ceux qui s'étaient installés dans la cour et autour de celle-ci. Les autres occupants comprirent qu'ils ne bénéficiaient que d'un sursis. De fait, l'empereur décida brusquement de libérer les lieux et en quinze jours — tout fut terminé le 18 mai 1806 — les habitants du Louvre durent partir, en échange d'ailleurs d'une pension annuelle, s'élevant de 500 à 1 000 francs selon l'importance du ménage [1].

Nombreux furent les artistes touchés par cette mesure. David avait son logis rue de Seine, mais il bénéficiait à lui seul de trois ateliers situés dans l'aile de la Colonnade. L'un, qu'on appelait l'atelier des Horaces, parce qu'il y avait peint en 1784 son fameux tableau, lui servait pour ses travaux personnels : éclairé par une verrière à trois mètres du plancher, il nichait tout en haut du bâtiment, face à Saint-Germain-l'Auxerrois. L'atelier des élèves se trouvait juste en dessous. Enfin pour travailler à l'*Enlèvement des Sabines*, David avait obtenu un autre local à l'angle du quai. Installés dans l'attique du pavillon de l'Horloge, Vestier, Gérard et Redouté durent également se replier.

La partie la plus habitée du Louvre formait une série de logements, tout au long de la Seine, au-dessus de la Galerie du bord de l'eau. Desservis par un corridor bruyant, livré aux jeux des enfants, vingt-six logis abritaient des personnages variés dont un mathématicien, examinateur à l'École polytechnique. Mais une quinzaine d'entre eux avaient été réservés à des artistes. Entre autres, Greuze, Fragonard, Pajou qui, au moment de la dispersion, venaient de mourir ou n'avaient que peu d'années à vivre. Vien avait depuis 1801 remplacé son oncle Pigalle ; Regnault, Isabey, Moitte durent également réorganiser leur vie ailleurs, de même que Carle Vernet, dont le fils Horace était né en ces lieux. Seul le peintre Vincent fut de nouveau logé par l'État dans le Collège des Quatre-Nations. Les autres s'installèrent, pour la plupart, dans des maisons de la rive gauche, aidés par l'indemnité qu'on leur avait accordée.

Désormais le Louvre devait être consacré aux œuvres des artistes à l'exclusion de leurs personnes. Ce principe connut pourtant quelques entorses, particulièrement sous Louis-Philippe, au bénéfice d'artistes chargés de travaux officiels comme la décoration de Versailles. Un atelier y fut également confié au sculpteur Triqueti lorsqu'on lui demanda de préparer la chapelle du duc d'Orléans, et Pradier à cette occasion se plaignit amèrement de n'avoir pas le même privilège, bien que chargé lui aussi d'une commande de l'État[2].

En expulsant les artistes du Louvre, l'Empire n'avait pourtant pas renoncé à favoriser les arts, selon la tradition royale, par l'octroi d'ateliers et même de logements. Deux bâtiments désaffectés par la Révolution furent particulièrement destinés à cet usage : le Collège des Quatre-Nations et la Sorbonne.

En mars 1805, le premier, appelé provisoirement palais des Beaux-Arts, avait été attribué à l'Institut et, nous l'avons déjà vu, à l'enseignement placé sous sa tutelle. Certains artistes y furent logés : Vincent, transfuge du Louvre, et Gérard dans les appartements situés près du dôme. Le peintre Lethière, les sculpteurs Lemot, Houdon et Bosio y eurent leur atelier. D'autres ateliers, dans le même palais, relevaient plus directement de l'École des beaux-arts, en attendant le transfert de celle-ci dans la rue des Petits-Augustins. C'est ainsi que les élèves de David, abrités un temps au collège du Plessis, rue Saint-Jacques, s'y installèrent en 1811, dans un local laissé vacant par la mort de Moitte. C'est là qu'après David, Gros puis Delaroche s'y succédèrent jusqu'au milieu du siècle.

Le sculpteur Chaudet qui remplaça le peintre Regnault, eut son atelier dans la rue Mazarine, celui-là même où Balzac fait entrer par hasard le jeune Brideau au début de *La Rabouilleuse*. Drolling, Picot, Pradier, H. Vernet, Robert Fleury furent également les occupants des locaux situés dans les bâtiments de l'Institut, même après l'installation des ateliers à l'École des beaux-arts. En 1863, on voit encore le sculpteur Dumont se transporter à la place de

Pradier, après avoir été chassé du pavillon est par le développement de la bibliothèque Mazarine [3].

Le départ de Louis David des bâtiments du Louvre avait coïncidé avec les préparatifs qu'il entreprenait pour le grand tableau du sacre de l'empereur, commencé dès la fin de 1804. Il n'est donc pas étonnant qu'un emplacement lui ait été réservé pour peindre cette toile de plus de neuf mètres de long, à laquelle s'intéressait tout particulièrement l'empereur. Le ministre de l'Intérieur loua dans cette intention l'ancienne église du collège de Cluny, située place de la Sorbonne et qui fut démolie quelques années plus tard. C'est en ce lieu qu'un beau jour le premier peintre de l'empereur vit arriver Napoléon, Joséphine et tout un cortège de familiers, curieux de se rendre compte de l'avancement du tableau.

D'autres bâtiments ecclésiastiques, désaffectés par la Révolution, servirent d'ailleurs au même usage. Ainsi David avait peint peu d'années auparavant *Le Serment du Jeu de paume* dans l'ancienne église des Feuillants, qu'il dut abandonner lors du prolongement de la rue de Rivoli. Le couvent des Petits-Augustins allait devenir le noyau de l'École des beaux-arts. Ceux des Carmes et des Capucins abritèrent de leur côté plusieurs groupes de peintres. Le cloître des Capucins, qui a donné son nom à un boulevard et une rue, fut un centre très actif dans les toutes premières années du siècle. Girodet, Gros, Ingres et Delécluze, futur historien des élèves de David, eurent leurs ateliers dans les austères cellules du couvent dont Granet aimait peindre les ombreux corridors [4].

En s'installant place de la Sorbonne, David devenait le voisin d'un autre centre où l'Empire donna asile à quelques artistes favorisés. De même que le Collège des Quatre-Nations consacré palais des Beaux-Arts, la Sorbonne, siège de l'ex-faculté de théologie, devint à son tour palais des Arts.

Napoléon y fit aménager par l'architecte Moreau cinquante-trois logements dont vingt destinés à des savants, vingt et un à des peintres et douze à des sculpteurs, ainsi que quatre grands ateliers de peinture et six de sculpture. L'église elle-même, vide du tombeau de Richelieu, fut coupée par des cloisons, ce qui permit d'y installer neuf artistes. Une trentaine de ménages au total trouvèrent en ces lieux une habitation convenable. Les rivalités inévitables entre voisins aux réussites inégales n'empêchèrent pas des peintres comme Prud'hon, comme Charles Meynier, alors beaucoup plus célèbre que le précédent, des dessinateurs comme Dutertre et Constant Bourgeois, des graveurs comme Tardieu, des sculpteurs comme Roland et Cartellier de vivre côte à côte dans une communauté fraternelle.

Malgré les empiétements d'un peintre de fleurs nommé Van Dael, désireux de multiplier ses modèles favoris, le jardin unissait les familles les soirs d'été, et des fêtes musicales furent organisées dans la grande salle, occupée habituellement par les élèves de Prud'hon. Mais au bout de vingt ans, le palais des Arts changea à nouveau d'affectation, lorsque en 1821 le roi décida de rendre la Sorbonne à l'Université, et un drame affreux vint assombrir les dernières semaines de cette thébaïde d'artistes. Constance Mayer, la disciple chérie de Prud'hon avait, depuis de longues années, suppléé, auprès du peintre et de ses enfants, une femme véritablement indigne. Elle occupait un atelier distinct du sien mais contigu. L'imminence d'un changement, dont Prud'hon ne sut pas adoucir la perspective, l'amena à se trancher la gorge, le 27 mai 1821 [5].

L'habitude d'attribuer des locaux officiels aux artistes tomba progressivement en désuétude. Ce sont des survivances qui permettent à certains de profiter encore sous Louis-Philippe de quelques ateliers au Louvre et jusque sous le Second Empire de locaux à l'Institut. Il faut pourtant mentionner les locaux affectés vers la fin du siècle à l'intérieur du Dépôt des marbres à l'usage de quelques artistes. Fondé par Colbert, le Dépôt des marbres est destiné essentiellement à recevoir les blocs de différentes tailles qu'on remet aux sculpteurs chargés de commandes ; on y relègue aussi les statues qui pour différents motifs, politiques le plus souvent, ont cessé de plaire et qu'on ne veut pas détruire.

Installé au xviie siècle dans l'île aux Vaches, dénommée plus poétiquement île aux Cygnes et rattachée à la terre ferme au début du xixe siècle, le Dépôt des marbres s'étend près du Champ-de-Mars, face à Chaillot.

C'est dans ce quartier aéré, jouxtant le Garde-Meuble,

que quelques ateliers furent aménagés dans un pavillon central. Pils y peignit la *Soumission de l'Algérie*, et Carolus-Duran un plafond pour le Louvre. En 1899, Jean-Paul Laurens y travaillait encore à des décorations destinées au Capitole de Toulouse. Mais le plus célèbre locataire en fut Rodin qui occupa, à partir de 1889, deux cellules contiguës éclairées d'un large vitrage vers le nord [6].

*
* *

Dépourvu d'un local officiel, le tout-venant des artistes doit se débrouiller pour louer un atelier ou en aménager un qui réponde à certaines conditions. En ce temps de tableaux aux vastes dimensions, la place est nécessaire, et les accès doivent être commodes. Si la lumière est indispensable, elle doit autant que possible arriver d'en haut et éviter le plein soleil.

Certains ateliers ont trouvé place dans des hangars, d'anciens gymnases ou d'anciennes salles d'armes. Les plus agréables sont peut-être ceux qui occupent les derniers étages des immeubles et, à la fin du siècle, la tendance à la peinture de chevalet permettra à certains peintres de travailler dans une pièce de leur apaprtement. Mais si un peintre peut se satisfaire d'un perchoir, le sculpteur doit tenir compte d'autres nécessités : le poids de ses œuvres et les difficultés de leur transport l'obligent à s'installer au rez-de-chaussée.

Souvent bruyant, entraînant un va-et-vient d'amis et de modèles, l'artiste a besoin de liberté et réclame ses coudées franches. Aussi est-il un locataire redouté d'autant plus que ses revenus incertains le rendent souvent peu solvable. Le propriétaire et plus encore le concierge, personnage nouveau dont l'importance s'affirme avec les années, le considèrent avec méfiance. « Ah ! mosieu est artiste ! Je suis désolé, mon logement est loué ! » Telle est, selon le caricaturiste, la réaction vers 1850 de ces redoutables « pipelets » [7].

Les conditions indispensables à l'installation d'un artiste peuvent se rencontrer en n'importe quel point de la capitale, mais elles expliquent que beaucoup d'entre eux aient préféré s'installer dans des quartiers à l'état d'ébauche, encore peu bâtis et plus riches de constructions légères que de solides immeubles.

Il est impossible de donner toutes les adresses même des artistes connus, mais si l'on reportait sur un plan de Paris les emplacements des principaux ateliers à travers le siècle, on constaterait à la fois leur dissémination mais encore plus leur concentration en quelques quartiers particuliers.

Partant du sud, nous rencontrons la première de ces nébuleuses dans la zone située entre le jardin du Luxembourg et les boulevards extérieurs, suivis jusqu'en 1860 par le mur des Fermiers-Généraux. Alors désertique, rustique par beaucoup d'aspects, le quartier de Montparnasse, peu fréquenté par la bourgeoisie, est déjà l'un des centres de la vie artistique. En 1834, Félix Pyat, dans son *Nouveau Tableau de Paris*, le désigne même comme « le quartier favori de l'artiste [8] ». La rue de Fleurus, la rue Notre-Dame-des-Champs, la rue de l'Ouest, devenue par la suite un prolongement de la rue d'Assas, et la rue de l'Est qui la rejoignait au bout du Luxembourg, avant d'être absorbée par le boulevard Saint-Michel : telles sont alors les plus recherchées.

Vers 1825, Eugène Deveria travaillait rue de l'Est dans un atelier commun avec Louis Boulanger et dans la même maison que le sculpteur Cartellier, replié de la Sorbonne. Henri Regnault devait s'y installer après la mort de Deveria. Mais le logement de Deveria était situé rue Notre-Dame-des-Champs, tout près de Victor Hugo, auquel le liait alors une amitié étroite. Un autre centre amical de l'époque romantique fut l'atelier de Jehan du Seigneur, rue de Vaugirard : ancienne boutique de fruitier, cet atelier reste connu moins par les œuvres de son possesseur que par les réunions du Cénacle, où les poètes se mêlaient aux artistes. A la même époque, le paysagiste Paul Huet travaillait un peu plus au nord, 27, rue Madame : il s'intalla rue de l'Ouest après 1857. Degas devait aussi loger rue Madame, à son retour d'Italie en 1858.

Vers 1830, Rude avait trouvé un atelier dans la cour d'une modeste maison populaire : c'était au 66 de la rue d'Enfer, non loin de l'endroit où David logea quelque temps, en 1815. Rude eut ensuite des ateliers plus grands mais toujours dans la même rue, aux numéros 65 puis 61.

Pendant la deuxième moitié du siècle, les artistes furent particulièrement nombreux rue Notre-Dame-des-Champs. Citons Chapu, Laurens, Français. Citons surtout le centre groupé autour de la maison qu'avait fait construire Toulmouche père et qu'on appelait « la boîte à thé » à cause de deux Chinois peints sur un pan de mur ; à travers les jardins, une allée conduisait à une série d'ateliers, démolis après 1886, où travaillèrent Toulmouche, Brion, Gérome, Lecomte du Noüy et Paul Baudry [9]. Ces peintres académiques pouvaient rencontrer le portraitiste mondain Carolus-Duran, installé en 1875 dans le passage Stanislas, qui donne sur la rue Bréa. A la même époque, une autre cité d'artistes, rue d'Assas, abrite des peintres moins connus comme Signol, Monginot et le statuaire Mathieu.

Au 68 de la rue d'Assas, on trouve aussi vers 1870 une pépinière de sculpteurs dans des ateliers situés de part et d'autre d'une sorte d'impasse : Préault, Falguière, Paul Dubois, Saint-Marceau [10]. C'est tout près de là qu'avait longtemps travaillé David d'Angers, dans un hôtel au coin de la rue de Vaugirard qu'occupa ensuite le peintre d'animaux Rosa Bonheur.

Si l'on quitte ce quartier pour remonter vers le nord, les abords de Saint-Germain-des-Prés constituent une autre région chère aux artistes. Entre l'église et la Seine, ce quartier central leur offre deux pôles naturels d'attraction avec l'École des beaux-arts et l'Institut. Sous l'Empire, beaucoup des artistes chassés du Louvre s'y étaient réfugiés : ainsi Carle Vernet, 34, rue de Lille, et Bervic, rue de Grenelle. Delacroix aima beaucoup ce coin de Paris : à travers ses nombreux déménagements, on le trouve entre 1823 et 1828, 20, rue Jacob avec l'aquarelliste anglais Fielding, puis 46, rue de l'Université. Entre 1829 et 1835, il occupe un atelier au sixième étage du 15, quai Voltaire, qui, fait curieux, fut aussi celui de son rival Ingres et celui d'Édouard Bertin. Il logea également rue des Marais-Saint-Germain, appelée depuis rue Visconti, rue étroite mais non moins célèbre par l'imprimerie qu'y dirigea Balzac. C'est encore rue Visconti que Ingres installe à la fois son atelier personnel, dévolu ensuite à Paul Chenavard, et son atelier d'élèves avec une autre entrée sur la rue des Beaux-Arts. Au 8 de cette même rue, travaille Fantin-Latour au fond d'une cour et Bazille y habite avec Renoir en 1866-1867. Le dernier atelier de Delacroix a subsisté jusqu'à nos jours, transformé en musée : le peintre le fit construire rue du Furstenberg en décembre 1858 ; il devait y mourir en 1863. Deux ans plus tard, Bazille et Monet s'installèrent pour quelques mois dans la maison qui lui fait face [11].

Toujours dans la même région, mais plus près du Quartier latin, Courbet s'établit vers 1848, 32, rue Hautefeuille au coin de la rue de l'École-de-Médecine : son atelier se trouvait au premier étage dans l'abside de l'ancienne chapelle du collège des Prémontrés, tandis que le rez-de-chaussée était occupé par le café de la Rotonde.

En continuant notre promenade vers l'est, nous devons faire un crochet jusqu'à l'île Saint-Louis. Peu recherché alors par la bourgeoisie, ce coin particulièrement tranquille a abrité une petite colonie d'artistes dès la monarchie de Juillet, et c'est là que Zola situe le premier atelier de Claude Lantier, le héros de *L'Œuvre*. Banville a évoqué cette époque dans ses souvenirs : « Dans l'île Saint-Louis, dont ils s'étaient emparés sans rien dire parce qu'elle n'appartenait à personne, il n'était pas rare de voir les Moine, les Feuchère, tous les Cellini d'une nouvelle Renaissance, aller l'un chez l'autre sans prendre la peine de quitter le costume d'atelier. Sans offenser les yeux d'une foule absente, ils pouvaient aller en négligé sur le quai Bourbon et sur le quai d'Anjou... »

Le centre le plus vivant fut l'hôtel Lauzun, appelé alors Pimodan, 13, quai d'Anjou : le peintre Ferdinand Boissard de Boisdenier, locataire du bel étage, y réunissait peintres et poètes. Daubigny logea également en ces lieux, porte à porte avec le sculpteur Geoffroy-Dechaume, et son atelier fut occupé à la fin du siècle par Guillaumin. Daumier habita tout près, au 9 du quai d'Anjou dans une vaste pièce à baie vitrée, perchée en haut de l'immeuble et dont le seul accès était « une échelle de meunier » [12].

*
* *

Les quartiers centraux de la rive droite sont moins favorables aux artistes, à ceux surtout dont les moyens de
fortune restent limités. Il faut être le peintre Auguste
Biard pour posséder un immense atelier au dernier étage
place Vendôme ; mais Biard est un peintre qui a su profiter
des succès de la foule comme des faveurs de la cour [13].

C'est dans la rue de Surène, près de la Madeleine, que
Balzac place Schinner, le héros de la nouvelle intitulée
La Bourse, mais le romancier précise que la célébrité
de ce peintre lui avait permis, en lui apportant une aisance
suffisante, de ne plus travailler « dans un de ces ateliers
situés près des barrières au loyer modique ». De même c'est
rue des Écuries-d'Artois, près de Saint-Philippe-du-Roule,
que nous trouvons Eugène Giraud, l'ami de la princesse
Mathilde, et rue Balzac, Henri Lehmann, en fin de carrière,
après 1870.

L'avenue Montaigne est déjà un quartier plus excentri-
que : en 1875, le peintre Jacquet peut y habiter une cité
encore à demi rustique et Gustave Doré, tout près de là, rue
Bayard, fait aménager dans un gymnase un atelier pour
peindre les immenses et médiocres toiles par lesquelles il
voudrait dépasser ses succès pourtant indiscutés d'illus-
trateur.

Si l'on remonte du centre de la ville vers le nord, on
atteint très vite les premières rues en pente qui conduisent
à la butte Montmartre. Nous voici parvenus au deuxième
grand pôle d'attraction de la vie artistique. Comme son
symétrique méridional de Montparnasse, c'est un quartier
en pleine transformation et où la densité des maisons ne
deviendra importante qu'à la fin du siècle. Il ne dépassera
le mur d'enceinte, les fameuses « barrières », qu'après la
suppression de celles-ci sous le Second Empire. Jusque-là
le quartier, qu'on appelle parfois « la Nouvelle Athènes »,
s'étend de la rue Saint-Lazare à Pigalle avec la rue des
Martyrs comme axe central.

En 1860, Philippe Burty écrit encore de cette région :
« Quartier nouveau, quartier tranquille s'il en fut et propice
aux arts ! Peu de bruit, peu de mouvement. Les rues sont
bordées çà et là de petits hôtels mystérieux ; le commerce
n'y ouvre que des magasins de denrées indispensables à la

vie ; le fiacre ne se hasarde à en gravir les pentes ardues qu'à la dernière extrémité, le marchand de couleurs y colporte sans encombre ses paquets de brosses et ses piles de châssis et le modèle est toujours certain d'y trouver l'emploi de ses séances [14]. »

Corot a son atelier un peu en marge, rue de Paradis. Rue Lafayette, Henri Regnault s'installe en 1865, avant son départ pour Rome, et c'est dans cette même rue Lafayette que les Goncourt logent Anatole, le peintre bohème de *Manette Salomon.*

Granet, Isabey, Horace Vernet avaient habité le quartier dès le Premier Empire, en un temps où il était à peine bâti. Ary Scheffer et Delaroche s'installent bientôt rue de la Tour-des-Dames. En 1828, Gavarni loge au 27, rue Saint-Lazare, dans une maison que les Goncourt qualifient de « phalanstère d'art » et qui abritait encore un miniaturiste, un jeune sculpteur et un peintre de sujets à horloges. Mais dans la même rue, en 1839, nous trouvons une autre république artistique groupée autour de deux cours et dont les figures marquantes sont le sculpteur Dantan et le paysagiste Léon Fleury [15]. C'est 79, rue Saint-Lazare que loge Fantin-Latour en 1864.

La rue de La-Tour-d'Auvergne abrite Troyon, plus tard le sculpteur Carrier-Belleuse ; la rue Fontaine, Couture, Gavarni en 1837, plus tard Léopold Flameng. Géricault loge 23, rue des Martyrs et y meurt. Fromentin travaille rue La-Rochefoucauld ; Gustave Moreau lui succédera, et son atelier, resté intact, est aujourd'hui transformé en musée.

Infidèle pendant dix ans à la rive gauche, Delacroix s'établit de 1845 à 1857, 54, rue Notre-Dame-de-Lorette : c'est l'atelier que fait connaître au public *L'Illustration* en 1852. Chassériau ne quitte pas ce quartier, mais va pendant vingt ans d'une adresse à l'autre : du 18, rue Saint-Georges au 26, rue de La-Tour-d'Auvergne, puis au 34, rue Frochot en 1844. Dans ce dernier atelier où l'avait précédé De Dreux, peintre de chevaux, il se trouve aux limites de la ville ; comme ses fenêtres s'ouvrent sur le chemin de ronde du mur, elles sont munies de solides barreaux. En 1847, le voilà tout près, rue de Laval, mais il meurt dix ans plus tard rue Fléchier, à l'ombre même de Notre-Dame-de-Lorette, église neuve construite à partir de 1823 et qui donne son nom aux jeunes femmes de mœurs peu farouches qui pullulent dans le quartier.

Le paysagiste Boudin, en quelques années du Second Empire, passe, lui aussi, d'un atelier à un autre : du 66, rue Pigalle au 27, rue Trudaine, puis au 21, rue Fontaine ; en 1864, il fait une incursion jusque sur la Butte pour un bref séjour 15, rue Durandin. Mais, après 1870, il ira s'établir un peu plus à l'ouest, square Vintimille, l'actuelle place Adolphe-Max, où s'installe Bonnard en 1875.

Si Renoir, lorsqu'il a gagné un peu d'argent, peut enfin trouver un grand atelier 35, rue Saint-Georges, où il demeure dix ans, de 1873 à 1883, Degas, lui, change souvent de domicile. Installé d'abord rue Blanche, on le trouve ensuite rue de Laval, puis rue Lepic, rue Notre-Dame-de-Lorette, de nouveau rue de Laval, devenue entre temps la rue Victor-Massé, et enfin boulevard de Clichy.

Ces déménagements fréquents ne prouvent pas seulement l'instabilité de certains artistes, ou pour quelques-uns la fuite devant des loyers impayés : ils révèlent l'abondance des locaux qui s'offraient alors en ces lieux aux artistes de tout acabit et pas seulement aux plus grands. Ces ateliers se multiplient autour de la place Pigalle, dont le renom douteux qu'elle a acquis à l'étranger ne doit pas faire oublier qu'elle honore un sculpteur du XVIIIe siècle. Déjà vers 1840, Théodore Rousseau et Jules Dupré occupaient rue Frochot un petit logement avec deux ateliers, tandis que le rez-de-chaussée abritait Clésinger, Fontallard, les deux Pils. En 1852, Puvis de Chavannes s'installe place Pigalle pour diriger un atelier d'élèves avec d'autres peintres comme Bida et Ricard, tout en préférant exécuter ses œuvres personnelles dans un lointain atelier, à Neuilly. La même maison, que précède un petit jardin, a pour locataires vers 1875 Henner et Boldini. En 1890, Bonnard et Vuillard possèdent un atelier commun au début de la rue Pigalle.

Les Goncourt placent vers 1860 dans la rue Frochot, qu'ils décrivent comme une « gaie villa d'ateliers riches », leur peintre mondain Garnotelle. Dix ou vingt ans plus tard, d'autres ateliers d'artistes enrichis s'élèvent boulevard de Clichy : on y trouve par exemple celui d'Antoine Vollon, le somptueux hôtel de Gérôme avec ses écuries, et l'atelier caprice d'un sculpteur amateur, la comédienne Sarah Bernhardt. Un peu plus loin, boulevard Rochechouart, celui d'Ernest Hébert.

Mais le quartier le plus luxueux qui ait été alors recherché par les artistes, se situe nettement plus à l'ouest. Jusque-là vouée aux cultures maraîchères, la plaine Monceau se couvre après 1860 d'hôtels particuliers et d'immeubles élégants. Manet habita 81, rue Guyot, à la lisière de cette zone, mais celle qui touche le village des Batignolles. On sait que les critiques malveillants englobèrent quelque temps Manet et ses amis sous la dénomination qu'ils voulaient peu flatteuse d' « école des Batignolles ». Ceux qui, après 1870, se font construire des ateliers élégants, sont au contraire des peintres que la critique respecte et que l'argent gagné largement rend honorables aux yeux du public.

C'est un artiste « arrivé » que Cabanel, quand il s'installe rue Alfred-de-Vigny. Il en va de même avec Roll, dont l'atelier fait l'angle de la rue Brémontier et du boulevard Berthier ; encore plus de Lecomte du Noüy, logé boulevard Flandrin, et d'Édouard Detaille dont l'hôtel de la rue Legendre est habité vers 1875 par son disciple, presque aussi apprécié que le maître pour ses reconstitutions militaires, Alphonse de Neuville.

Mais le cas le plus typique est certainement celui de Meissonier : après avoir vécu longtemps dans la grande banlieue, à Poissy, il se fit bâtir, après la guerre de 1870, sur la place Malesherbes, un pastiche d'hôtel Renaissance avec escalier à vis et cloître intérieur. Peut-être en pensant à lui, Zola a fait établir Fagerolles, le seul des peintres de *L'Œuvre* à connaître la réussite officielle, dans un hôtel du même genre qu'il situe avenue de Villiers et qualifie de « vrai bijou de fille ».

A la même époque, De Nittis installe son atelier tout en haut de l'immeuble surélevé par lui qu'il vient d'acheter avenue du Bois. Et bien que le quartier soit alors relativement bon marché, les journaux ne manquent pas de publier des échos admiratifs lorsqu'en 1897 le caricaturiste Forain achète un terrain près de la porte Dauphine, pour s'y faire construire un hôtel particulier.

Le contraste est piquant à tous points de vue entre ces artistes enrichis qui s'installent somptueusement dans des quartiers mondains et ceux qui, dans les mêmes années, se portent de plus en plus nombreux sur les hauteurs de Montmartre. Certes, il n'y a pas que des miséreux qui préfèrent ces régions encore champêtres où règne une certaine liberté de vie et où les conceptions artistiques n'obéissent guère aux normes traditionnelles.

Il faut mettre à part un homme comme Ziem, un précurseur, puisqu'il quitte le quai Malaquais vers 1855 et se fait bâtir une espèce de maison-forteresse dans la rue de l'Empereur, la future rue Lepic [16]. Mais la plupart des artistes de Montmartre travaillent dans une note plus libre.

C'est le cas de Forain lorsqu'il s'installe au coin de la rue Tourlaque et de la rue Lepic en 1875, bien avant d'avoir ses entrées dans les milieux élégants. C'est le cas de Renoir, établi dans une vieille et charmante maison de la rue Cortot et le plus souvent dans son jardin, où vient le rejoindre le peintre Henri Rivière. Et autour d'eux un lot d'illustrateurs cruels et ironiques de la vie contemporaine : Willette, rue Véron ; Toulouse-Lautrec, rue Tourlaque ; Steinlen, rue Caulaincourt. Ainsi s'instaure à la fin du siècle une tradition tout aussi vivace que celle des artistes mondains et qui va faire de Montmartre aux yeux du monde un des lieux sacrés de l'art en France.

*
* *

Savez-vous ce que c'est que l'atelier d'un peintre,
Lecteur bourgeois ? ....
.... C'est un monde ;
Un univers à part qui ne ressemble en rien
A notre monde à nous [17]. ....

Bien qu'il évoque ici l'atelier d'un peintre flamand du Moyen Age, Théophile Gautier, prenant à partie son lecteur en 1831, savait y mettre la pointe de provocation qui convient à un artiste romantique, et attiser une curiosité fort répandue. Le bourgeois, en effet, imagine qu'en ce lieu assez diabolique on respire un parfum d'aventure, de liberté débraillée, peut-être même de débauche. Le curieux plus raisonnable suppose qu'en y pénétrant, il pourrait surprendre cette transmutation mystérieuse qui transforme la vile matière, glaise ou colorants, en œuvre d'art.

La réalité est, en général, plus prosaïque. Beaucoup d'ateliers ne diffèrent guère de ces locaux médiocrement confortables où des artisans se livrent à des besognes à la fois encombrantes et quelque peu délicates. Bien sûr, leur aspect varie avec le genre et plus encore le tempérament de l'artiste. Mais beaucoup ont assez pauvre allure. C'est que les moyens matériels de celui qui y travaille sont souvent réduits. C'est aussi que ces êtres, si prompts à saisir d'un coup d'œil l'aspect d'une ligne ou l'harmonie exceptionnelle de quelques tons précieux, savent tout aussi bien s'abstraire des apparences.

Plus proches en cela qu'on le croirait du poète ou du musicien, le peintre et le sculpteur portent un monde dans leur tête et, s'ils ont presque toujours besoin pour l'exécution de référence à des modèles, modèles vivants ou objets, c'est en fin de compte pour les transfigurer, qu'ils fassent d'une pauvre fille à 5 francs de l'heure une reine d'Orient ou même transposent un panier de pommes ou un pichet d'étain en objets éternels.

Le décor de leur travail leur importe peu, pourvu qu'ils aient leur aises. Beaucoup d'ateliers ressemblent à celui dont les biographes de Gleyre ont gardé le souvenir [18]. Un vaste grenier où l'air passait par tous les joints, éclairé par deux vastes châssis, l'un perpendiculaire, donnant au nord sur une cour, l'autre oblique dans le toit ; un mobilier élémentaire, composé d'une table à modèles, d'un tabouret élevé, de deux mauvaises chaises, d'un vieux fauteuil, d'une commode pour ranger des dessins ; une table avec une cuvette et du savon noir pour laver les pinceaux ; une planche supportant quelques plâtres ; deux ou trois chevalets et des portefeuilles appuyés aux murs. Un cabinet noir servait à entreposer le charbon. Gleyre qui défendait de balayer parce que la poussière est mauvaise pour la peinture, coucha longtemps dans ce local sur un lit de camp et y attrapa des rhumatismes. Mais il y peignit des toiles qui s'appelaient *La Vision apocalyptique de saint Jean* ou *La Danse des Bacchantes*.

Qu'ajouter à cette description, sinon que le peintre réclame de la lumière et un minimum de chaleur : le poêle aux immenses tuyaux coudés tient une place considérable dans les images d'ateliers. Le centre de sa vie, c'est le chevalet qui supporte l'œuvre en cours d'exécution et qu'entoure, à portée de main, une table rassemblant les bouteilles d'huile, d'essence, de vernis, de siccatif, les pinceaux et le matériel pour les nettoyer, et aussi « ces choses sans nom qui peuvent rendre service » que Paul Valéry nous décrit dans l'atelier de Degas [19]. Parfois le tout tient dans un petit meuble à roulettes et à casiers. Et voilà qui suffit pour exécuter des chefs-d'œuvre ou des croûtes : la différence est affaire de génie.

Il est rare que l'atelier n'entrepose pas d'autres toiles, œuvres en cours, elles aussi, ou inachevées ou abandonnées ou invendues. Ainsi le journaliste du *Figaro*, audacieux à sa manière, qui en 1875 pénètre dans l'atelier de Manet, découvre des peintures dont s'est détourné le public, mais depuis universellement connues, l'*Olympia*, *Le Déjeuner sur l'herbe*, *Le Balcon* [20]... Certains peintres aiment avoir sous les yeux des œuvres qu'ils admirent : Fantin-Latour gardait de nombreuses copies qu'il avait faites au Louvre. A côté de meubles plus que simples, Degas avait au mur une esquisse de Delacroix, des dessins d'Ingres, un nu de Puvis.

Le reste, qui encombre souvent les ateliers, ce sont les modèles, variables avec les sujets habituels de l'artiste. Fréquent dans la plupart d'entre eux, le désordre est dédain de la minutie bourgeoise mais souvent aussi une nécessité. Chez Degas, on voyait une baignoire, un lit-cage, une commode sans tiroir, un lutrin, et pourtant Degas affirmait : « J'aime l'ordre. » Manet conservait le buffet de restaurant « où appuya ses mains la fille au corsage bleu du *Bar aux Folies-Bergère* », la table qui rassembla les deux amoureux du *Père Lathuile* et le miroir à pied de Nana [21].

Le peintre de fleurs n'a besoin que de quelques vases ; mais Rosa Bonheur, peintre animalier, entretenait toute une écurie, séparée de son atelier par une cloison et où elle logeait non seulement des chevaux, mais des chèvres et des moutons.

Le paysagiste, travaillant surtout à l'extérieur, n'a chez

lui que des esquisses. Le plus exigeant et le plus considéré, parce qu'il tient le haut du pavé dans la hiérarchie des genres, c'est le peintre d'histoire et son avatar moderne, le peintre militaire. Ceux-là n'ont jamais assez d'armes, d'accessoires, de costumes de tous les temps.

Decamps avait rassemblé chez lui un véritable arsenal et le catalogue de sa vente, faite en avril 1853, mentionne vingt-cinq modèles de fusils, carabines, pistolets et arquebuses, dont des modèles kabyles et albanais. Chez Biard, mille objets rapportés de ses voyages entouraient un divan surmonté d'un baldaquin royal : vases orientaux, coiffures de plumes, nacelle d'Esquimau, qu'on retrouve peints sur ses tableaux. Pour reconstituer les scènes qu'ils imaginent, certains réclament des bijoux, des costumes, des cuirasses, des tapis, dont le rassemblement conduit vite au bric-à-brac.

Le peintre de batailles, selon l'optique du temps, doit se soumettre à des reconstitutions des plus minutieuses. Alphonse de Neuville, peintre de la guerre franco-allemande, possède un véritable musée de coiffures militaires et d'armes contemporaines. Et comme le remarque un chroniqueur contemporain, il « a une façon toute spéciale de *décorer* la pièce où il travaille. Fidèle historien des drames de la guerre, il ne s'entoure que de pittoresques horreurs. Roues de canon brisées, matelas sanglants, paille boueuse, voilà les bibelots qui remplacent chez lui les étagères [22] ».

Ce genre de pandémonium où se retrouvent côte à côte tant d'objets hétéroclites, demeurés là tantôt par nécessité et tantôt par négligence, crée petit à petit l'image typique de l'atelier d'artiste tel que hommes et femmes du monde l'imiteront à leur profit dans les toutes dernières années du siècle.

Par une influence réciproque, les peintres à qui le succès auprès d'un public riche apporte à leur tour beaucoup d'aisance, s'efforcent de ressembler à l'image que l'on attend d'eux. Ils s'écartent en même temps de l'atelier artisanal et de tous les aspects salissants du métier : rapprocher leur lieu de travail d'un salon élégant et confortable, c'est du même coup se hausser dans la hiérarchie sociale, se mettre ou essayer de se mettre sur le même pied que les gens du monde dont on attend les faveurs. Déjà sous l'Empire, l'atelier de Gros était orné somptueusement d'étoffes et d'armes de prix, et celui d'Isabey au Louvre avait été décoré par Percier et Fontaine en personnes.

Les Goncourt ont placé, dans un décor de ce type, Garnotelle, le peintre à succès de leur roman *Manette Salomon* :

> Les meubles étaient couverts d'un reps gris qui s'harmonisait doucement et discrètement avec la peinture de l'atelier. Deux vases de pharmacie italienne, à anses de serpents tordus, posaient sur un grand meuble à glace de vitrine, laissant voir la collection, reliée en volumes dorés sur tranche, des études et des croquis de Garnotelle. Dans un coin, un ficus montrait ses grandes feuilles vernies, dans l'autre un bananier se levait d'une espèce de grand coquetier de cuivre, à côté d'un piano droit ouvert. Tout était net, rangé, essuyé, jusqu'aux plantes qui paraissaient brossées. Rien ne traînait, ni une esquisse, ni un plâtre, ni une copie, ni une brosse [23].

Très proche de cette description, l'immense atelier de Meissonier dans son hôtel Renaissance de la plaine Monceau avec des tentures et des tapisseries pendant du haut de poutres sculptées et ses fenêtres à meneaux dont les serrures étaient finement orfévrées [24].

Certains peintres aux revenus aisés préfèrent pourtant séparer leurs collections et leur travail. Ainsi Albert Besnard ou Lecomte du Noüy, collectionneurs raffinés, mais dont l'atelier offrait la simplicité traditionnelle. Ainsi encore Léon Bonnat qui avait prolongé le sien par une galerie, où l'on pouvait voir les œuvres admirables dont ce peintre médiocre mais au goût parfait savait s'entourer et qu'il devait léguer à Bayonne, sa ville natale.

**

Plus fréquente est encore chez les sculpteurs la séparation entre le lieu de travail et celui qui permet de garder les objets précieux ou de recevoir les amateurs. Car chez eux, l'atelier est soumis à de plus lourdes contingences matérielles. Sauf dans le cas exceptionnel des fabricants de statuettes-bibelots, le poids de la pierre, du marbre, de la glaise, la nécessité de transporter à l'extérieur des œuvres d'un volume encombrant empêchent toute installation dans les étages. Tout ici est salissant, même chez les plus soigneux. Les éclats de pierre, les débris de plâtre ou de terre créent de la poussière et de la boue. En outre, les linges humides, dont on protège les œuvres inachevées, font régner une atmosphère de buanderie. Le poêle diffuse difficilement une chaleur suffisante, d'autant que souvent, comme chez Rude, le sol est fait de terre battue.

Plus encore que les peintres, les sculpteurs conservent des moulages qui servent de modèles. Il est difficile de les mettre à l'abri de la poussière, à moins d'utiliser comme Duret, dans son atelier de l'Institut, de grandes armoires où il protégeait ses moulages de bronze antiques. Qui n'accroche pourtant au mur des fragments de la frise du Parthénon ?

Les plus soigneux et les plus à l'aise installent un atelier en deux parties. Dans une « salle de pratique », on dégrossit les blocs, on gâche le plâtre, on prépare le travail, et ce sont surtout les aides, les praticiens qui opèrent. La deuxième salle, celle du maître, est réservée au travail de finesse, aux esquisses ou aux dessins préparatoires. Chez Dantan, vers 1850, dans le quartier Beaujon, comme chez d'autres plus tard, cette pièce renfermait de beaux souvenirs artistiques et c'était là que « les belles dames qui viennent chez le maître, savent au moins où poser un pied chaussé d'une bottine de satin turc [25] ».

A dire vrai, tous ces arrangements susceptibles de plaire aux visiteurs sont médiocrement utiles au sculpteur comme au peintre. L'inspiration comme l'exécution de l'œuvre se passent de tels raffinements.

CHAPITRE IV

LES SUJETS, L'INSPIRATION
ET LES MODÈLES

ANS L'ATELIER qu'il a choisi, l'artiste élabore son œuvre. A quels mobiles obéit-il alors ? Le suivre dans ses démarches préliminaires puis dans les étapes de la genèse d'une peinture ou d'une statue, ce serait vraiment revivre son existence de chaque jour. Hélas ! c'est se heurter ici aux mystères de la création artistique, dont on ne peut saisir que les apparences. Du moins, grâce à quelques confidences d'artistes sur leur travail et aux témoignages de leurs amis, pouvons-nous les entrevoir dans leur activité essentielle.

Tout part du choix d'un sujet, où il faut, bien sûr, distinguer la commande de l'inspiration libre. Nous reviendrons sur les motifs qui font accepter la première : elle est quelquefois une nécessité ou un pis-aller pour l'artiste dans le besoin. Mais il est rare que l'œuvre commandée n'ait pas quelque lien avec une réussite antérieure. Et puis un même sujet peut être traité de bien des façons et, en organisant sa composition, l'artiste conserve une large part de liberté. Même un portrait présente des différences d'attitude, d'expression, de mise en valeur du fond, que ne déterminent pas seulement les exigences du modèle.

Une œuvre, qui a plu, pousse à renouveler un exploit identique ou provoque des commandes de même nature.

Pour avoir un jour modelé un lion ou un taureau, un sculpteur se soit classé définitivement dans les animaliers. Tel qui a réussi un tableau religieux, est sollicité désormais pour des églises. Si les plus malins exploitent sans vergogne une veine qui a du succès, les plus exigeants souffrent d'être enfermés dans une formule par le public. Fromentin, remarqué pour ses scènes d'Afrique du Nord, connut un drame de ce genre : « A toutes ses propositions, on répondait : « Non, faites-nous quelque chose d'algérien, vous « savez, avec un de ces petits chevaux nacrés auxquels vous « excellez ! Il pestait et, pour la centième fois, il recommençait le petit cheval blanc, le petit ciel bleu, le petit gué argenté, le petit arbre sans nom dans la botanique et le petit Arabe aux bras nus [1]. »

Lorsqu'il ne dépend que de lui-même, l'artiste obéit à plus de conditions qu'il ne l'imagine. Il reste influencé par l'enseignement de ses maîtres, surtout dans ses débuts. Ainsi les élèves de David eurent-ils bien du mal à se dégager des sujets gréco-romains auxquels ils avaient été initiés pour la vie.

Il est difficile aussi d'échapper à la mode et à un certain air du temps qui touche le style d'exécution autant que le sujet des œuvres. C'est la mode d'ailleurs qui pousse les artistes les plus traditionnels à imiter les novateurs qu'ils avaient d'abord combattus. On vit, à la fin du siècle, des membres de l'Institut éclaircir leur palette et se rapprocher ainsi des impressionnistes dénoncés par eux vingt-cinq ans plus tôt comme des révolutionnaires dangereux.

En dehors de quelques isolés, qui peut se dégager complètement des impératifs de l'époque ? Il y a une part de vérité dans la théorie fameuse qu'énonçait Taine, vers 1865, avec un excès de dogmatisme, lorsqu'il prétendait que l'artiste est un produit de son temps et de son milieu. Comment au XIXe siècle ne subirait-il pas par exemple le principe alors sacro-saint de la hiérarchie des genres ? Pour le public, pour les critiques et en conséquence pour les artistes, le sujet d'un tableau indique *a priori* l'importance et la valeur de l'œuvre. Aujourd'hui où la notion de « sujet » a presque disparu et où, pour ne rien dire des artistes non figuratifs, l'auteur d'une nature morte — quelques pommes sur une table dues au génie de Cézanne — est placé beaucoup plus haut que l'auteur d'une grande fresque historique ou décorative, comme l'Hémicycle de l'École des beaux-arts peint par Paul Delaroche, nous avons peine à comprendre ce redoutable impératif. Mais un dialogue qu'on nous rapporte entre le jeune Ary Scheffer et son maître Guérin — la scène se passe vers 1820 — en fait mieux saisir l'importance :

> Le jeune peintre venait d'achever *La Veuve du Soldat* et il apportait cet ouvrage à son maître. Guérin se récrie : « Ah ! Scheffer, lui dit-il, comment est-il possible que vous abandonniez ainsi la grande peinture ? Renoncez-vous d'avance à tous les succès que je vous avais prédits ? — Monsieur, lui répondit le futur auteur de *Saint Augustin*, j'aime ma mère et j'ai besoin d'argent : j'en ai besoin pour elle et pour moi. Ne vous affligez pas si je m'engage à présent sur une autre route : quand ma réputation sera faite et ma position assurée, je reviendrai sur mes pas et peut-être alors ferai-je plus d'honneur à mon maître qui n'a pas l'air de l'espérer maintenant [2].

Car l'artiste par excellence, celui seul qu'on puisse comparer aux grands maîtres du passé, c'est alors le « peintre d'histoire ». Il faut entendre par là toute peinture de grand style ayant pour sujet aussi bien des épisodes de la fable que de l'histoire proprement dite et pour acteurs plus encore des dieux et des héros que des rois. Le répertoire antique a une prééminence qu'on ne conteste pas. Aussi le peintre de sujets religieux est-il légèrement au-dessous. Quant au paysagiste, il ne mérite considération que s'il sacrifie au genre du « paysage historique », c'est-à-dire s'il compose une scène à programme dans laquelle un paysage stylisé joue seulement le rôle de décor. La *Théorie du paysage*, publiée en 1818 par Jean-Baptiste Deperthes, donne des conseils pour le choix du sujet : le peintre doit retenir une scène capable d'inspirer au spectateur de nobles sentiments et ne prendre dans la nature que des matériaux bruts d'où il éliminera tout ce qui gêne l'aspect du beau idéal.

En matière d'histoire, on ne saurait d'ailleurs mettre sur le même pied des scènes de toutes époques. Les batailles que, sous la direction de Vivant-Denon, Napoléon fait exécuter par des peintres comme Gros ou Gérard, font faire la moue aux délicats. Trente ans plus tard, Ingres

jugeait de la sorte ses contemporains et en particulier
Delacroix :

Les peintres modernes s'intitulent peintres d'histoire ; il faut
absolument détruire cette prétention. Le peintre d'histoire est celui
qui représente les faits héroïques, et ces hauts faits se trouvent
uniquement compris dans l'histoire des Grecs et des Romains ;
c'est par eux que l'artiste peut montrer tout son talent d'exécution
dans le nu et les draperies ; toutes les autres époques ne donnent
que des *tableaux de genre*, le costume cachant le corps. C'est à la
faveur du costume que les peintres dits romantiques font si facilement
leurs tableaux sans avoir appris les premiers éléments de la structure
humaine [3].

« Peinture de genre » : voilà la qualification souvent
méprisante pour les sujets d'histoire contemporaine, de
mœurs et toutes ces scènes anecdotiques auxquelles les
peintres s'attachent pourtant de plus en plus volontiers,
parce qu'elles flattent la curiosité du public bourgeois. Le
portrait n'est placé plus haut que s'il est portrait d'apparat.
Le paysage pur aura de la peine à s'imposer, et un homme
comme Corot renonce rarement à peupler au moins de
silhouettes ses admirables vues d'Italie ou d'Ile-de-France.
   Bien entendu, lorsque les réalistes, renouant avec une
tradition qui avait pourtant ses lettres de noblesse, celle des
petits maîtres hollandais, voulurent peindre des scènes de
leur temps même sous leurs aspects vulgaires, ils provo-
quèrent la risée ou le scandale. Écoutons Couture répondre
au jeune Manet, sur le point de présenter au Salon de
1859, où il fut d'ailleurs refusé, son *Buveur d'absinthe* :
« Un buveur d'absinthe ! Est-ce qu'on peut faire une abomi-
nation pareille ? Mais, mon pauvre ami, le buveur d'absinthe, c'est vous. C'est vous qui avez perdu le sens moral [4] ! »

*
* *

Le choix d'un sujet de grand style suppose des connaissances que nourrissent les lectures. Mais l'artiste digne de
ce nom doit concevoir sous une forme plastique la scène
dont un texte écrit a servi de départ.
   En 1804, Prud'hon dînait chez le préfet de la Seine,
Frochot, lorsqu'on évoqua un projet de tableau destiné à

décorer la salle des Assises. Frochot, dans la conversation, cita des vers d'Horace :

> *Raro antecedentem sceleratum*
> *Deseruit poena...*

Ces quelques mots du poète suffirent à enflammer l'imagination de Prud'hon qui esquissa sur-le-champ en un croquis une allégorie saisissante. Tel fut le point de départ de son tableau célèbre *La Justice et la Vengeance divines poursuivant le Crime*, aujourd'hui au Louvre [5].

Delacroix cherchait un sujet pour la décoration de la bibliothèque du Luxembourg. Son ami Villot, plongé dans la lecture de Dante, lui indique le passage où Dante est accueilli aux Enfers par Homère et d'autres poètes de l'Antiquité. Et voilà l'imagination du peintre qui travaille [6].

Le Siècle d'Auguste de Gérôme, vaste toile de dix mètres sur sept, lui est inspirée par une page entière de Bossuet, dont il suit les moindres détails pour représenter ses personnages [7]. Mais si ces énormes « machines » plaisent à un public qui aime y retrouver un écho de ses connaissances scolaires, on comprend que d'autres artistes aient attaqué une telle conception de la peinture. Et qu'ils aient fait un sort à cette formule dont l'auteur est controuvé : « Défense de déposer de la littérature le long des beaux-arts. »

C'est pourtant dans leurs lectures encore que nombre d'artistes de l'époque romantique ont découvert des thèmes qui les ont éloignés de la tradition gréco-romaine. On en citerait une infinité d'exemples : *La Ronde du Sabbat* de Louis Boulanger est inspirée de Victor Hugo ; la *Velléda* du sculpteur Maindron sort d'un texte de Chateaubriand ; Delacroix a trouvé dans Shakespeare, dans Goethe, dans Byron, des motifs dont la nouveauté a choqué les contemporains mais séduit la jeune génération.

Les œuvres des maîtres qui les ont précédés fécondent aussi l'inspiration des artistes par un jeu de réminiscences spontanées ou inavouées. La fréquentation du musée joue un rôle considérable dans une alchimie plus ou moins inconsciente. Et l'ouverture en 1793 du Muséum des arts, devenu bientôt le musée du Louvre, a donné aux artistes du XIXe siècle des facilités qu'on n'avait pas connues jusqu'alors. Certes, seuls des peintres peu scrupuleux procèdent comme le Pierre Grassou imaginé par Balzac, et qui compose une *Toilette de Chouan* dont le romancier nous écrit ainsi la genèse : « Il s'était inspiré tout bonnement du chef-d'œuvre de Gérard Dow : il avait retourné le groupe de la *Femme hydropique* vers la fenêtre, au lieu de la présenter de face. Il avait remplacé la mourante par le condamné : même pâleur, même regard, même appel à Dieu. Au lieu du médecin flamand, il avait peint la froide et officielle figure du greffier vêtu de noir... »

Quand Didier Boguet exposa, en 1836, son évocation de la campagne d'Italie, on cria non sans raison au pastiche de van der Meulen.

Généralement moins facilement décelable, l'emprunt à des œuvres connues est plus fréquent qu'on ne penserait, mais il peut se faire à différents degrés. Lorsque *Le Déjeuner sur l'herbe* de Manet fit scandale au Salon de 1861, on ne reconnut pas la gravure de Marc-Antoine d'après Raphaël où le groupement des personnages est identique, et nul ne sembla se souvenir du *Concert champêtre* de Giorgione qui présente le même rapprochement de femmes nues et d'hommes vêtus.

Girodet s'est inspiré pour son *Endymion* d'un bas-relief de la Villa Borghèse et David d'une médaille antique pour la composition de l'*Enlèvement des Sabines*. Nous savons par son *Journal* que Delacroix aimait contempler au Louvre la *Charité* d'Andrea del Sarto. Aussi n'est-il pas étonnant qu'on retrouve la composition pyramidale de ce tableau et le groupement de jeunes enfants dominés par un torse de femme dans la *Médée* qu'il peignit en 1838.

A la limite, le sujet peut être copié purement et simplement sur une image existante. Mais qui s'en douterait, lorsque Cézanne, faute de motifs, reproduit des gravures du *Magasin pittoresque* ou de journaux de mode qu'il emprunte à sa sœur ?

Les plus grands maîtres utilisent parfois jusque dans les détails les modèles des musées. Louis de Planet, collaborateur de Delacroix pour ses grandes compositions décoratives, nous en fait confidence dans ses notes : « Me servir aussi du petit *Concert champêtre* de Giorgione pour les nuages, les copier juste et voir pour les arbres comment, dans le tableau de Giorgione, les arbres se détachent avec netteté sur le nuage blanc, avec plus de douceur sur le ciel bleu. Me servir aussi de la *Bataille* de Salvator pour le bleu du ciel, excellent ton juste pour mon tableau. [...] Me servir aussi du vieux arbre dans le paysage de Swanewelt [8]... »

Moins liés que les peintres par les impératifs du décor, les sculpteurs ont plus de liberté pour la détermination des sujets. Il leur arrive de modeler une figure nue ou drapée et de la baptiser après coup, selon l'opportunité ou la mode, Ève, Vénus ou le Silence. Perraud, interrogé en 1872 sur l'idée qui l'avait poussé à sculpter une *Galathée*, répondit : « L'idée, je ne m'en inquiète guère. J'ai voulu faire une belle femme et rien de plus [9] ! » Parmi les statues de Pradier, le mouvement d'un bras levé, qui l'avait charmé, est à l'origine de sa *Nyssia*. La *Cassandre* est née d'un beau torse. « La *Sapho* même, la seule de ses statues où il y ait une pensée et où il ait cherché à rendre un caractère, lui a été inspirée par l'attitude des deux bras posés sur le genou qu'un modèle avait prise de lui-même [10]. »

Selon une tradition, qui n'est peut-être qu'une légende, le *Pêcheur napolitain* de Rude, jouant accroupi avec une tortue, serait né de la volonté du sculpteur d'utiliser un morceau de marbre de Paros, de forme triangulaire.

Il arrive même qu'une œuvre change de titre pour des raisons de circonstance. Etex voulait présenter au Salon de 1859 une figure qu'il avait appelée *La Pologne enchaînée*. Apprenant que des motifs politiques la ferait refuser, il la fit recevoir et même acheter par l'État sous le nom d'*Olympia*. Lorsqu'on voulut en 1878 élever une statue à la République, Clésinger n'hésita pas à proposer celle qu'il avait précédemment sculptée pour exalter *La France impériale* [11] !

Si la genèse des sujets peut aussi s'expliquer par bien des hasards, il est des cas en revanche où elle correspond aux sentiments les plus profonds de l'artiste. C'est sous le coup d'événements tragiques, de principes auxquels on est attaché, qu'on peint un jour les *Massacres de Scio* ou *La Liberté guidant le peuple*. D'autres œuvres délivrent d'obsessions plus ou moins avouées : elles expliquent la sensualité de *La Mort de Sardanapale*, imaginée par Delacroix, ou du *Bain turc* peint par Ingres octogénaire. Les reconstitutions mythologiques de Gustave Moreau, les visions d'Odilon Redon relèvent d'une volonté de rendre accessible à autrui mais d'abord à soi-même le royaume des dieux ou le monde infini des rêves. La psychanalyse est venue depuis expliquer ou justifier ces créations au service de l'invisible, mais les artistes ne l'ont pas attendue pour y entrer de plain-pied et nous y mener avec eux.

*
* *

L'idée de départ ne suffit pas : il faut donner corps au sujet. Et ce peut être l'effet d'une lente maturation ou d'un brusque éclair de génie, selon les gens ou les circonstances.

« Je compose un tableau dans ma tête, disait Detaille, comme un musicien compose sans piano ; mais pour la gestation, il faut la promenade, la solitude, le grand air, la nature. Tel tableau demande des mois entiers de réflexion intérieure ; il en est d'autres qui ont germé dans mon cerveau pendant des années. C'est seulement quand je l'ai vue intérieurement que je jette sur le papier ma vision qui apparaît alors complète et que je modifie rarement [12]. »

Chez d'autres, la maturation se fait de nuit ou pendant le sommeil. Ainsi Gustave Moreau avait toujours près de lui un carnet de croquis sur sa table de chevet et mettait au point, le jour suivant, l'idée qui lui était venue au cours d'une insomnie.

Mais la faculté créatrice est rendue plus souple, chez le peintre comme chez le sculpteur, par le travail quotidien : comme le virtuose qui fait des gammes, ils entretiennent leur habileté grâce à des exercices, esquissent des sujets possibles, cherchent à perfectionner leur style. Leurs carnets de croquis leur offrent ensuite des répertoires de formes. Ainsi Delacroix, au témoignage de Théodore Silvestre, avait accumulé « des montagnes de dessins, à la plume, au crayon, d'après nature ou de mémoire [13] ».

La connaissance de l'anatomie se perfectionne par l'étude des cadavres. Dans sa jeunesse, Gleyre fréquente la morgue.

Géricault, Delacroix se font introduire dans des salles de dissection pour noter l'insertion des muscles et leur mécanisme. Mais il est tout aussi indispensable de saisir sur le vif des attitudes que les modèles ne donneraient pas de façon aussi spontanée : c'est l'objet de croquis dans la rue, sur l'omnibus, aux terrasses de café ou dans les théâtres. Les plus habiles préfèrent reprendre de mémoire ce qu'ils ont soigneusement observé.

Les animaux demandent de leur côté de longues études que l'École ne permet guère. Aussi voit-on des artistes fréquenter le marché aux chevaux, les départs de diligences, les courses. Delacroix note en 1823 dans son *Journal* qu'il devrait aller dans une écurie tous les matins. Le Jardin des plantes permet une grande variété d'observations, tandis que le Muséum voisin rassemble les squelettes et les bêtes empaillées. Frémiet, Gérome, Rodin ont fait de longs séjours en ces lieux. Barye, qui devait devenir le grand sculpteur animalier du siècle, a laissé des notes abondantes où l'on trouve des listes de variétés de chiens et jusqu'aux mensurations des animaux reportées sur des croquis.

Mais l'imitation des œuvres des maîtres, base de l'apprentissage scolaire, demeure un exercice que chacun s'impose, où beaucoup trouvent leur bien et quelques-uns sans discrétion. Longtemps après avoir passé l'âge des concours, les peintres continuent à exécuter des copies. Manet, à plus de vingt-cinq ans, reproduit des toiles de Titien, du Tintoret ou de Velasquez. Ingres, déjà âgé, se soumettait encore à cette discipline et prétendait qu'il avait toujours à apprendre.

On doit observer que les œuvres des musées, ceux de l'étranger en particulier, étaient beaucoup plus difficiles à connaître que de nos jours. Les anciens « Romains » pouvaient se souvenir des musées italiens ; les plus favorisés emmagasinaient dans leurs carnets de croquis l'esquisse des chefs-d'œuvre rencontrés au hasard des voyages. Pour les autres, en dehors de médiocres copies et moulages comme ceux de l'École des beaux-arts, leur étude ne pouvait guère s'appuyer que sur des gravures : pâles reflets, souvent rendus approximativement au trait ou lithographiés sommairement par des traducteurs sans génie, des grandes œuvres originales.

Les gravures néanmoins jouent un rôle considérable, et beaucoup d'artistes viennent en consulter au cabinet des estampes de la Bibliothèque que les différents régimes appellent royale, impériale ou nationale. Dans les toutes premières années du siècle, il était permis d'emporter chez soi des recueils du cabinet et en 1822 encore, on voit Gérard, chargé d'une commande pour le roi, autorisé à profiter de cet avantage. Mais on travaille habituellement sur place, et certains s'inscrivent presque au sortir de l'enfance : c'est le cas du fils d'Isabey, venu à treize ans, d'Alexandre Hesse à quatorze ans. Delacroix n'a que dix-huit ans lors de sa première visite en 1816, et Daubigny le même âge, en 1833. Mais beaucoup reviennent volontiers, et on peut côtoyer dans la salle de la rue de Richelieu aussi bien David d'Angers que Bouguereau, Corot que Raffet. Dans la seule année 1833, 476 cartes sont délivrées à des artistes. Degas s'inscrit en 1853, Rodin en 1856, Renoir en 1861, Detaille en 1868, Vuillard en 1887 [14].

Mais les gravures sont plus faciles et moins coûteuses à collectionner que les tableaux. Avant le développement de la photographie, elles seules permettaient à chacun de constituer son musée imaginaire. Nul atelier de peintre ou de sculpteur sans cartons d'estampes où reposent les images favorites. Fantin-Latour, pour « se mettre des formes dans la mémoire », finissait souvent la soirée sous la lampe en décalquant des tableaux célèbres. A l'inverse, c'est le matin que Delacroix feuilletait sa collection, s'attardant sur les Rubens dont il copiait des fragments. Charles Blanc dit de lui qu'il prenait « du Rubens comme d'autres prennent du café ». Et Bergeret écrivait méchamment en 1848 de l'auteur de *L'Apothéose d'Homère* : « Que l'on prive M. Ingres d'estampes, de bosses et d'ouvrages d'art et nous verrons ce qui restera de ses enfantements pénibles et laborieux [15] ! »

*
* *

Les gravures ne servent pas seulement à fouetter l'imagination de l'artiste, elles sont pour lui une source inépuisable de documents. C'est là qu'il trouve le détail d'un costume, la forme exacte d'un navire, la silhouette d'un monument, les attributs d'un dieu ou d'un héros. Car le sujet arrêté, saisi dans sa composition, esquissé même dans ses grandes lignes, il reste à l'exécuter en utilisant moins des souvenirs que des modèles précis. Le sculpteur et plus encore le peintre ont besoin de réunir une véritable documentation : le décor qu'ils ont imaginés, ils doivent maintenant en composer les éléments avec des objets réels. Quant aux personnages, il va falloir les dessiner d'après des modèles vivants capables de reproduire gestes et poses souhaités.

Nous avons quelques précisions sur la façon dont David a travaillé à son grand tableau du sacre de l'empereur. Le peintre, qui le jour de la cérémonie avait obtenu une place dans une tribune, put déjà recueillir de précieuses observations. Mais la commande lui ayant été attribuée après coup, il s'inspira de gravures du sacre de Louis XIV à Reims et du couronnement de Marie de Médicis par Rubens, alors au Luxembourg. Il eut la possibilité d'exécuter des portraits d'après les principaux personnages, dont plusieurs d'après le pape. Le moment choisi le fut en accord avec l'empereur à qui il avait fait plusieurs propositions : on sait qu'il nous montre l'instant où Napoléon va couronner lui-même l'impératrice Joséphine. David fabriqua ensuite une maquette du chœur de Notre-Dame, éclairée par le haut, et y plaça des poupées pour étudier les attitudes et la répartition des lumières. L'ensemble fut préparé par son élève Rouget avant qu'il ne reprenne et ne termine lui-même les figures et les détails essentiels du décor. Le tout demanda trois ans de travail [16].

Un sujet comme *Le Radeau de la Méduse,* qui frappa si fortement les visiteurs du Salon de 1819, posa à Géricault des problèmes particuliers. Il fit construire par un charpentier un modèle du fameux radeau ; il fréquenta l'hôpital Beaujon pour observer les agonisants et les mourants ; il obtint même de faire porter dans son atelier des cadavres et des membres coupés, car la putréfaction ne le rebutait pas.

Tous les sujets ne contraignent pas l'artiste à d'aussi pénibles confrontations, mais la nécessité de la vraisemblance l'oblige souvent à chercher des renseignements à des sources très diverses. Ainsi Delacroix, qui n'avait jamais encore été en Orient, quand il voulut évoquer les massacres survenus dans l'île grecque de Scio en 1823, dut interroger des témoins, retrouver des militaires et emprunter des costumes orientaux à son ami M. Auguste.

Puvis de Chavannes était moins tenu par l'histoire pour évoquer, au Panthéon, la vie de sainte Geneviève. Mais il utilisa des sources contemporaines habilement transposées : les Halles, le quai Saint-Bernard lui fournirent des scènes vécues ; à un dignitaire de l'Église, entrevu un jour, il emprunta le type de saint Germain ; il s'inspira de paysages des bords de la Seine et de la plaine de Nanterre.

Paul Baudry, chargé de décorer le grand foyer de l'Opéra, se livre à bien d'autres préparatifs. Pendant six années, il parcourt l'Europe pour voir ou revoir les modèles dont il veut s'inspirer. Huit mois durant, il copie les Michel-Ange de la Sixtine ; plus tard, il est à Londres pour étudier les cartons de tapisserie dus à Raphaël, que conserve le musée de South-Kensington ; Madrid le voit ensuite étudier Velasquez ; enfin c'est Venise où il se penche sur Titien et le Tintoret [17].

L'esprit du siècle favorise les évocations historiques et le romantisme insiste sur l'importance de la couleur locale. Mais la recherche d'une documentation précise, susceptible de satisfaire les historiens, mène sur la voie dangereuse de la reconstitution archéologique. En 1867, Taine dénonce cette déviation du rôle des artistes : « Pour obtenir la couleur locale, quantité de nos peintres se font antiquaires, touristes, fripiers, Égyptiens, Grecs, Étrusques, hommes du Moyen Age. Leurs tableaux sont instructifs mais ils font peur ; une telle poursuite du détail authentique devrait mettre l'œuvre parmi les documents de la science et conduire l'auteur à l'Académie des inscriptions [18]. »

Devant exécuter des épisodes de la vie de Jeanne d'Arc pour les chapelles du Panthéon, Paul Baudry, toujours scrupuleux, mourut avant d'avoir épuisé ses recherches : il avait travaillé sur les manuscrits de la Bibliothèque nationale et de l'Arsenal, s'était rendu à Lille et à Bruxelles pour consulter ceux qui viennent des ducs de Bourgogne ; il avait étudié sur place les sites d'Orléans, d'Amboise, de Chinon et d'autres lieux. Un historien disait de Baudry que personne ne connaissait comme lui la première moitié du XVe siècle.

Les peintres militaires sont parmi les plus scrupuleux, qu'ils préparent d'énormes fresques comme Horace Vernet, Detaille, Alphonse de Neuville, ou de petits tableaux, riches de détails minuscules comme Meissonier. L'évocation de scènes contemporaines ou relevant d'un passé très proche accroît les exigences de la reconstitution.

Ainsi Meissonier, qui avait préparé pendant quatorze ans sa célèbre évocation de *1807*, eut un scrupule au moment de l'envoyer au Salon de 1880 : constatant qu'il s'était trompé sur le matricule des dragons, il repeignit tous les numéros. On cite bien d'autres exemples de la manie documentaire de Meissonier, dont la collection d'armes et d'armures devait entrer après sa mort au musée de l'Armée. Il avait acheté de vieux carrosses pour les dessiner, faisait reconstituer par sa femme des pièces de linge et des costumes d'après des patrons ou des gravures anciennes afin d'en revêtir ses modèles. Pour être certain de représenter la figure de l'empereur avec l'allure exacte qu'il souhaitait lui donner, il se déguisa avec des vêtements reconstitués. On le vit dans la cour de sa maison de Poissy, à califourchon sur un bâti simulant un cheval : « Il tenait à la main une plaquette sur laquelle était collée une feuille de papier blanc et se copiait lui-même à l'aquarelle en se regardant dans une grande glace posée verticalement devant lui. »

Le ridicule du procédé éclate quand, ayant revêtu un modèle d'un costume de hussard, il le fait poser plusieurs heures dans une immobilité de statue, et peint seulement le mousqueton pendu à sa ceinture ! Pour représenter le sol de la retraite de Russie, il dut attendre une chute de neige, fit piétiner la terre par ses domestiques, rouler des tombereaux pour créer des ornières puis il se mit au travail en plein air malgré le froid.

Cette méthode, propre à bien d'autres peintres de l'époque tels que Roll, Neuville ou Jean-Paul Laurens, leur valait l'admiration des « connaisseurs » et un succès démesuré auprès du public. Elle leur attira aussi nombre de plaisanteries, comme cette histoire que raconte Duranty au sujet de la fameuse *Charge des cuirassiers* de Meissonier. A l'en croire, le peintre aurait d'abord fait exécuter la charge dans son parc par un escadron de cavalerie, mais les chevaux avaient disparu avant qu'il ait pu fixer leur mouvement. Alors il n'hésita pas à employer les grands moyens : il fit établir une voie ferrée pour suivre d'un wagon le tourbillon des chevaux [19]...

* * *

Le paysage pur ou la nature morte étant considérés comme des genres mineurs, tous les tableaux dignes de ce nom comportent des personnages. Or on invente plus difficilement une attitude que la forme d'un objet. Sauf de rares cas où l'on peut reprendre les éléments déjà dessinés, il faut faire poser un modèle avec les gestes exacts qui conviennent à la scène. L'étude des modèles vivants représente donc une étape capitale dans l'exécution d'un tableau ou d'une statue.

A la place du personnage en chair et en os, certains utilisent des mannequins articulés, vendus chez les marchands spécialisés et qui donnent une silhouette approximative. Gustave Moreau, utilisant ses dons de modeleur, préparait des maquettes de bois, recouvertes de pâte, sur lesquelles il disposait des draperies. L'apparition de la photographie fit même penser à certains artistes qu'ils pourraient se passer de modèles vivants. C'est ainsi que Delacroix, qui fut, notons-le, un des premiers membres de la Société française de photographie, utilisa des photos de nus qui commençaient à se répandre dans le commerce ; il fit même prendre par son ami Durrieu des clichés de modèles dans des poses déterminées pour pouvoir les utiliser ensuite au moment opportun. Delacroix va jusqu'à écrire que ces clichés indiquent seuls l'exacte réalité : « C'est la démonstration palpable du dessin de la nature, dont nous n'avons jamais autrement que des idées bien imparfaites [20]. »

La même nouveauté servit à d'autres artistes moins disposés à en reconnaître l'emploi. Ainsi il est possible que la fameuse femme nue, qui trône au milieu de l'atelier de Courbet, ait été traitée de cette façon.

Mais dans la majorité des cas, les artistes préfèrent recourir à des personnages vivants. La bonne volonté des membres de leur entourage leur offre parfois une commodité et le gage d'un certain naturel. Manet peignit volontiers sa femme, son filleul Léon Leenhoff et des amis ou disciples comme Ève Gonzalès et Berthe Morisot. Des artistes aussi divers que Delacroix, Gavarni et Degas ont placé dans leurs toiles beaucoup de parents ou de camarades ; nous ne parlons pas ici des portraits dont le problème est différent, mais de compositions où ils figurent sous une apparence anonyme. Ainsi *L'Absinthe* de Degas a été posée par le graveur Marcellin Desboutin et une chanteuse de leurs amies.

Ce qui est commode pour un personnage que l'on peint dans une pose familière ou dans une scène d'intérieur, l'est moins quand il s'agit d'une action animée où les héros participent à une action dramatique. Rude pourtant utilisa sa femme pour la figure de la Marseillaise : il l'excita à crier bouche ouverte, lui répétant : « Plus fort, plus fort ! » Des collaborateurs de l'artiste peuvent aussi lui servir de modèles occasionnels. Ce sont des élèves de David qui lui donnèrent la pose de Bonaparte au mont Saint-Bernard. Pour sa *Stratonice*, Ingres avait d'abord placé un de ses élèves dans le rôle du jeune Séleucus agenouillé contre le lit. Mais comme le résultat ne lui plaisait pas, cet homme de plus de cinquante ans finit par se déshabiller, par se draper et par se jeter lui-même dans l'attitude qu'il avait conçue, pendant que ses élèves reproduisaient le mouvement sur le papier. Il avait agi de façon identique en préparant la Vierge du *Vœu de Louis XIII*, grimpant sur une échelle, un paquet de linge dans les bras pour figurer l'enfant, afin qu'un de ses collaborateurs pût noter sa silhouette vue d'en bas, telle qu'il l'avait imaginée [21].

*
* *

Dans la majorité des cas, c'est pourtant aux modèles professionnels qu'on a finalement recours. Il s'agit d'une catégorie sociale presque indispensable à l'artiste et qui mérite d'être étudiée à part.

Le problème est de trouver un modèle dont l'aspect et le caractère conviennent au sujet représenté. Aussi les artistes notent-ils des adresses comme celles qu'on lit dans l'agenda de Delacroix en 1850 :

« Mme Carbon, rue Fontaine-Saint-Georges, 44 ; modèle élégant, assez grande, pose les drapeiies.

« Mlle Eléonore, rue Notre-Dame-de-Lorette, 40 ; très joli modèle, petite Vénus [22]. »

Des modèles, on en trouve de tout jeunes et même des enfants qui posent avec ou sans leurs mères ; on trouve aussi de beaux vieillards de différents types, ceux qui ont une grande barbe étant recherchés pour poser les « fleuves ». Il y a des femmes aux formes fluettes et des modèles à la Rubens. Les plus habiles sont capables d'emplois différents : la « petite d'Aubigny » posa *L'Espérance* de Puvis de Chavannes aussi bien que les femmes moins idéalisées de Manet. Les caricaturistes plaisantent volontiers ces jeunes personnes spécialisées dans des rôles inattendus : « Mlle Nina pose les anges et les vertus à 4 francs la séance. *Nota* : les péchés capitaux se paient à part, on traite de gré à gré [23]. »

Ceux qui exercent le métier pendant de longues années, subissent les variations de la mode. Dubosc, tout enfant au temps de David, avait tenu l'arc et le carquois des Amours ; vers 1830, il revêtit plus souvent le pourpoint et l'armure que la toge ; vingt ans plus tard, il était généralement sollicité pour endosser des uniformes militaires. Dans une comédie jouée au Palais-Royal, *Le Salon de 1831*, un modèle énumère plaisamment les emplois successifs auxquels il s'est trouvé soumis : sous la Révolution, il a représenté les gladiateurs, tandis que sa femme était Vénus, Psyché ou les Grâces ; ensuite, il a posé les grenadiers et sa femme les vivandières ; mais depuis les journées de Juillet, il a pris plus d'une fois le Louvre et les Tuileries en peinture, tandis que sa femme se trouve sur toutes les pièces d'artillerie et son fils sur toutes les barricades [24]...

Comme les modèles ne sont qu'exceptionnellement des canons de beauté, certains artistes empruntent différentes parties du corps à des modèles différents. Solution peu satisfaisante, mais en est-il en ce domaine ? Louis de Planet, aide de Delacroix, nous rapporte le point de vue de ce dernier :

Le modèle vivant, m'a dit M. Delacroix, ne rend jamais exactement l'idée de la figure qu'on veut représenter : il est ou mesquin ou incomplet ou d'une beauté tellement différente ou supérieure qu'on est amené à tout changer. Alors l'idée que l'on avait vous échappe et laisse place à la simple imitation. Exemple de Cotte père qui est un magnifique modèle et qui pourtant, dans la pose de Pline, était mesquin, rond, petit ; après avoir donné le mouvement pour des croquis, il a amolli l'énergie du mouvement dans l'esquisse [25].

En fin de compte, Delacroix estimait que le modèle n'offre à l'artiste qu'une référence, une sorte de confirmation des formes qu'il doit avoir en mémoire.

Si belle que soit sa plastique, le modèle vieillit et change. Les hommes, pris souvent parmi les lutteurs dont les muscles sont particulièrement développés, peuvent poser plus longtemps que les femmes, et celles-ci n'ont, en général, que dix années devant elles. En revanche, le célèbre Dubosc posa de sept à soixante-deux ans !

Ce fait explique que les femmes soient plus chères que les hommes. En 1852, une femme demande de 4 à 5 francs pour une séance qui dure en général quatre heures, alors qu'un homme ne prend que 3 francs. Vers 1885, les prix ont augmenté : les modèles femmes se paient 10 francs, quelquefois plus si elles sont très jolies ; il est vrai qu'on trouve des Italiennes pour 5 francs. Quant aux hommes, ils ne gagnent jamais plus de 5 francs, et 6 francs chez les sculpteurs.

Les artistes éprouvent de multiples difficultés avec leurs modèles. Le mauvais modèle tire sur les heures, réclame plus de charbon dans le poêle parce qu'il se plaint toujours du froid. Il tient mollement la pose, ce qui oblige à de continuels rappels. Dubosc, qui eut tant de titres à la reconnaissance des artistes, avait une nature exceptionnelle : « Sa santé était de fer, son courage à poser vraiment inouï. Trois fois par jour il donnait des séances ; invincible à la fatigue, il se raidissait dans les poses pénibles sans demander grâce ; on était quelquefois obligé de le relever [26]. » Infatigable et très compréhensif pour le travail de ceux qui l'employaient, il était seulement exigeant pour se faire payer. Mais ceux qui avaient critiqué son avarice, furent bien étonnés quand il se retira en 1859 ; ils apprirent que cet homme modeste avait amassé une fortune rapportant une rente de trois mille francs par an, ce qui suppose à l'époque un capital d'environ cent mille francs. Bien mieux, ne gardant pour lui qu'une pension mensuelle de deux cents francs, il donnait le reste à l'École des beaux-arts afin d'aider les jeunes artistes à leur entrée en loge pour concourir au prix de Rome. Bel exemple de générosité de la part d'un homme sans culture. L'emploi des modèles femmes soulève des problèmes particuliers. Difficiles à garder, les belles filles ont lâché des artistes qui comptaient sur elles pour plusieurs mois, parce qu'elles avaient trouvé entre-temps un emploi plus facile et plus lucratif de leurs charmes. Lorsque, à partir de 1845, le cirque Olympique présenta des exhibitions en maillot collant, il dépeupla les ateliers. Sous le Second Empire, Louis Leroy note que ces femmes figurent dans des féeries qui leur donnent l'illusion de tenir des rôles d'actrices, et « où leurs formes finissent toujours par être appréciées des amateurs de l'orchestre ». Et il ajoute : « La *bicherie* fait concurrence à la peinture et le peintre n'est jamais sûr de garder jusqu'à la fin de son tableau la Vénus de louage qui lui a servi à le commencer [27]. »

Dès cette époque, on signale heureusement une arrivée massive de modèles italiens, en particulier des paysannes des environs de Naples, qui viennent à point pour suppléer les Françaises. Vers la fin du siècle, c'est à cinq cents personnes, hommes et femmes, que l'on estime le nombre d'Italiens vivant de la pose à Paris. Presque tous logent dans le quartier proche de la place Jussieu, spécialement rue des Boulangers. Mais le marché aux modèles se tient alors place Pigalle, autour de la fontaine, et les Italiennes, encore revêtues de leur pittoresque costume, y sont les plus nombreuses. Vers 1885, un de leurs compatriotes nommé Socci eut l'idée, pour faciliter le recrutement, d'ouvrir boulevard de Clichy une « agence des modèles vivants ». Peintres et sculpteurs pouvaient faire le choix des modèles disponibles en toute connaissance de cause, grâce à des photos et même à des moulages mis à leur disposition [28].

La nécessité de vivre ensemble crée des liens entre artistes et modèles. Il est rare qu'un artiste fasse comme Bouguereau, dont le modèle favori, engagé par lui au mois, gagnait 300 francs de fixe, nourri dans la maison, tricotait dans les intervalles de la pose ou aidait à la cuisine. Mais un modèle intelligent se forme au contact des maîtres, apprécie les calembours, transmet les bonnes histoires d'atelier en atelier, sait être un compagnon agréable qui nettoie les palettes ou sert de commissionnaire pour porter les toiles au Salon. Il peut avoir la fierté de son métier comme Dubosc qui allait voir aux expositions les tableaux pour lesquels il avait posé ou comme Bauve, qui avait servi à Rude pour l'adolescent de *La Marseillaise* et répétait, à qui voulait l'entendre : « J'ai mon portrait sur *l'arche de Triomphe* [29] ! »

L'homme qui vieillit trop mal pour continuer à poser éprouve parfois des difficultés à se reconvertir. Pour un qui devient concierge de l'École des beaux-arts, beaucoup, on ne sait pourquoi, se font conducteurs d'omnibus. D'autres disparaissent dans la misère ou trouvent à l'occasion quelque secours chez des artistes qui ont pitié d'eux.

Le cas des femmes est beaucoup plus délicat. Être modèle chez des artistes prête facilement à la malveillance. C'est autre chose de poser dans un atelier d'élèves ou, seule, chez un peintre. « Pour tous ces écoliers, le modèle n'a pas de sexe ; il est considéré à peu près comme une chose, comme une ronde-bosse, différant seulement des statues en plâtre par la coloration et l'incorrection des formes [30]. » Le chroniqueur qui parle ainsi simplifie peut-être un peu le problème, et les modèles de l'École des beaux-arts n'échappent pas toujours aux plaisanteries ou aux sollicitations équivoques. Mais le jeune artiste face à un agréable modèle est en proie à d'autres tentations. Même s'il préfère employer la langue italienne pour évoquer ses exploits amoureux, Delacroix, dans son *Journal*, ne nous laisse pas ignorer que les expériences auxquelles il se livre avec certains modèles, ne sont pas toutes de caractère esthétique. En janvier 1824, il fait poser Émilie Robert, dont le torse magnifique est celui de la femme attachée à un cheval dans les *Massacres de Scio*. Le mélange de ses activités ne ralentit en rien son ardeur de peindre ; mais il en convient lui-même : « Il faut être jeune pour faire tout cela. » Et il continue à la traiter comme un modèle ordinaire puisqu'on lit deux jours plus tard : « J'ai donné à Émilie Robert pour trois séances de mon tableau : 12 francs [31]. »

Beaucoup de ces femmes cherchent en fait une liaison

durable ou le mariage. D'ailleurs Monet, Renoir parmi
d'autres ont épousé un de leurs modèles. Le héros de
Manette Salomon, créé par les Goncourt, est de ceux qui
ont choisi cette solution. A en croire les romanciers, une
femme de ce genre ne peut qu'entraîner la déchéance
de l'artiste en le détournant de son idéal. Thèse simpliste,
nullement confirmée par les expériences connues.

CHAPITRE V

TECHNIQUE ET EXÉCUTION

Il ne suffit pas d'imaginer un sujet, d'en préparer la composition, d'en esquisser les éléments d'après les modèles. L'exécution d'un tableau ou d'une statue requiert un travail complexe, souvent long et dont la technique ne s'improvise pas. C'est dans cette phase que l'activité de l'artiste ressemble le plus à celle de l'artisan, c'est à ce stade aussi que le peintre et le sculpteur diffèrent le plus.

L'art de peindre ou de sculpter n'a pas changé sensiblement depuis des siècles et les recettes se transmettent de maître à élève. Mais il semble que depuis la fin de l'Ancien Régime, l'enseignement ait pris une tournure esthétique et que les grandes théories aient souvent diminué le rôle de la pratique. On accuse Louis David d'avoir formé toute une génération au mépris des formules héritées du passé et d'avoir ainsi aggravé la rupture. Toujours est-il que Degas exprime une opinion assez répandue lorsqu'il dit à un ami : « Nous vivons à une drôle d'époque, il faut l'avouer. Cette peinture à l'huile que nous faisons, ce métier très difficile que nous pratiquons sans le connaître. Pareille incohérence ne s'est jamais vue [1]. » Le fait que des marchands spécialisés préparent de plus en plus le matériel utilisé par les artistes, justifie un moindre apprentissage, mais l'avenir réserve des déboires à ceux qui méprisent trop les éléments du métier : vernis craquelé ou couleurs assombries sont souvent le lot de tableaux dont l'exécution ne s'est pas suffisamment conformée à des impératifs techniques de caractère permanent.

La plupart des fournisseurs de matériel pour les artistes sont établis, alors comme aujourd'hui, dans les environs de l'École des beaux-arts. Par les papiers de Delacroix nous connaissons bien Haro, auquel il s'adressa le plus souvent et qui fut aussi le marchand attitré de Ingres. Sa boutique avait été ouverte en 1826 rue du Colombier, c'est-à-dire au coin de la rue Jacob et de la rue Bonaparte actuelle. Le papier à en-tête de Haro définit exactement les services que les artistes pouvaient attendre de lui :

> Au Génie des Arts, rue du Colombier n° 30, faubourg Saint-Germain, Haro, marchand de couleurs, restaurateur de tableaux, neveu et élève de M. Rey, tient tout ce qui concerne les objets utiles à la peinture à l'huile, la miniature, le dessin, l'aquarelle, le lavis et le pastel ; papiers de toutes qualités, crayons de toutes espèces, bordures dorées de toutes mesures ; cartonne et encadre dessins et estampes, fait des envois dans les départements et à l'étranger [2].

Marchand de couleurs et de papiers, encadreur puis restaurateur, voilà une voie que suivent volontiers les fournisseurs qui réussissent. Vers 1850, Étienne Haro, successeur de son père, possède rue des Marais-Saint-Germain un atelier spécialisé dans les réparations, le rentoilage et la restauration des tableaux ; il est finalement devenu marchand d'œuvres d'art, expert et conseiller des artistes. C'est lui qui en 1857 trouvera pour Delacroix la maison de la rue de Fürstenberg.

Le support de la peinture est parfois un panneau de bois ou de carton, plus généralement une toile tendue sur un châssis. Les marchands en fournissent dans toutes les dimensions connues, dont les tailles correspondent à des numéros traditionnels. La toile est encollée puis recouverte de trois couches de blanc de céruse, quelquefois de gris ou de brun rouge. Rares sont les peintres qui comme Daubigny, même au temps de sa réussite vers 1875, préfèrent, malgré le temps perdu, préparer leurs toiles.

Aussi rares ceux qui, à la manière des peintres anciens, broient eux-mêmes et mélangent leurs couleurs ou dirigent la préparation qu'achèvent leurs aides. La plupart procèdent comme Delacroix qui envoie par exemple ce billet le 29 octobre 1827 :

« M. Delacroix salue Madame Haro et la prie de vouloir bien lui faire broyer sur-le-champ 6 vessies de blanc de plomb, 6 de jaune de Naples, 2 d'ocre jaune, 2 de cobalt, 2 de noir de pêche, le tout plus liquide que les couleurs que l'on prépare pour tout le monde. Il passera sans faute demain matin mardi pour les prendre à sept heures[3]. »

Livrées dans des vessies, les couleurs mal protégées se dessèchent ; d'autres, comme la laque ou le bleu de Prusse, s'altèrent vite. Aussi une nouveauté est-elle bientôt saluée comme elle le mérite : l'emploi de tubes en cuivre étamé puis en étain, assurant un emploi plus facile et une meilleure conservation. Cette invention anglaise, récompensée à Londres en 1824, est bientôt répandue sur le continent. Désormais bien protégées, les couleurs restent plus stables ; leur usage est moins salissant ; leur transport facile va permettre d'emmener le matériel hors de l'atelier et contribue ainsi indirectement au développement de la peinture en plein air.

Recherches et manipulations n'en sont pas pour autant supprimées ; car non seulement chaque peintre compose sa palette comme il l'entend mais il peut en varier selon les époques et les sujets. Delacroix par exemple a laissé des notes abondantes sur ses différentes palettes : l'aide qu'il demandait à ses élèves l'obligeait à définir soigneusement la composition des nuances qu'il voulait leur faire utiliser.

Beaucoup de peintres croient en outre assurer à leurs œuvres, par des procédés qui leur sont propres, un meilleur aspect ou une conservation moins aléatoire. Qui n'utilise quelque truc personnel, ingénieuse invention ou secret ancien, transmis par un maître ou un ami ? Les plus médiocres s'attachent volontiers à ces recherches dans l'espoir un peu naïf qu'un liant nouveau, un colorant méconnu donnera enfin à leurs tableaux l'aspect séduisant ou la qualité qu'on leur refuse. Les confidences d'artistes ou les traités qu'ils rédigent, sont riches de recettes définitives et pourtant généralement contestées. Les meilleurs n'y échappent pas toujours et l'on voit Delacroix essayer en 1853 de remplacer l'huile de lin ou l'huile d'œillette

habituelles par l'huile d'olive ; il songe un moment à
faire cultiver lui-même la garance, et ce n'est pas tout.

A la fin du siècle, Bouguereau et Detaille préconisent le
retour à la peinture à l'œuf, tandis que certains de leurs
confrères, impressionnés par les travaux de Pasteur ou de
Chevreul, croient trouver dans la chimie la connaissance
exacte des mystères de la matière colorante. On ne peut
pourtant pas dire que ces études aient influencé de façon
efficace la technique des peintres. Beaucoup de tableaux
anciens exécutés selon des recettes empiriques se sont
finalement beaucoup moins altérés que des peintures plus
récentes dont les auteurs ont voulu tenir compte des
découvertes de la science.

*
* *

Sur la toile préparée, le peintre met en place l'essentiel
de sa composition en utilisant les dessins préparatoires,
plus ou moins longuement étudiés. Horace Vernet, peintre
rapide, se contente d'esquisser, sur une feuille où les
personnages avaient deux ou trois centimètres de haut,
l'ensemble de sa *Smalah d'Abd el-Kader* qui devait dépasser
vingt mètres de long. Mais en général l'esquisse est préparée avec plus de soin ; elle peut être reportée sur la toile
en l'agrandissant au moyen d'un quadrillage : cette « mise
au carreau » est souvent l'œuvre d'un aide habile. Les
grandes lignes sont tracées à la craie ou au fusain puis
on procède ensuite de deux manières différentes.

Les uns — c'est le cas de David et de ses disciples —
peignent sur la toile blanche, cherchant directement la
perfection de la forme jusque dans le détail des personnages et des objets. L'autre école, plus répandue, exécute
d'abord une ébauche généralement en grisaille, sorte de
camaïeu monochrome, permettant de juger l'effet d'ensemble. Il faut alors laisser sécher l'ébauche une quinzaine
de jours ou plus, avant de reprendre la toile. Quand il
s'agit d'une vaste composition, cette partie du travail est
confiée généralement à des élèves. C'est ce que fait Delacroix dans ses travaux décoratifs. Ingres préfère peindre
lui-même l'ébauche, mais des aides exécutent ensuite des
fragments entiers. Balze raconte comment avec ses cama-

rades de l'atelier d'Ingres il a peint, dans la *Stratonice*
en particulier, les parties architecturales, les mosaïques,
les meubles [4]. Dans tous les cas, c'est naturellement le
maître qui termine en s'attaquant aux figures et même en
recouvrant de glacis légers certains morceaux très avancés,
où il tient à mettre sa griffe.

Si le choix des couleurs est propre à chaque peintre, la
tradition ou la mode entrent en jeu pour conseiller d'une
façon plus ou moins explicite certains tons ou certains
procédés. Vers le milieu du siècle, l'emploi intempestif du
bitume est un phénomène qui marque bien sa date. Le
bitume dilué dans la cire permet d'obtenir facilement
une tonalité jaunâtre transparente, proche de la patine
qu'on prise particulièrement dans les tableaux anciens.
Une ombre, providentielle pour les moins habiles ou les
moins scrupuleux, noie alors les détails et leur donne une
apparence séduisante. Hélas ! elle se craquelle en vieillis-
sant, comme on ne le voit que trop dans certains sous-bois
des peintres de l'école de Barbizon.

Les impressionnistes, réagissant contre ces procédés,
introduisent une nouvelle conception de la couleur qui va
bouleverser totalement l'histoire de la peinture. Aux
dépens des terres, ils recherchent des couleurs vives comme
le chrome, le cadmium et les laques. Évitant les mélanges
et préférant les tons purs du prisme, ils proscrivent jusqu'au
vernis final par lequel leurs adversaires obtiennent une
certaine transparence. On sait que les principes des impressionnistes prirent une allure plus systématique avec des
hommes comme Seurat et Signac. La juxtaposition de
petites pastilles de couleur devait, selon eux, substituer au
mélange de tons préparés par le peintre, le mélange sur la
rétine du spectateur. Ce « mélange optique » dont ils
avaient découvert le principe dans les travaux de Chevreul,
donnerait une base plus scientifique à la peinture. Même
si ces expériences ont en partie échoué, elles montrent à
quel point les peintres du XIXe siècle ont essayé de renouveler les techniques de leur art.

*
* *

La palette au pouce gauche, le long appui-main devant

lui pour éviter de se tacher aux couleurs déjà posées, le pinceau dans la main droite, voilà notre peintre au travail.

Il opère debout, ce qui lui permet de s'éloigner plus facilement de sa toile pour juger avec du recul, comme le jugera le spectateur une fois le tableau terminé, l'effet de chaque touche. Selon une formule que Gleyre aimait à répéter à ses élèves : « La magistrature assise, la peinture debout. » Bien sûr les scènes de genre de petit format autorisent de rester assis devant le chevalet, mais là encore il faut se déplacer pour regarder l'œuvre à distance. En revanche quand les toiles sont immenses ou s'il s'agit de décorer une muraille ou un plafond, le peintre se trouve perché dans des positions souvent inconfortables, sur des échelles, des estrades roulantes ou de véritables échafaudages.

Dans ce cas la poussière, les bacs de couleurs qu'il faut utiliser, l'obligent à se protéger d'une blouse, la blouse blanche comme celle qu'aimait revêtir Puvis de Chavannes ou la blouse bleue du paysan que préférait Corot et qu'il accompagnait du bonnet de coton à mèche. Mais soucieux de se distinguer du peuple, beaucoup peignent en tenue de ville, quitte à choisir le velours pour la veste et une vaste cravate pour mieux s'éloigner du commun. Et certains se plaisent, par quelque béret à pompon comme Henner ou quelque toque comme Hébert, à évoquer les artistes du Quattrocento.

L'acte même de peindre varie avec chacun, et la technique, plus ou moins secrète, est parfois difficile à saisir pour le profane. Duranty, excellent connaisseur du « Pays des arts », en nous montrant l'un de ses personnages, le peintre Marcillon, nous introduit au plus près de l'artiste au travail :

La palette du peintre, fraîche et vive était garnie de petits tas de couleurs disposés le long du bord. [...] Il y puisait et, d'un mouvement des doigts pareil à une crispation, il posait légèrement la touche sur la toile ou bien, par larges applications égales, il revenait sur ses fonds ou sur quelque grande surface à couvrir d'une même teinte et la salissait ensuite de quelques traînées ou vivement colorées ou foncées pour la rendre plus chaude et plus vibrante. [...] Tantôt revenant sur un frottis, c'est-à-dire sur une certaine étendue où la couleur peu chargée a été déposée vivement sans que la surface ait été méticuleusement découverte, Marcillon passait quelques larges touches transversales avec une assez grosse brosse, tantôt chargeant une brosse moyenne de couleurs claires sans les délayer dans l'huile, il déposait, par un mouvement contournant, un empâtement qui avait presque l'épaisseur d'un petit ver. Ailleurs au contraire, trouvant ses couleurs un peu sèches, il plongeait un pinceau mince dans un godet d'huile, happait à peine un peu de couleur sur la palette et la traînait très légèrement, ne couvrant le dessous que par place, de façon à le laisser voir. [...] Tantôt son pinceau allait de haut en bas, tantôt il suivait un contour dans son sens ; tantôt le peintre tamponnait à petits coups ou bien retournait le poignet, accélérait le mouvement, le ralentissait, filait un trait, parfois appuyait sur la touche ou se contentait de piquer la toile [5].

La manière de peindre a d'ailleurs beaucoup évolué au cours du siècle. Classiquement, on peint « léché » en suivant soigneusement le contour des formes et en effaçant les traces du pinceau dans la pâte. L'emploi systématique du coup de brosse, dont jadis un homme comme Frans Hals avait laissé des exemples, permit une virtuosité, un *fa presto* où se sont complu certains portraitistes soucieux d'effets faciles. Les impressionnistes, de leur côté, en laissant à la touche toute sa pureté, en l'invitant à accrocher la lumière, brisèrent eux aussi le rythme traditionnel du peintre. Aussi, peu d'artistes, dans la dernière moitié du siècle, restent fidèles au fini de la peinture, à cette apparence de perfection froide où les élèves de l'École avaient apporté si longtemps le meilleur de leur soin.

D'ailleurs aux brosses et aux pinceaux habituels, les peintres du XIXe siècle ont ajouté, pour poser les couleurs sur la toile, le couteau à palette, destiné en principe à y mêler les produits sortis du tube. On affirme souvent que Courbet fut le premier à l'utiliser de cette manière mais, avant lui, Decamps et Diaz avaient déjà étalé par ce moyen de larges zones de couleurs fraîches ; dans cette technique, pratiquée par certains jusqu'à l'abus, les empâtements excessifs sont ensuite amincis au rasoir.

***

« Je viens de faire une journée de manœuvre : tordre des fers pour l'armature de ma figure, bêcher de la terre, faire des colombins — c'est-à-dire des boudins de terre glaise —, charrier de l'eau, nettoyer [6]... »

Chapu, le futur auteur de la *Pensée*, se plaignant ainsi à ses parents, découvrait en fait la besogne quotidienne du sculpteur. L'artiste « arrivé » peut avoir des aides : il ne s'affranchit jamais de ces tâches matérielles qui forment le fond de son métier. Car plus que le peintre, il doit se colleter avec la matière et les spéculations de l'esprit ne suffisent pas à donner naissance à l'œuvre de glaise, de plâtre ou de marbre. Son travail est austère, quelquefois brutal et suppose de la force physique, d'autant plus qu'il vit dans la poussière et dans une humidité favorable aux rhumatismes.

Debout devant la selle, ce plateau tournant dont une vis modifie le niveau, le sculpteur pétrit la terre, en rajoute, la déforme, lui donne de la paume, du pouce ou de l'ébauchoir, la silhouette qu'il a conçue. Silhouette préparée par des croquis, étudiée face au modèle dont Rude apprenait à ses élèves à situer les muscles au moyen du fil à plomb et du compas.

La terre se modèle facilement mais elle ne tient en grosses masses que sur une armature métallique. Ce sont des fils de fer soigneusement tordus qui forment comme un squelette dont la position peut être modifiée sans trop de peine. Pour une statue de bonnes dimensions, l'armature plus résistante doit être soudée et on fait alors appel au concours d'un serrurier.

A la glaise, certains préfèrent la cire plus fine mais ne permettant que des volumes plus réduits. Barye fut de ceux qui remirent à la mode cette technique : pour rendre ses maquettes plus maniables et donner aux animaux qu'il sculptait la souplesse qui fait leur charme, il préférait mettre les fils de fer à l'extérieur comme une carcasse.

Une fois terminée, la figure de glaise doit être voilée d'un linge humide pour maintenir le moelleux de la terre et l'empêcher de se craqueler. Les sculpteurs arrosent souvent largement les figures qu'ils abandonnent en cours de travail, au moyen d'une seringue, empruntée tout simplement à l'arsenal de l'apothicaire.

De glaise ou de cire, la statue ainsi réalisée n'est qu'une ébauche : l'étape suivante est normalement le moulage en plâtre donnant une œuvre relativement fragile mais qu'on peut néanmoins exposer au public. L'œuvre définitive, impérissable celle-là sauf accident, est en bronze ou en marbre. Mais passer du plâtre au marbre ou au bronze représente une aventure si considérable et si coûteuse qu'elle suppose normalement l'exécution d'une commande. A moins qu'il ne puisse utiliser quelque fragment de marbre, subsistant par exemple d'une œuvre plus importante, l'artiste s'en tient souvent au plâtre en attendant d'être fixé sur le destin de sa statue.

Si ce destin est favorable, il s'attaque alors à la taille de la pierre. Mais la taille directe est longue et pénible. A coups de masse, de ciseau et de râpe, c'est la lutte avec la matière résistante, et il faut continuellement monter sur l'escabeau et en descendre pour juger l'effet d'ensemble. Pourtant l'artiste convaincu travaille dans l'allégresse, blouse blanche sur le dos, bonnet de papier sur la tête et les yeux protégés par de larges lunettes pour éviter les éclats de marbre.

La transposition du plâtre à la pierre est facilitée par tout un système de fils à plomb qui permettent de repérer à l'aide du compas la profondeur à creuser pour chaque point de la figure. Des machines plus ingénieuses viennent simplifier le report et permettent à volonté de réduire ou d'agrandir l'original : il en est ainsi du pantographe inventé par Collas en 1847. C'est grâce à lui et grâce à la galvanoplastie, dont la diffusion date de la même époque, qu'on obtient à peu de frais de petites statuettes, désormais ornements des intérieurs cossus : en l'absence de statuaire monumentale, elles offrent aux artistes un débouché nouveau.

Le sculpteur bien organisé fait préparer la taille du marbre par des praticiens : ceux-ci, dégrossissant largement le bloc, ne laissent qu'une croûte de quelques millimètres ou des zones plus inachevées. Le maître met la dernière main, fignolant soigneusement au marteau et à la râpe la surface même de son œuvre. Dans des sculptures plus importantes, les élèves ou les praticiens sont invités à achever eux-mêmes le modelé de tel accessoire ou de telle draperie secondaire. Mais le sculpteur qui s'attaque à une figure simplement dégrossie, débarrassé de la partie la plus ingrate de son travail, éprouve la joie intense de voir prendre forme à chacun de ses gestes la figure qu'il a imaginée, et se dégager de sa gangue l'idée qu'il avait conçue.

Quand le projet de glaise est transformé en bronze, le travail échappe presque entièrement à l'artiste. Il surveille le moulage et rejette les pièces qui ne le satisfont pas, mais pour le reste il doit s'en remettre au savoir du fondeur. Le travail se fait par exemple dans l'atelier des Susse, fondeurs de père en fils, installés passage des Panoramas, puis rue Vivienne [7]. On emploie la fonte à un seul jet, à cire perdue, ou plus fréquemment à cette époque le coulage par pièces détachées, ensuite soudées, dont on ponce les raccords et dont on soigne la patine.

Mais le bronze a sur le marbre l'avantage d'être plus facilement multiplié et de procurer au statuaire, dont les œuvres figurent ainsi en plusieurs exemplaires dans les collections publiques ou privées, une ubiquité favorable à son renom.

*
* *

Peindre ou sculpter peut être une activité de dilettante. Mais celui qui élabore une œuvre importante, qui prépare une exposition, qui doit répondre à des commandes, sait l'obligation du courage et de la persévérance. Le *Sacre*, commandé à David en décembre 1804, n'a été terminé qu'en février 1808. Il a fallu quatre ans à Ingres pour mettre au point sa *Stratonice* ; son *Vœu de Louis XIII*, préparé en trois ans et demi, a été exécuté en neuf mois ; Meissonier a gardé sur le chevalet son tableau *1807* pendant quatorze ans avant de le livrer au public.

Il existe certes des artistes moins scrupuleux ou plus rapides : *La Prise de la Smalah d'Abd-el-Kader*, qui, avec ses vingt-trois mètres de long, est un des plus vastes tableaux jamais peints, n'a demandé que dix mois de travail à Horace Vernet, et Vernet trouva encore la force de préparer en même temps, pendant les heures du soir, cinq cents dessins pour illustrer une histoire de Napoléon. Dans l'élan de l'inspiration, d'une inspiration d'ailleurs longuement mûrie, il peut arriver à un artiste d'exécuter l'ensemble d'une toile en un temps record. Ainsi Gustave Moreau qui esquissa *Hercule et l'Hydre* en un seul jour : mais le soir il tombait évanoui de fatigue [8] !

Qui peut dire d'ailleurs quand l'œuvre est terminée ? Pour le public, les premiers tableaux des impressionnistes paraissaient bâclés ; il estimait que le peintre s'était moqué de lui en exposant une ébauche, une simple esquisse, un brouillon en quelque sorte, au lieu de la peinture soigneusement fignolée qui sortait de la main des bons faiseurs. Mais l'artiste lui-même, à quel moment pense-t-il qu'il doive cesser son travail ? L'œuvre réalisée ne correspond jamais à l'œuvre rêvée. Doit-il s'en contenter ou essayer mieux ? Atténuer tel contraste de couleur, renforcer tel autre, mettre dans l'ombre un détail secondaire qui vient trop en avant, refaire l'expression trop terne d'un personnage, remanier le fond ?

Manet, exécutant le portrait d'Eva Gonzalès, fit disparaître plusieurs fois la tête du personnage afin de recommencer à zéro et Berthe Morisot, qui a assisté à la scène, écrit à sa sœur :

« En attendant, il recommence son portrait pour la vingt-cinquième fois, elle pose tous les jours et le soir sa tête est lavée au savon noir. Voilà qui est encourageant pour demander aux gens de poser ! »

Et un peu plus tard : « ... Son portrait n'avance toujours pas, il me dit être à la quarantième séance et la tête est de nouveau effacée, il est le premier à en rire [9]. »

Constamment à la recherche de techniques et d'effets nouveaux, peignant à l'occasion sur papier huilé, mêlant d'autres fois la gouache au pastel, Degas disait un jour à un journaliste : « J'ai passé toute ma vie à essayer [10]. » Dure ascèse que cette remise constante de l'œuvre en chantier chez des insatisfaits chroniques comme Degas ou comme Cézanne. Mais pour tous, pour presque tous, le moment de conclure, de mettre la dernière touche, d'apposer la signature, est un moment de déchirement.

* *

Malgré la lassitude et le découragement, l'artiste comme l'écrivain, doit se contraindre à un minimum de discipline journalière. Ceux qui l'imaginent menant une vie toute de fantaisie, créant dans une allégresse sans contrainte, seraient bien étonnés d'apprendre la somme de travail qu'il est capable d'abattre. Meissonier, dont la santé était excellente, pouvait peindre jusqu'à treize heures par jour. Le spécialiste des scènes vénitiennes, Ziem, restait devant son chevalet de huit à dix heures. Levé vers sept heures, Gleyre commençait sa journée par quelques croquis, déjeunait vers neuf heures ou neuf heures et demie dans un café du quai d'Orsay, puis peignait sans répit, car le peintre, esclave du jour, ne peut pratiquement rien faire à la lueur d'une bougie ou d'une lampe.

Delacroix se levait à sept heures et, après s'être mis en train, travaillait sans rien manger jusque vers trois heures de l'après-midi. Encore qu'il n'aimât pas suivre des horaires trop précis, c'est vers quatre heures qu'il dînait. Au temps où il peignait la chapelle des Saints-Anges à Saint-Sulpice, il s'accordait alors deux ou trois heures de sommeil, puis le soir vers dix heures entreprenait une longue promenade, parfois de sept à huit kilomètres, dans les rues de Paris. « Que dites-vous de ce joli régime qui me réussit ? » écrit-il à un ami en 1858 [11].

D'autres peintres ne craignaient pas plus que Delacroix la marche. Puvis de Chavannes, logé place Pigalle, ne fit-il pas, pendant des années, quelque dix kilomètres par jour pour se rendre à son atelier de Neuilly et en revenir ? C'est que le métier est dur et suppose qu'on se maintienne en bonne forme physique. Ainsi voyons-nous Rude faire de l'escrime jusque dans ses vieux jours, Doré se livrer au trapèze et à la barre fixe dans son atelier, Meissonier, monter à cheval, nager ou s'adonner au canotage sur la Seine.

Mais une bonne forme morale n'est pas moins nécessaire. Et dans les journées incertaines de sa jeunesse, Delacroix ne parvenait à se mettre au travail que sur la promesse d'une distraction vespérale, musique, bal ou divertissement quelconque. Plus d'un, comme lui, a préféré interrompre brusquement une œuvre ingrate et trouver dans le chant ou la guitare, l'apaisement de ses ennuis et le départ d'une ardeur nouvelle.

Les heures efficaces, celles où le travail dépasse la simple exécution, supposent chez l'artiste « d'avoir la fièvre ». C'est Delacroix encore qui l'affirme. Et alors il pénètre « dans le monde des nobles chimères » d'où viennent les grands élans créateurs [12].

Dans ces heures-là, beaucoup redoutent tout dérangement imprévu. Delacroix, Fantin-Latour, Cézanne condamnent leur porte, craignent les visiteurs et vivent en tête à tête avec l'œuvre en gestation. D'où des réactions parfois vives devant l'importun, telle celle que Vollard rapporte au sujet de Cézanne : « Excusez un peu, monsieur Vollard, me disait-il un jour devant un de ses tableaux qu'il avait crevé, un jour qu'on l'avait dérangé ; mais quand je travaille, j'ai besoin qu'on me f... la paix [13] ! »

Même si la présence d'aides ou de modèles est indispensable, certains exigent un recueillement absolu : « Un grand silence était nécessaire à M. Géricault, disait Dubosc, on n'osait ni parler ni remuer autour de lui, un souffle le troublait [14]. »

Ce ne sont pas comme des oasis de calme ou des thébaïdes que certains peintres ont représenté leur atelier. Vernet, Courbet, Bazille par exemple montrent autour d'eux un ensemble d'amis ou de visiteurs dont la présence surprend. Il est vrai qu'à en juger par certains témoignages les ateliers d'artistes ne devaient pas être toujours d'accès trop difficile. Ainsi Gigoux, peintre lui-même, nous parle de « ces nombreux flâneurs qui courent les ateliers de peintres, l'hiver pour se chauffer, l'été pour vous entraîner à quelque partie [15] ». Et « l'ami des peintres » est un personnage assez typique pour tenir sa place dans la série des *Français peints par eux-mêmes* : sorte de mouche du coche, il parle avec assurance des travaux des artistes, fait des commissions, met du bois dans le poêle et trouve son bonheur à « voir sa tête ébauchée chaque année dans le fond d'un tableau [16] ».

Beaucoup de gens en effet figurent dans les tableaux où les peintres se sont représentés. Passe encore pour Bazille : les cinq personnes qui l'entourent en 1870 dans son atelier des Batignolles ne forment qu'un groupe de compagnons. Mais le tableau peint par Horace Vernet en 1822 et popularisé par de nombreuses gravures est beaucoup plus étonnant. Vernet s'est figuré au centre faisant des passes de fleuret avec son élève Ledieu, sans qu'ils aient d'ailleurs, ni l'un ni l'autre, abandonné leur palette, tenue au pouce de la main gauche. De côté, devant un chevalet, Robert Fleury est en train de peindre sous l'œil attentif de M. de Forbin, directeur des musées. Mais on se demande comment il n'est pas troublé par le tohu-bohu qui l'entoure. Car, à droite, Eugène Lami, à demi couché sur une table, joue du piston, accompagné par un jeune tambour, assis sur une malle ouverte. On voit encore un groupe de militaires, deux boxeurs au repos, un homme qui lit un journal et des animaux vivants : un grand cheval blanc et un chien qui aboie après une chèvre.

On sait que l'activité de Vernet troublait jusqu'au sommeil de ses voisins de la rue de la Tour-des-Dames : mais ici, plus qu'une représentation réaliste, le peintre a voulu donner l'idée flatteuse d'un peintre qui travaille en se jouant. Image pittoresque mais suspecte au sujet de laquelle Charlet, ami de Vernet, dit fort bien : « On se figure qu'il est toujours à faire de l'escrime d'une main, de la peinture de l'autre ; on donne du cor par ici, on joue de la savate par là ! Baste ! Il sait très bien s'enfermer pour faire ses lettres et c'est quand il y a du monde qu'il fait ses enveloppes [17]. »

L'Atelier, peint par Courbet en 1855, réclame aussi une interprétation que suggère d'ailleurs son sous-titre : « Allégorie réelle, déterminant une phase de sept années de ma vie artistique. » Synthèse imaginaire, elle permet de mieux comprendre la présence simultanée, dans cette composition, de Baudelaire rêvant et d'un couple d'amoureux, d'une femme nue et d'un petit garçon placé derrière le peintre qui détermine un paysage. Au-delà de l'allégorie, le tableau vise à offrir au public une certaine image, discutable, de l'activité de l'artiste. En fait, Courbet, pas plus que Vernet ne craignait le bruit et son ami Castagnary le montre peignant devant témoin, fumant, chantant, indifférent à ceux qui l'entourent [18].

La sculpture exige sans doute moins de recueillement que la peinture. En tout cas, certains statuaires ont laissé eux aussi la réputation de préférer l'agitation au calme.

Pradier dit un jour à Maxime Du Camp : « Quand je suis seul, je ne suis bon à rien. » Et de fait, il recevait

continuellement des visiteurs de passage ou même des
habitués, écrivains comme Du Camp, musiciens comme
Auber ou Adolphe Adam. Attirés par la verve du sculpteur,
ils l'étaient aussi par les jeunes et beaux modèles que
sa renommée lui amenait, « véritables merveilles de harem,
dont il avait la primeur et que la galerie pouvait admirer
à loisir [19] ».

Falguière, pourtant logé dans un atelier exigu, ne travaillait jamais si bien qu'au milieu de ses élèves occupés
à modeler et de l'allée et venue des visiteurs :

> Falguière avait besoin de sentir autour de lui l'activité, le mouve-
> ment et le bruit. Son atelier qui n'était pas très vaste et auquel il
> avait ajouté des annexes voisines, était tout encombré de modèles
> qui posaient ou se présentaient, d'élèves qui modelaient dans un coin,
> de camarades en visite, de praticiens ou d'architectes, et là où un
> autre aurait perdu la tête, il travaillait avec une ardeur toute
> juvénile, une fièvre sacrée, un enthousiasme joyeux, une sorte d'ivresse
> de la chair vivante et de la création [20].

Les conditions que réclame l'artiste pour exécuter son
œuvre, sont, on le voit, assez variées. Aux solitaires farouches
s'opposent ceux dont le monde excite l'imagination. Mais
l'essentiel pour les véritables artistes, c'est de se ménager
les heures irremplaçables où mûrit leur inspiration et de
savoir que l'œuvre nécessite un patient labeur. Alors,
ceux-là, même dans les moments les plus durs, gardent au
cœur la joie sereine du créateur. Qu'importent les idées
fausses que le public se fait de leur travail ? Plus d'un
pourrait évoquer une histoire voisine de celle qu'aimait
raconter Corot. « Mon père, nous dit Corot, qui trouvait
que la peinture est un métier de paresseux, m'a dit au
moment où je me suis mis à peindre : « Je t'aurais donné
cent mille francs pour t'acheter un fond de commerce.
Tu n'auras que deux mille francs par an. Ça t'apprendra.
Allons, va, *et amuse-toi* ! » Corot ajoutait : « Je me suis
toujours rappelé ces paroles de mon père : je me suis
toujours amusé [21]. »

CHAPITRE VI

VOYAGEURS ET PAYSAGISTES

Considéré comme un genre mineur, le paysage finit par acquérir ses lettres de noblesse. « L'école du plein air » provoque les quolibets d'une opinion attachée aux valeurs traditionnelles, mais les peintres de Barbizon puis, à la fin du siècle, les impressionnistes imposent peu à peu leurs chefs-d'œuvre.

Cette évolution conduit les artistes du XIXᵉ siècle, plus que leurs prédécesseurs, à chercher leur inspiration sur les routes. Dès la Restauration, le romantisme naissant apporte à tous le goût de la nature et la recherche des monuments en ruine, des châteaux du Moyen Age, des sites pittoresques, les pousse à sortir des villes. A la même époque, les compagnons du tour de France partent eux aussi pour découvrir le monde, en proposant ici et là leur habileté d'artisans. Comment de jeunes rapins que nulle obligation n'enchaîne, ne seraient-ils pas tentés de se mêler à eux et de céder à l'aventure ?

Pour partir, il faut d'abord amasser un petit pécule. Les impatients partis trop vite sont vite ramenés à la réalité. Le critique Thoré évoquait ainsi pour Théodore Rousseau leurs souvenirs de jeunesse :

Te rappelles-tu encore nos rares promenades au bois de Meudon ou sur les bords de la Seine, quand nous avions pu réunir à nous deux, en fouillant dans tous les tiroirs, une pièce de cinquante sous ?

Alors c'était une fête presque folle au départ. On mettait ses gros souliers comme s'il s'agissait de partir pour un voyage à pied autour du monde ; car nous avions toujours l'idée de ne plus revenir ; mais la misère tenait le bout du cordon de nos souliers et nous rattirait (*sic*) de force vers la mansarde, condamnés ainsi à ne jamais voir dehors qu'un seul tour de soleil [1].

Daubigny, plus sage, économisa sou à sou en travaillant à de petites besognes sur les chantiers du château de Versailles. La cagnotte qu'il avait constituée dans le trou d'un mur avec son compagnon Henri Mignan, renfermait finalement quatorze cents francs. Somme énorme pour ces jeunes gens, qui leur permit de traverser toute la France par petites étapes et d'aller jusqu'en Italie.

Car voyager ne coûte pas cher, surtout si l'on va à pied et si l'on sait supporter l'inconfort. A quatorze ans, avec cent francs en poche comme Gigoux, on peut aller loin : il quitta son Besançon natal pour la Suisse et la Savoie ; mais il a raconté comment un soir, égaré, il se mit à pleurer en appelant sa mère [2]. Les plus longs trajets à pied ne rebutent alors personne. Daubigny, installé en 1839 à Bourg-d'Oisans, envisage froidement de rentrer à pied du Dauphiné à Paris. A ses amis qui avaient aidé son départ, il réclame seulement un peu d'argent : « 150 lieues, écrit-il, c'est l'affaire de vingt jours au plus. A quarante sous, ça fait quarante francs [3]... » En 1828, Paul Huet revient entièrement à pied de Fécamp à Paris, et, cinquante ans plus tard, c'est encore à pied qu'Émile Bernard quitte la capitale pour se rendre à Pont-Aven.

Même quand leur bourse permet aux artistes de prendre la diligence, les voyages restent longs : de Paris, il faut quatre jours pour atteindre l'Auvergne ou la région de Nantes, cinq pour celle de Bordeaux. Mais les artistes acceptent ces trajets avec bonne humeur ; leur gaieté et les plaisanteries faciles dont s'agrémente leur conversation sont en général goûtées des autres voyageurs. Balzac nous a ainsi montré Schinner et son rapin Mistigris faisant assaut de calembours dans la diligence de l'Isle-Adam [4].

L'avènement du chemin de fer raccourcit les distances et facilite les déplacements. Mais seul, en vérité, le voyage à pied permet de voir un pays sous tous ses aspects, de choisir le lieu qui séduit les yeux, de s'attarder dans un village, près d'un vieux pont, d'un moulin ou d'une cascade et d'en tirer un motif. Il permet aussi plus facilement de se mêler à la vie des paysans et des bergers, de partager leur repas quand nulle auberge frugale ne se rencontre sur la route, au besoin de coucher dans des cabanes, des burons ou des granges.

Le sac sur le dos, un grand bâton à la main, les voilà donc partis à l'aventure. Suivant les époques, vêtus d'une blouse ou d'une veste, des guêtres aux mollets, sur la tête un chapeau haut de forme, un feutre pointu ou un béret, voire le bonnet collant de laine noire porté par Rousseau, ils passent rarement inaperçus, surtout s'ils sont en groupe. Quelquefois un matériel plus encombrant les accompagne : le parasol et le tabouret pliant, qu'on appelle un pinchard, le chevalet et les châssis. Pourquoi alors ne pas faire comme Daubigny et son ami Lavoignat, lorsqu'ils parcourent le Morvan en 1853 : s'acheter un âne avec selle et paniers pour la modique somme de 25 francs [5] ?

Mais le paysagiste, qu'il rassemble les éléments de futures compositions, ou qu'il soit un des nombreux pourvoyeurs d'albums de paysages, se contente plutôt de croquis, tout au plus de pochades à l'aquarelle, et le matériel nécessaire est des plus réduits.

S'il rencontre en route des sympathies, des amitiés ou des aventures plaisantes, l'artiste voyageur se heurte aussi à la méfiance. Quand on le voit en plein air, on ne comprend guère ce qu'il fait, et ceux qui s'installent à plusieurs devant un monument ou une vieille maison, sont vite soupçonnés de se livrer à des relevés mystérieux ou accusés de dérangement d'esprit. Champfleury nous en montre un, posté dans une petite ville devant une demeure à pans de bois, dont la servante s'effraie :

« Bien sûr qu'il est fou, n'est-ce pas, madame ? »
Quelques bourgeois qui passaient, s'arrêtèrent de loin pour voir le dessinateur et se le montrèrent du doigt ; ils étaient aussi effrayés de sa barbe que de son fier visage ; ils auraient bien voulu s'approcher et regarder le dessin mais n'osaient pas. Les gamins qui revenaient de l'école, commençaient à former un cercle autour de l'artiste ; mais celui-ci s'étant levé pour voir de plus près un détail de sculpture, ils s'enfuirent effrayés [6].

Devant ces réactions, on ne s'étonne pas de l'incident arrivé à Troyes et que relate en souriant le *Journal des Artistes* du 20 novembre 1836 :

> Six artistes à longues barbes et à chapeaux pointus viennent de mettre en émoi toute la ville où ils s'étaient arrêtés pour voir quelques monuments du Moyen Age. L'autorité, alarmée par leur sérieux et leur teint poétiquement pâle ou pâlement poétique, a cru devoir s'informer de leurs projets, trouvés en définitive forts innocents [7].

Tous les artistes itinérants ne sont d'ailleurs pas paysagistes ou dessinateurs de lieux pittoresques. Certains, comme « les vrais voyageurs » dont parle Baudelaire, ne partent que « pour partir » et par goût de la vie errante. Dans *Manette Salomon* les Goncourt évoquent, en silhouette, un de ces peintres qui tirent leurs ressources de commandes attrapées au vol sur leur chemin :

> Rouvillain, un nomade, qui, dès qu'il avait pu réunir vingt francs, donnait rendez-vous à l'atelier pour qu'on lui fît la conduite jusqu'à la barrière Fontainebleau ; de là il s'en allait d'une trotte aux Pyrénées, frappant à la porte du premier curé qu'il trouvait le premier soir, lui faisant une tête de vierge ou une petite restauration, emportant une lettre pour un curé de plus loin ; et de recommandations en recommandations, de curé en curé, gagnant la frontière d'Espagne, d'où il revenait à Paris par les mêmes étapes [8].

Personnage imaginaire qui eut de nombreux modèles : ainsi Eugène Deveria, renonçant à Paris, s'arrêtant à Rennes où il trouve la commande de plusieurs tableaux, avant de repartir vers le Midi. Ainsi Charles Saunier, un élève d'Ingres s'installant plusieurs mois dans diverses villes, à Dole en 1843, à Rethel en 1845, à Lyon et à Vienne en 1847, à Saint-Étienne en 1849, et ainsi de suite.

Et Corot, le « père Corot » lui-même, moins assujetti que d'autres à la commande, mais toujours prêt à lever le pied, passa une partie de son existence à fréquenter des maisons amies, heureux d'une vie vagabonde qui s'accordait avec son insouciance de célibataire et lui procurait du même coup une grande variété de sujets.

Après avoir traîné leurs guêtres sur bien des grandes routes et des petits sentiers, la plupart des peintres de paysage finissent par adopter un coin privilégié. Toute lassitude mise à part, il semble bien qu'un artiste exprime mieux le sens profond d'une région qui lui est familière. Daubigny, riche de multiples expériences, écrivait à son ami Henriet : « Je n'ai rien fait de bon à Cauterets. [...] Il n'est tel encore que la nature dans laquelle on vit tous les jours et où l'on se plaît réellement. Les tableaux se ressentent alors de la vie intime et des douces sensations qu'on y éprouve [9]. »

*
* *

Dans une série d'articles, le *Journal des Artistes* de 1830 avait indiqué les sites de France dignes de l'intérêt des peintres : peu de provinces échappaient à cet inventaire. Mais quelques-uns de ces lieux ont dû autant à des rencontres de hasard qu'à leur charme propre d'abriter des colonies d'artistes. Leur rôle a été trop grand dans la vie de ces derniers pour qu'on puisse les passer sous silence.

La région qui devait le plus faire parler d'elle, c'est la forêt de Fontainebleau qui, à une distance raisonnable de la capitale, offrait aux paysagistes un ensemble exceptionnel de « motifs ».

Dès le début du siècle, on y rencontre quelques peintres : un certain Bruandet, un Grec du nom de Bulgari. Decamps a un pied-à-terre à Fontainebleau même, mais il ne songe guère à reproduire les lieux qui l'entourent. Aligny possède à Marlotte, à la lisière sud de la forêt, une propriété d'où la vue s'étend sur la vallée du Loing. C'est lui sans doute qui y attire Corot et Corot saura mieux profiter que son ami des sites tout proches, la Gorge-aux-Loups et le Long-Rocher. Car Aligny, paysagiste dans la tradition de l'École, stylise tellement la nature que, s'il faut en croire Murger, il commence par arracher les fougères et par tondre les mousses des paysages dont il s'inspire [10].

Marlotte et le village voisin de Bourron accueillent ensuite, dans deux auberges médiocres, l'aquafortiste Chauvel, arrivé à l'âge de dix-huit ans en 1849, Cicéri, Célestin Nanteuil, Ménard. Plus tard y viennent Renoir et Sisley. Vers la fin du siècle, une petite colonie d'artistes s'y trouve installée ; à cette époque l'animalier Coignart est devenu maire de Marlotte, et autour de Jules Didier et de Jules

Laurens on trouve même des musiciens comme Massenet et Ernest Reyer [11].

Mais le village qui laisse le plus de traces dans l'histoire du paysage est situé au nord-ouest de la forêt : c'est Barbizon dont la notoriété atteint des dimensions universelles. Théodore Rousseau attira là-bas la plupart de ses camarades. Il avait d'abord séjourné en 1833 dans le hameau voisin de Chailly-en-Bière, à l'hôtel du Cheval-Blanc, et trente ans plus tard ce même hôtel verra passer Renoir, Monet, Bazille et Sisley. Mais Rousseau qui avait découvert le charme de la région, préfère s'installer à Barbizon où une auberge venait à son tour de s'ouvrir.

Le village est particulièrement bien placé à l'entrée même de la forêt et par l' « allée aux vaches » on pénètre au cœur des futaies du Bas-Bréau. A quelques pas, deux des sites les plus célèbres : les amoncellements rocheux des gorges d'Apremont et les solitudes sableuses du désert de Franchard. Sous-bois majestueux, mares fréquentées par les animaux sauvages, chaos de rochers offrent aux artistes les aspects exceptionnels d'une forêt qui résume les beautés d'une nature encore sauvage. Au-delà de Barbizon vers l'ouest, la plaine elle-même, habitée de paysans assez rudes, ponctuée de bouquets d'arbres, animée de la silhouette de bourgades voisines peut fournir le cadre de scènes rustiques ; c'est là que Millet a situé une composition vite aussi fameuse que *L'Angélus*.

Ils sont légion ceux qu'attirent ces lieux pour quelques jours, pour quelques semaines ou même dans l'intention de s'y fixer : Paul Huet, Français, Diaz, Barye, Millet, Gérome, des étrangers aussi comme le Suisse Karl Bodmer, qui a laissé son nom à un chêne de la forêt.

Pour les artistes de passage, le point de ralliement est l'auberge Ganne, autour de laquelle toute une légende s'est cristallisée. L'établissement date peut-être de 1822 ou 1824 : épicerie de campagne, transformée par ses propriétaires en une auberge très simple, elle offre l'irremplaçable avantage d'un lieu où l'on est sûr de retrouver des compagnons, et la compréhension des maîtres du logis aussi bien pour les difficultés pécuniaires que pour les extravagances des artistes.

Taine attiré à Barbizon comme d'autres chroniqueurs,

comme les frères Goncourt venus se documenter pour *Manette Salomon*, comme plus d'un curieux espérant rencontrer des artistes en liberté, a évoqué l'auberge Ganne dans son *Thomas Graindorge* [12] :

Les chambres et le régime sont primitifs ici : un lit, deux chaises boiteuses, parfois un fauteuil qui ressemble à un invalide de l'Empire ; les murs sont blanchis à la chaux et barbouillés de pochades fort jolies, ma foi. [...] Cependant l'escalier tremble sous les souliers qui descendent : il se fait un remue-ménage dans la cuisine ; on boucle les sacs et les guêtres. Chacun mange au hasard dans l'attitude qui lui a plu, assis, debout sur l'escalier, sur le buffet, sur la table. Les petites dames descendent en jupon blanc, l'œil à demi fermé et bâillant encore ; on les accueille par des lazzis qu'elles supportent sans broncher. Quelques gaillards bien découplés lancent la pique sur le chemin ; d'autres plus pacifiques regardent le fumier et les poules qui picorent. On caresse le chat, on tourmente le chien... Puis chacun part de son côté et, une fois dans la forêt, on travaille ou dort : je suis disposé à croire que la seconde occupation est la principale.

La décoration des lieux, mentionnée par Taine, est due à des collaborations bénévoles et quelque peu désordonnées : Corot, Français, Diaz y ont travaillé, ainsi que dix autres moins connus comme ce Simon qui peignit de charmantes Parisiennes dans la forêt. La pension varie selon les hôtes, allant de 2,40 francs par jour pour Rousseau à 4 francs pour les visiteurs occasionnels. Et les facilités de paiement ne sont pas vaines puisque les livres de l'auberge, parvenus à nous, mentionnent au nom de Rousseau en 1850 la dette considérable de 1 052,75 francs dont il ne devait se libérer que l'année suivante.

Les « registres de MM. les artistes peintres » relèvent encore les dépenses supplémentaires, ce qui nous permet d'apprendre que le vin cacheté valait 1 franc la bouteille, le verre d'alcool 3 sous, et que Ganne, bon enfant, allait jusqu'à prêter de l'argent pour des voyages à Paris [13].

Ceux qui ont vécu là-bas sont tous d'accord, même si l'on nuance un peu l'enthousiasme de leurs souvenirs, pour affirmer que régnaient en ce lieu la bonne humeur et la liberté la plus sympathique et, malgré les insinuations de Taine, la plus favorable au travail. Aussi beaucoup revenaient-ils après un premier séjour et quelquefois pour toute la belle saison. Pourtant les communications avec Paris n'étaient pas tellement faciles. Les diligences, empruntant la grande route Paris-Lyon, n'aimaient pas transporter des voyageurs qui les lâchaient si près du départ. Aux Messageries Laffitte et Caillard, il fallait retenir sa place plusieurs jours à l'avance et, si de moindres compagnies possédaient des voitures pour de courtes distances, une journée était alors nécessaire pour gagner Fontainebleau. Le chemin de fer, il est vrai, atteignit vite Melun, et il n'y eut plus alors que neuf kilomètres à pied, ce qui n'effrayait guère que les femmes. Un tilbury finit par assurer la correspondance entre Melun et Barbizon. Quand en 1899 un tramway sur route le remplaça, il y avait beau temps que Barbizon n'était plus hanté que par des artistes de troisième ordre, des curieux et des promeneurs du dimanche.

Peu avant la guerre de 1870 déjà, le gendre de Ganne avait transporté l'établissement dans une maison plus vaste qu'il nomma « la Villa des artistes ». Un second hôtel s'ouvrit pour exploiter une clientèle chaque jour élargie ; surtout fréquenté par des Anglo-Saxons, il était tenu par un certain Emmanuel Siron qui eut l'idée de consacrer une pièce à exposer les œuvres des peintres. Et c'est ainsi qu'un beau dimanche on vit Napoléon III en personne venu acheter des toiles aux peintres de Barbizon.

A l'écart des auberges, plusieurs artistes s'installèrent dans le village. Rousseau finit par occuper deux pièces basses au fond d'un jardin et par transformer une grange en atelier. Millet était venu en 1849 avec sa famille pour fuir le choléra. Il loue 160 francs par an une chaumière qu'il habite avec ses neuf enfants ; longtemps misérable, voyant en 1856 encore le boulanger lui refuser du pain, il travaille en sabots et cultive son jardin. Plus tard la maison est achetée par Alfred Sensier, et Millet peut désormais payer son loyer en dessins ou en toiles, mais on devait avec quelque injustice reprocher ensuite à Sensier d'avoir fait ainsi sa fortune. Près de Millet, une autre maison est occupée pendant quelques années par Charles Jacque, peintre des moutons qui tire profit d'un habile élevage de volailles puis de la culture des asperges.

C'est dire combien ces hommes sont au fond proches des paysans qui les entourent, vachers, sabotiers, bûcherons. Et ces derniers s'adaptent à la présence des artistes au point de proposer en 1858 le report de la fête patronale à la belle saison pour permettre à leurs amis les peintres de mieux y participer.

Pourtant avec leurs manières libres et leurs tenues hirsutes, ils ne peuvent être confondus avec tout le monde. Comme le disait la chanson des « peint' à Ganne » :

> Quand on voit quel'barbe y z'ont
> On dit qu'i sont de Barbizon.

Tous les peintres installés à Barbizon ne sont pas paysagistes. Ziem par exemple, qui s'installe en 1871 dans l'ancienne maison de Charles Jacque, est surtout connu par ses rues de Venise. Mais on peut chercher en ces lieux une vie saine et aérée. Gérome qui fut de la première équipe et ne dédaigna pas d'apporter son tribut à la décoration de l'auberge Ganne, peignait volontiers dans la forêt. Mais on imagine la surprise d'un de ses amis, le voyant un jour installé sous la futaie, en constatant qu'il s'appliquait à peindre une scène d'intérieur où figuraient Louis XI et le cardinal La Balue [14]...

La mare aux Évées, particulièrement solitaire a servi parfois à faire poser des modèles pour des évocations mythologiques. Mais pour l'essentiel, la forêt a fourni aux peintres un vaste répertoire de sujets. Chaque artiste a sa manière de procéder et si Daubigny emporte souvent ses châssis sous les arbres, Rousseau ou Millet se contentent de pochades ou de croquis. Les premiers d'entre eux ont eu le mérite de s'attacher à une vision directe de la nature et, comme l'écrit Théophile Gautier, à propos de Rousseau, de peindre « des arbres qui n'étaient pas historiques, des rochers où ne s'abritait pas la nymphe Écho, des ciels que ne traversait pas Vénus sur son char [15]. »

Pour s'imprégner de la forêt, ils partent dès le matin et pour la journée, emportant dans un sac un casse-croûte de midi. Midi, où le soleil brûle le paysage ; midi devenu pour eux, comme le dit en souriant Henry Murger, « l'heure du jaune de chrome ». Tout n'est pas idyllique dans ces séjours où la fumée d'une pipe ne suffit pas toujours à chasser les fourmis et les moustiques. Moins encore les

importuns, trop curieux de peinture, comme celui dont
Daubigny rapporte les propos : « Il me demande pendant
que je travaille : « Pourquoi mettez-vous du jaune ? Ah !
« voilà un beau bleu. Vous devriez faire un fond violet. Avec
« un talent comme ça, on n'est jamais seul, etc. [16]. »

Pourtant le peintre de paysage est, parmi tous les hommes, de ceux qui peuvent le mieux goûter les aspects changeants de la nature, s'imprégner du silence des bois,
observer sur les plantes l'évolution des saisons. Y a-t-il
beaucoup d'existences plus paisibles que la sienne et finalement plus heureuses ? « Voyez-vous, c'est charmant la
journée d'un paysagiste. On se lève de bonne heure à trois
heures du matin avant le soleil ; on va s'asseoir au pied
d'un arbre ; on regarde et on attend... C'est adorable ! et
l'on peint !... » Ainsi brodait le « père Corot » sur les
moments les plus agréables de son existence de peintre [17].

*
* *

En dehors de la forêt de Fontainebleau, d'autres régions
ont favorisé de nouvelles étapes dans l'évolution de la peinture, sans que les raisons qui les ont fait choisir aient
toujours été liées à un ensemble de conditions aussi favorables.

Ainsi il est de charmants coins sur la côte normande et,
de Dieppe à Port-en-Bessin, plus d'un paysagiste a trouvé
des sites conformes à ses goûts. Mais si Honfleur a joué
un rôle plus important, c'est que Eugène Boudin y a
attiré d'autres peintres. En 1859, Courbet, qu'accompagne
Schaune — le Schaunard de la *Vie de Bohême* —, fait la
connaissance de Boudin, et Boudin, Honfleurais d'origine,
amoureux des ciels changeants et des vastes bancs de
sable de l'estuaire de la Seine, les emmène à Honfleur.
Il agit de même avec Jongkind. Cinq ans plus tard Monet
et Bazille arrivent à leur tour dans le petit port que fréquentent encore Troyon, Diaz, Harpignies, Sisley et bien
d'autres.

Une lettre de Bazille à ses parents dépeint l'agrément des
lieux :

Le bateau à vapeur nous a menés à Honfleur par la Seine dont
les bords sont très beaux. Dès notre arrivée à Honfleur nous avons

cherché des motifs de paysage. Ils ont été faciles à trouver car ce pays est le paradis. On ne peut voir plus grasses prairies et plus beaux arbres ; il y a partout des vaches et des chevaux en liberté. La mer ou plutôt la Seine, élargie, donne un horizon délicieux à ces flots de verdure. Nous logeons à Honfleur même chez un boulanger qui nous a loué deux petites chambres ; nous mangeons à la ferme Saint-Siméon située sur la falaise un peu au-dessus d'Honfleur ; c'est là que nous travaillons et que nous passons nos journées [18].

Cette ferme Saint-Siméon devait acquérir la célébrité pour avoir abrité, nourri et quelquefois logé les peintres qui venaient travailler devant ce vaste paysage. Dès 1865, Alfred Delvau la présentait en ces termes aux lecteurs du *Figaro* : « Une vraie ferme, je vous l'atteste, et dans la plus ravissante situation du monde. » Tenue par la mère Toutain, elle devait accueillir sous ses pommiers tous ceux qui, comme Courbet et comme Boudin, vinrent y faire « collection de ciels [19] ».

Moins encore qu'Honfleur le petit bourg breton de Pont-Aven ne semblait prédestiné à jouer un rôle dans l'histoire de la peinture. Avec ses toits d'ardoise et ses vieux moulins, ce village n'est pas sensiblement différent de tant d'autres coins du pays armoricain.

Quand Gauguin y vint en 1886, il n'avait d'autres intentions que de mener loin de Paris, de sa famille et de ses amis, la vie de liberté sauvage dont il avait rêvé. Or la Bretagne passait pour bon marché et deux hôtels de Pont-Aven étaient connus pour recevoir des artistes. Tenu par Julia Guillou, l'hôtel des Voyageurs accueillait, depuis une quinzaine d'années, surtout des peintres étrangers, anglais, américains ou scandinaves, qu'on englobait généralement sous l'épithète d' « américains ». L'autre établissement, l'hôtel Gloanec, plus simple, servait de lieu de vacances à des élèves des ateliers Julian et Cormon. Tous ces peintres formaient des bandes joyeuses, se faisaient remarquer par leurs excentricités dont la moindre consistait à peindre de couleurs vives les plumes des oies égarées dans les rues. Un certain Granchi-Taylor était célèbre par une tenue étonnante, qui combinait à une redingote des sabots de bois et un chapeau japonais. Lorsque Paul Signac passera à Pont-Aven en 1891, il sera choqué par l'influence des rapins sur ce pays et écrira à son ami Luce : « Je fus hier

à Pont-Aven. C'est un pays ridicule de petits coins à casca-
des pour aquarellistes anglaises. Drôle de nid pour le
symbolisme pictural... Des peintres en velours, saouls et
voyous, circulent. Le marchand de tabac a pour enseigne
une palette *Artist'Material*, les servantes d'auberge ont
des rubans très peintres à leurs coiffes [20]... »

C'est pourtant là que Gauguin s'installe en 1886 et
revient en 1888. A l'auberge Gloanec, il paye 55 à 60 francs
par mois, ce qui convient à sa bourse, d'autant plus qu'il
est aidé plus d'une fois par le peintre hollandais Meyer
de Haan, fils d'un industriel. Mais il reste à l'écart des
autres artistes, qui se moquent de l'impressionnisme en
général et de sa manière de peindre en particulier. Au
cours de son second séjour, il est écouté d'un petit groupe
où l'on trouve Émile Bernard, Maufra, Charles Laval, le
Suisse Amiet et quelques autres. Et parmi eux, Sérusier qui
rapporte de Pont-Aven, à ceux qui allaient s'appeler « les
Nabis », le fameux paysage peint de rouges et verts purs,
appelé bientôt le « talisman ».

Avec Sérusier et Meyer de Haan, Gauguin émigre pourtant à vingt kilomètres de là l'été de 1889. Plus isolé dans
ses dunes, le village du Pouldu leur offre une petite auberge
solitaire. La patronne, Marie Henry dite Marie Poupée, leur
donne de larges facilités de crédit et sa complaisance va
plus loin. La fille qu'elle a de Meyer de Haan en est
le vivant témoignage. Ayant rompu avec toutes les contraintes, Gauguin et ses amis, travaillent d'ailleurs largement ;
partant dans les champs dès sept heures du matin, ils
déjeunent à l'auberge, retournent sur le motif jusque vers
cinq heures, dînent à sept et se couchent à neuf heures
après une partie ed dames ou de loto. Mais autour de
Gauguin, Laval, Maufra, Seguin, Filiger, venus le rejoindre
au Pouldu, élaborent la peinture brutale et aux couleurs
intenses qui caractérise pour l'histoire l'école dite « de
Pont-Aven ».

*
* *

Des régions plus proches de Paris ont fourni également
des sujets aux paysagistes de la seconde moitié du siècle.
Vers 1820 déjà, quelques précurseurs avaient aimé des

sites aujourd'hui bien défigurés comme les coteaux de Saint-Cloud et de Meudon. L'île Seguin, avec les arches majestueuses du pont de Sèvres, a été fréquentée par Paul Huet dès sa prime jeunesse, par Troyon, par Rousseau, par Dupré. Nous sourions de l'exaltation qui saisit Huet quand il évoque ce paysage : « Saint-Cloud, lieu enchanteur dont on parle quand on est en Italie et dont j'ai connu tous les buissons, dont j'ai pleuré tout arbre coupé comme un ami perdu [21]. »

La génération suivante s'est souvent détournée de la forêt et des sous-bois pour s'attacher aux aspects les plus changeants du paysage, le ciel et l'eau. Aussi les vallées de l'Oise et de la Seine leur ont-elles fait découvrir des coins en accord avec leur sensibilité : L'Isle-Adam, Pontoise, Éragny, Vétheuil, Giverny, plus près encore Bougival et Louveciennes évoquent pour nous maints tableaux de Dupré, de Monet, de Pissarro ou de Sisley.

C'est Daubigny qui semble avoir joué un rôle d'entraîneur et d'initiateur. Daubigny, ayant passé son enfance à Valmondois, revient tout près de là à Auvers-sur-Oise en 1857, et pour la commodité de son travail, il a l'idée d'installer sur un bateau un atelier flottant qu'il pourra déplacer à son gré afin de chercher le motif le long des rivières. Cette barque, assez confortablement aménagée, est nommée le « Botin » — la petite boîte ; elle reste le plus souvent ancrée aux rives de l'Oise mais Daubigny, accompagné de son fils qui peint aussi, se transporte le long de la Seine qu'il descend une fois jusqu'à Pont-de-l'Arche, près de Rouen. Et la vie à bord est riche en incidents, comme le jour où, prenant du recul pour juger une de ses toiles, Daubigny tomba dans l'eau à la renverse [22].

Le Botin n'empêche pas une installation plus stable : à Auvers, Daubigny fait bâtir une maison, « un atelier de huit mètres sur six, avec quelques chambres autour » qu'il décore en partie de ses mains, en partie avec l'aide de Corot et de Daumier, son voisin de Valmondois.

Pissarro avait vécu quelque temps à Pontoise avant la guerre de 1870 ; il retourne dans cette ville en 1872, vient voir Daubigny à Auvers, y amène Guillaumin et d'autres camarades de l'atelier Suisse. En 1873, il entraîne Cézanne qui fait là un séjour capital, change de palette et apprend à peindre clair. Cézanne, dans une passe malheureuse, y trouve l'appui d'un médecin, le docteur Gachet, peintre amateur, confident et protecteur des impressionnistes.

C'est là que van Gogh, après sa crise d'Arles, vint se réfugier : « Je redoute encore pour le moment le bruit et le tracas de Paris et je suis immédiatement parti pour la campagne, dans un vieux village [23]. » Consulté par Théo van Gogh, Pissarro avait conseillé ce bourg où au moins le docteur Gachet pourrait surveiller Vincent. On sait que van Gogh y attenta à ses jours et mourut à la pension Ravoux, le 29 juillet 1890.

A l'imitation de Daubigny mais plus attentif que son aîné aux jeux changeants de la lumière, Monet, à son tour aménagea une barque pour peindre sur la rivière. Son point d'attache fut Argenteuil sur la Seine, à treize kilomètres seulement de Paris. Monet y avait loué une maison vers 1873, où Renoir, Sisley et Manet vinrent aussi travailler. Peignant *Monet dans son atelier* — titre provocant puisqu'il montrait son ami installé dans sa barque, coiffé d'un chapeau de paille, tandis que sa femme coud près de lui —, Manet fixait, face aux traditionalistes, l'image du peintre de plein air.

*
* *

En évoluant, la conception du paysage ne pouvait manquer d'influer sur la technique même et le travail quotidien des peintres. Soumis aux principes académiques, le paysage ne peut se suffire à lui-même : il n'est que le cadre d'une scène animée dont le thème vient de la mythologie ou de l'histoire. Le paysage romantique n'en diffère pas essentiellement : il retient dans la nature un site tourmenté où l'orage, la tempête donne un sens dramatique à un sujet anecdotique. Ce sont les peintres de Barbizon puis les impressionnistes qui finissent par imposer le paysage pur, représentation d'un lieu souvent banal, mais saisi dans l'exacte vérité d'une saison et dans un éclairage particulier.

On conçoit que le paysagiste traditionnel ne puisse tirer d'un coin de nature que des croquis. Le tableau est conçu et composé à l'atelier, comme tout autre sujet, et les réminiscences des musées y tiennent souvent plus de place que les esquisses prises sur le vif. Mais Corot ne procède guère autrement : s'il utilise une étude prise en Auvergne dans la vallée de Royat comme cadre à *Homère et les Bergers,* c'est en transformant le décor pour le rapprocher d'un site antique. Rousseau et Millet étudient en plein air, mais l'essentiel de leur travail est exécuté à l'atelier : ils choisissent, recomposent les motifs, suppriment le détail inutile et malencontreux, accentuent le caractère d'un site.

L'impressionniste apporte-t-il donc une révolution en la matière ? On le croit généralement, mais en fait, il y eut chez ses adeptes différentes manières de procéder.

Certains, ne reculant pas devant la brutalité de la vision directe, croient pouvoir donner tel quel le fragment de paysage qui s'est offert à leurs yeux dans certaines conditions. Baudelaire, attentif à l'évolution du paysage, s'inquiétait de cette tendance propre à quelques peintres dès le Salon de 1859 : « Ainsi ils ouvrent une fenêtre et tout l'espace compris dans le carré de la fenêtre, arbres, ciel, maison, prend pour eux la valeur d'un poème tout fait. »

Monet fut de ceux qui crurent le plus fermement à la nécessité, pour être plus vrai, de peindre directement sur le motif et de ne peindre que ce qu'on voit. Quand il prépara en 1866 ses *Femmes au jardin,* il installa sa grande toile dans un jardin de Ville-d'Avray et fit même creuser une tranchée pour pouvoir en atteindre plus facilement la partie supérieure. Les journées sans soleil le condamnaient à l'inaction et, Courbet lui ayant suggéré qu'il pourrait alors préparer les fonds, il refusa afin de préserver l'unité du sujet. Resté fidèle à cette méthode, il en exagéra même les effets lorsque, installé à Giverny, où il devait peindre ses *Nymphéas,* il représenta différents paysages de rivière. Un chroniqueur nous le montre alors se levant dès l'aube — au mois d'août, ce n'est guère après trois heures du matin — et, avec l'aide d'un paysan qui porte ses toiles, gagnant une grande barque ancrée dans le courant : « Il a quatorze tableaux commencés en même temps, quasi une gamme d'études, traduisant un même et unique motif, dont l'heure, le soleil, les nuages modifient l'effet [24]. »

Renoir procéda d'une manière identique pour les toiles d'une certaine période, au temps où il s'était établi à

Montmartre, rue Cortot. *La Balançoire* a été exécutée sous les arbres du jardin de cette maison. Et c'est sous des arbres également, dont le feuillage met des taches de lumière et d'ombre sur le visage et les vêtements des personnages, qu'il peint en 1876 *Le Moulin de la Galette*, transportant chaque jour, de la rue Cortot jusqu'au jardin du célèbre bal, sa toile qui parfois menaçait de s'envoler comme un cerf-volant.

Daubigny avant lui avait voulu exécuter certaines de ses œuvres entièrement sur le terrain. Pour sa vue de *Villerville-sur-Mer*, présentée au Salon de 1864, il avait fixé sa toile à des pieux solidement plantés dans le sol d'une prairie, sans craindre les quolibets des enfants du pays ni même les coups de corne des ruminants. Et comme il avait choisi un ciel chargé de gros nuages poussés par le vent, il devait attendre pour peindre les moments favorables où se reproduisait cette circonstance atmosphérique [25].

Mais passé les premières expériences de l'impressionnisme, beaucoup de peintres reviennent à une technique où la mémoire et même l'imagination de l'artiste corrigent les matériaux offerts par la nature. Dans son journal, Paul Signac en fait la constatation en 1898 :

C'est tout récent en somme cette manie de peindre d'après nature... On doit se documenter et non copier. [...] Quelle différence entre celui qui, se promenant, s'arrête au hasard dans un coin à l'ombre et « imite » le motif qu'il a devant soi, et celui qui, devant une toile ou une feuille de papier, essaie d'évoquer par de belles lignes et de belles couleurs l'émotion qu'à tel moment il a ressentie devant un beau spectacle de la nature [26].

C'est ainsi que Seurat, ami de Signac, se rendit pendant de longs mois tous les matins à l'île de la Grande-Jatte, mais qu'il travaillait à sa grande toile l'après-midi dans son atelier. Déjà Degas reprochait à Jeanniot d'avoir peint sur place un paysage : « Une peinture, c'est d'abord un produit de l'imagination de l'artiste, ce ne doit jamais être une copie. [...] L'air qu'on voit dans les tableaux de maîtres, n'est pas de l'air respirable [27]. »

Et Gauguin à Schuffenecker en 1888 : « Ne copiez pas

trop d'après nature, l'art est une abstraction ; tirez-la de la nature en rêvant devant elle et pensez plus à la **création** qu'au résultat [28]. » Mais c'est là comme un écho précurseur d'une manière de peindre qui sera plutôt celle des artistes du xxᵉ siècle et qui les éloignera à lur tour des motifs extérieurs.

CHAPITRE VII

LE SALON ET LES EXPOSITIONS

L'œuvre achevée doit être montrée au public. Il est donc indispensable que l'artiste expose ; son succès, sa notoriété en dépendent. Mais pour un artiste du XIXᵉ siècle, il n'est qu'un lieu d'exposition qui puisse le consacrer, le Salon.

Nous ne pouvons plus imaginer aujourd'hui l'importance de cette manifestation dans la vie artistique. Le plus souvent annuelle, elle cristallisait l'intérêt de l'opinion, de la critique et attirait une foule considérable pendant de longues semaines et parfois de longs mois vers les salles du musée du Louvre et plus tard aux Champs-Élysées. « Cette exposition de la peinture, écrivait Jules Janin en 1844, est l'événement de chaque année, on en parle deux mois à l'avance ; pendant deux mois, c'est une impatience fébrile, c'est un bruit à ne pas s'entendre : qui donc verra-t-on cette année ? Quels tableaux se cachent encore dans l'atelier [1] ? »

Être admis au Salon marque une étape décisive dans la vie d'un artiste et les différentes récompenses, les médailles décernées par le jury constituent des échelons obligatoires pour ceux qui veulent réussir dans la carrière. En outre les contacts que permet le Salon avec les amateurs facilitent grandement les achats et les commandes, d'autant que la majorité du public voit dans les exclus de mauvais sculpteurs et de mauvais peintres. Certains acheteurs ne retien-

nent une œuvre qu'à condition qu'elle soit acceptée au
Salon ; Jongkind dut rembourser un tableau, vendu quelques jours avant l'exposition mais repoussé par le jury.

Aussi ces refus peuvent-ils prendre une tournure dramatique. En avril 1866, le peintre Jules Holtzappel, dont les
tableaux avaient été reçus aux Salons de 1864 et 1865,
mais qui ne put en faire admettre cette année-là, préféra
se suicider : « Les membres du jury me refusent ; donc
je n'ai pas de talent[2]... »

Les artistes les plus indépendants acceptent difficilement
d'être bannis d'un choix dont ils contestent pourtant le
principe. Manet place, toute sa vie, ses espoirs dans le
Salon et montre peu d'enthousiasme pour les expositions
organisées par ses amis impressionnistes. Cézanne ne se
console pas de ne pouvoir y entrer. Pourtant les protestations de plus en plus nombreuses et de plus en plus vives
contre les choix officiels, le nombre et la qualité de certains
exclus, l'impossibilité d'élargir réellement la composition
d'un jury dominé par l'Institut et son académisme étroit,
finissent par creuser un fossé entre les consécrations du
Salon et les réalités de l'art vivant.

*
* *

C'est l'Assemblée nationale qui avait, en 1791, par la
suppression des académies, transformé la signification du
Salon. Sous l'Ancien Régime, en effet, il s'agissait d'une
manifestation corporative menée par les artistes entre eux.
Les autorités révolutionnaires en firent une affaire d'État,
et en l'élargissant à tous les artistes, en instituant des récompenses, elles avaient cru apporter plus de liberté. Mais la
création d'un jury, destiné à faire barrage, limita vite ces
intentions. Chargé seulement au départ d'organiser l'exposition, ce jury en vint très vite à écarter les œuvres trop
faibles, puis à surveiller la tenue morale ou politique de
certaines d'entre elles[3]. Le rétablissement de l'Académie,
sans revenir aux principes originels, amène à désigner
pour le jury des membres de l'Académie sous l'autorité
du directeur des musées. Ainsi, au fur et à mesure que
les années passent, le jury incarne de plus en plus une
double contrainte : celle de l'État et celle d'un petit

groupe aux goûts étroits. En dehors des académiciens et de ceux qui songent à prendre leur place, le mécontentement va grandissant chez les artistes, et la lutte devient d'autant plus vive qu'elle coïncide avec le vent de révolte que font souffler, contre la tradition, les nouvelles tendances du romantisme.

Aussi, en septembre 1830, les espoirs suscités par une royauté plus libérale se manifestent-ils par une double pétition des artistes : si les uns s'adressent directement au roi, tandis qu'un autre groupe préfère passer par la Chambre des députés, du moins sont-ils d'accord pour demander que le jury du Salon soit désigné par les artistes eux-mêmes. Il en est dans ce domaine comme dans d'autres sous la houlette du roi des Français : le gouvernement déçoit les espérances et renforce au contraire l'autorité de l'Institut ; désormais l'Académie des beaux-arts tout entière est responsable des admissions. « Ce jury, écrit Gustave Planche, échappe à la haine par la bouffonnerie. Le sort des peintres et des sculpteurs est entre les mains des musiciens et des architectes [4]. » Malgré la mise à l'écart des musiciens en 1833, le malaise s'accroît, au point qu'en 1844 on parle d'une grève des exposants.

Il n'est donc pas étonnant qu'un des premiers actes du gouvernement provisoire ait consisté à supprimer le jury et à se contenter, pour le Salon de 1848, d'une commission de placement des œuvres, nommée par les artistes. Désignée par huit cent un votants, cette commission dut accepter 5 180 œuvres, chiffre jamais atteint ! Aussi l'expérience ne fut-elle pas renouvelée et, l'évolution politique aidant, on revient en arrière, avec des changements constants du règlement entre 1849 et 1870. Tantôt l'Institut impose son privilège et il l'emporte, par exemple en 1857, tantôt c'est le gouvernement qui cherche à se substituer aux corps constitués et estime avoir son mot à dire en matière de choix artistique. L'heure est de toute façon à la sévérité ; en 1853, c'est le directeur des musées qui insiste sur la nécessité de séparer le bon grain de l'ivraie. Mais on n'avait jamais vu encore le représentant du gouvernement, et en l'espèce il s'agit du vieux maréchal Vaillant qu'on aurait cru plus compétent pour manier l'épée, tenir comme en 1865 d'incroyables propos : « Nous ne retirerions pas de cette réunion sa principale utilité si aux éloges que j'ai tant de plaisir à vous donner, je ne faisais pas succéder quelques conseils [5]... »

Il est vrai que cette année-là le jury avait accepté, par on ne sait quelle aberration, un tableau qui fut la risée des vrais connaisseurs, l'*Olympia* d'Édouard Manet.

Prêt à une certaine démagogie, le gouvernement impérial tente d'ailleurs de se concilier les artistes en ouvrant le jury à des membres nommés par eux ; il leur accorde la moitié des places en 1852, puis neuf sur douze en 1864 ; mais limitant les votants aux artistes antérieurement médaillés, il était sûr que ceux-ci resteraient dans la ligne des précédents jurys. Le résultat le montre bien : en 1861 par exemple, sur plus de 7 000 envois, 4 097 seulement furent retenus ; en 1863, 2 217 sur 5 000.

Les premières années de la Troisième République n'apportèrent nullement la liberté que les artistes espéraient une fois de plus. Les différents systèmes de désignation du jury furent successivement critiqués. La formule qui concilierait tous les points de vue est décidément difficile à trouver. Ainsi en 1875 les élections, réservées aux anciens prix de Rome et aux anciens médaillés, permirent la désignation de quarante-cinq artistes parmi lesquels seraient tirés au sort chaque année les quinze membres du jury. Mais routine, crainte de déplaire ou mauvais usage du choix, toute élection attribuait la majorité aux membres de l'Institut comme au temps où ces derniers étaient désignés d'office. Les quelques artistes indépendants parvenus à s'y glisser s'y sentaient d'autant moins à l'aise que la majorité continuait à juger selon les mêmes critères avec une parfaite bonne conscience. Cabanel, président du jury, répliquait en 1875 à Daubigny qui aurait voulu étendre à tous le droit de suffrage : « Allez, mon cher Daubigny, vous ne prenez l'intérêt que des mauvais peintres. Le jury ne fait plus d'erreurs aujourd'hui [6] ! » L'année suivante pourtant ce jury allait repousser le portrait de Desboutin par Manet.

La révolution survint quand on ne l'attendait plus, et sans aucun doute trop tard. Jules Ferry, présidant au Salon de 1879 la distribution des récompenses, fit entendre des paroles qui rendaient un son neuf :

Il y a quarante ans, messieurs, on voulait gouverner l'art et l'on se flattait de le discipliner. Un grand corps savant, représenté ici même à mes côtés par des hommes éminents mais qui me permettront sans doute de parler librement de leurs illustres devanciers, l'Institut, avait conçu le dessein de soumettre à sa discipline la France artistique et de lui dicter des règles. A cet effet la docte compagnie s'était constituée le gardien vigilant des portes du Salon...

Deux ans plus tard, le représentant du ministre commentait les transformations en cours : « Vous avez à prendre en main la gestion libre et entière, matérielle et artistique des expositions annuelles au lieu et place de l'Administration. L'État n'interviendra plus dans vos affaires [7]. » Un décret du 27 décembre 1880, pris par Jules Ferry, venait en effet de confier la mission d'organiser le Salon à une société d'artistes, formée de quatre-vingt-dix membres élus par tous ceux qui avaient été admis une fois au moins à exposer. Cette « Société des artistes français » mit à sa tête un architecte, Bailly, membre de l'Institut, nomma vice-présidents le sculpteur Guillaume et le peintre Bouguereau, tous deux de l'Institut, et quatre secrétaires dont deux appartenaient au même corps...

Cette transformation profonde, qui remettait le sort des artistes entre les mains des seuls artistes, fut ainsi moins efficace qu'on n'avait pu l'espérer. Le Salon à cette époque avait d'ailleurs perdu une partie du prestige qui, malgré de constantes critiques, avait été le sien tout au long du siècle. La grande exposition annuelle ne tarda pas à éclater en divers salons parallèles. S'opposant à la « Société des artistes français », fut fondée dès 1884 une « Société nationale des beaux-arts », née au sein même des « Artistes français » d'une scission due plus à des raisons de personnes que de doctrine. En présentant désormais deux grands Salons annuels, à côté d'un nombre grandissant d'expositions collectives ou particulières, peintres et sculpteurs brisaient définitivement le mythe de la manifestation unique et officielle où l'on avait jugé sans appel, depuis près de cent ans, les seules œuvres d'art dignes de ce nom.

*
* *

L'enjeu d'une telle confrontation explique la fébrilité

des artistes à l'approche du Salon. D'autant que les dates d'ouverture, longtemps variables, étaient rarement connues à l'avance, et qu'en certaines périodes il n'y eut d'exposition que tous les deux ans et même plus rarement : cinq Salons seulement en quinze ans sous la Restauration.

Organisés en automne sous l'Empire, ils s'ouvrirent à des époques fort diverses les années suivantes : le 24 avril en 1817, le 4 novembre en 1824 et 1827, le 25 août en 1829. Le gouvernement de Juillet, rétablissant le Salon annuel, en fixa l'ouverture entre le 1er mars et le 15 juin. Seul le Salon de 1849 fut reculé jusqu'au 15 décembre. Après 1870, c'est la date du 1er ou du 2 mai qui est désormais retenue.

Quelle que soit la date d'ouverture, les exposants sont soumis aux mêmes obligations : apporter leurs œuvres à la direction du musée pendant une période qui se termine une dizaine de jours avant l'ouverture de l'exposition, accompagner chaque œuvre d'une notice destinée au catalogue, exclure les copies et les œuvres présentées dans les précédents Salons, enfin naturellement se soumettre au jury qui jugera les œuvres dignes d'être exposées.

Le délai de présentation, donné comme « irrévocable », supporte pourtant des passe-droits, au moins jusqu'en 1831. Chaque année, des peintres qui se savent soutenus par le jury n'envoient leurs tableaux qu'après l'ouverture du Salon. Que n'inventerait-on pas pour se faire remarquer, quand on peut agir impunément ! Tout le monde ne blâme pas cette manière de faire, dont on dit qu'elle renouvelle l'intérêt de l'exposition, mais les jeunes peintres, repoussés sous prétexte qu'ils se sont présentés deux jours trop tard, trouvent cette indulgence de mauvais goût. Ne voit-on pas Ingres, qui en 1824 avait demandé le recul de la date d'ouverture, exposer son *Vœu de Louis XIII* seulement le 12 novembre, alors que le Salon était ouvert depuis le 25 août ? Et l'*Œdipe* du même artiste ne prendre place sur la cimaise qu'au milieu du mois d'avril 1828, quelques jours avant la fermeture d'une exposition ouverte cinq mois plus tôt [8] ?

*
* *

L'arrivée des œuvres donne lieu à des scènes pittoresques,

surtout pendant les derniers jours de l'admission. Dans les ateliers, on met la dernière main au tableau ou à la statue qui doit partir : certains ajoutent jusqu'à la dernière minute un coup de pinceau ou un coup d'ébauchoir, et on raconte que plus d'une fois Pradier a retouché dans la rue une statue déjà sortie de son atelier.

Ensuite vient le transport des œuvres. Aucune difficulté pour les toiles de petites dimensions ; les autres requièrent les crochets d'un commissionnaire et, pour les plus grandes et les plus lourdes, une brouette ou une voiture à bras, tirée ou poussée souvent par l'artiste lui-même, aidé de deux ou trois camarades. Des fardiers portent marbres précieux et bronzes pesants ; les tapissières bâchées amènent des caisses contenant les œuvres confiées aux messageries par les candidats provinciaux. Il en résulte, aux portes du Louvre, un encombrement de petites et grandes voitures dont les chevaux s'énervent parfois et un tohu-bohu de quolibets et d'apostrophes. Les petits débits de vin, proches du Carrousel profitent de l'aubaine, et le quartier du Doyenné connaît une animation exceptionnelle avant sa démolition qui surviendra en 1852 pour les travaux d'achèvement du Palais.

Après 1857, quand le Salon a émigré aux Champs-Élysées, le quartier est plus dégagé, mais la bousculade reste la même et, dans les dernières heures prévues par le règlement, la queue ne cesse pas devant les employés chargés d'enregistrer les envois.

Son œuvre livrée, l'artiste passe par une période d'angoisse. Sera-t-il reçu ou refusé ? Dans la deuxième moitié du siècle sont acceptés sans examen un petit nombre d'entre eux, variable avec les modifications du règlement : les membres de l'Institut, les anciens prix de Rome, les artistes médaillés plusieurs fois aux Salons précédents. Ce sont les « exempts », plus tard les artistes « hors concours ».

Mais les autres ignorent le résultat et, s'ils n'ont pas parmi les jurés un ami complaisant qui viole la discrétion de rigueur, ils doivent attendre l'ouverture du Salon pour savoir si leur nom figure au catalogue. Les exclus n'ont plus alors qu'à reprendre leur toile marquée au dos d'un R infamant, qui en empêchera la vente sans réentoilage, et à pester contre le jury. Du moins, à partir de 1849, se donne-t-on la peine de prévenir les victimes dès que la décision est prise.

L'artiste refusé a bien du mal à accepter son sort. Il sait pourtant que Delacroix et Rousseau et Corot et Millet et Courbet ont eu des œuvres refusées ou n'ont même eu accès au Salon qu'après plusieurs échecs. Que tant de grands hommes aient connu le même sort, n'offre qu'une maigre consolation à qui attend tout de sa réussite au Salon.

*
* *

Émile Zola a laissé dans *L'Œuvre* une vivante évocation du travail du jury sous le Second Empire. Et malgré la diversité relative de cet aéropage, il est certain que sa façon de procéder n'a guère varié à travers le siècle. Qu'on ait laissé les œuvres se présenter au hasard, qu'on les ait groupées par genres à partir de 1841 [9] ou qu'on ait préféré les examiner selon l'ordre alphabétique, aucun système n'a pu éviter les disparates de la confrontation, les condamnations brutales, la lassitude et les concessions mutuelles.

Les grands tableaux, alignés par les gardiens côte à côte contre la cimaise, ne peuvent être appréciés qu'au cours de longs déplacements qui obligent les jurés à défiler devant eux :

Chaque après-midi dès une heure, les quarante, ayant à leur tête le président armé d'une sonnette, recommençaient la même promenade jusqu'à l'épuisement de toutes les lettres de l'alphabet. Les jugements étaient rendus debout, on bâclait le plus vite possible la besogne, rejetant sans vote les pires toiles ; pourtant des discussions arrêtaient parfois le groupe, on se querellait pendant dix minutes, on réservait l'œuvre en cause pour la revision du soir ; tandis que deux hommes, tenant une corde de dix mètres, la raidissaient à quatre pas de la ligne des tableaux afin de maintenir à bonne distance le flot des jurés qui poussaient dans le feu de la dispute et dont les ventres, malgré tout, creusaient la corde. Derrière le jury, marchaient les soixante-dix gardiens en blouse blanche, évoluant sous les ordres d'un brigadier, faisant le tri à chaque décision communiquée par les secrétaires, les reçus séparés des refusés qu'on emportait à l'écart comme des cadavres après la bataille [10].

Les œuvres de plus petite taille — moins d'un mètre cinquante — sont au contraire présentées successivement aux jurés rassemblés et assis. Celles qui n'ont pas emporté la décision du premier coup sont reprises en une tournée journalière de revision. L'ensemble est encore revu, souvent au petit bonheur et au milieu du dédale des œuvres repoussées, pour compléter, le dernier jour, un choix jugé trop maigre. Des incidents se produisent parfois quand l'œuvre d'un membre de l'Institut ou d'un artiste hors-concours, mêlée au tout-venant avant qu'on ait eu le temps de déchiffrer la signature, n'obtient pas spontanément l'approbation qui lui est due. L'hostilité, que certains jurés manifestent à l'égard de peintres qui leur déplaisent, peut aller jusqu'à la cabale. Avant même d'avoir vu les œuvres, on avertit les hommes dont on est sûr pour faire front plus facilement contre les hésitants. On s'arrange pour que les tableaux soient présentés à un moment propice. Un ami de Théodore Rousseau a ainsi évoqué les manœuvres qui réussirent pendant des années à écarter les toiles du paysagiste : « Au moment où les gardiens les produisaient en séance savamment composée, on entendait Bidault, Raoul-Rochette et leurs amis se recueillir et s'écrier : « Ah ! « le voilà, c'est lui, attention ! » comme pour s'encourager dans une complicité solidaire [11]. »

Dans ces séances, il arrive aussi qu'un des jurés soutienne, quelquefois par goût personnel, assez souvent par esprit de contradiction ou par bravade, un artiste inconnu au style déconcertant.

Les pontifes comptent être élus au jury grâce aux voix de leurs élèves. Échange réciproque d'intérêts : les maîtres font recevoir leurs disciples qui deviendront des électeurs. Quand on sort de certains ateliers, on ne risque guère d'être refusé.

Le jeune Bazille, surpris d'être sollicité mais parfaitement lucide, rapporte son étonnement à ses parents : « Ma qualité d'électeur me vaut les avances de quelques gros bonnets de la peinture. Daubigny a fait semblant de venir me voir comme par hasard, et Stevens que je vois souvent chez Manet m'a invité à ses soirées : il est curieux qu'on soit ambitieux pour si peu ! Il va sans dire que je vais manger les gâteaux de Stevens et rester incorruptible [12]. »

Un autre usage, ouvertement reconnu celui-là, permet à

chaque membre du jury de faire jouer en faveur d'un seul tableau ce qu'on appelle la « charité ». Ainsi admet-on parfois sans examen et sur la demande d'un seul juré quelque œuvre médiocre d'un artiste dans le besoin. C'est grâce à cette coutume que Cézanne, refusé chaque année au Salon depuis qu'il s'y était présenté en 1864, y figura une seule fois, en 1882, son tableau ayant été accepté comme la « charité » de son ami Guillaumet.

*
* *

De nouveaux problèmes surgissent avec l'installation des œuvres dans les locaux du Salon. Même en 1849, année exceptionnelle sans jury, une commission de placement parut indispensable. On ne peut pas ne pas tenir compte de certains éléments qui vont de la taille de l'œuvre à la notoriété de l'artiste. Et qu'on le veuille ou non, il existe de bonnes et de mauvaises places.

Ranger les peintres dans l'ordre alphabétique de leurs noms, comme c'est le cas autour de 1861, accroît les difficultés de voisinage sans faire plaisir à personne, autrement que par hasard. D'autant qu'on n'élimine pas totalement les places d'honneur pour quelques artistes marquants.

Lors de l'ouverture du Salon, chacun est impatient de voir s'il n'est pas rejeté dans un coin sombre, dans une salle écartée, ou si la malveillance des confrères ne l'a pas perché, comme c'est alors l'habitude, au-dessus de plusieurs autres, tout en haut de la cimaise, là où le regard des visiteurs peut difficilement l'apercevoir. Le pauvre Corot, accroché pendant quinze ans en des coins peu favorables, disait : « Hélas ! je suis encore cette année dans les catacombes ! »

La tâche des placeurs n'a pas toujours été facile, il n'est que justice de le reconnaître, en raison de locaux mal adaptés. Pendant la première moitié du siècle, la peinture est présentée, comme au XVIIIe siècle, dans le Salon carré du Louvre. Considéré comme la plus belle pièce du palais, ce Salon — d'où est venu le nom de l'exposition —, très haut de plafond, permet d'étager les tableaux et d'en accrocher jusqu'à quatre ou cinq rangs, les uns au-dessus des autres. En principe, les plus grands couronnent le tout, mais les gravures et les tableaux qui conservent le souvenir des Salons de 1800 et de 1824 par exemple nous font voir d'incroyables pyramides terminées par de petits tableaux bien difficiles à déchiffrer d'en bas [13].

Malgré cette disposition, malgré les cadres mis bord à bord, le Salon carré apparaît très vite trop petit et l'exposition se répand dans les salles voisines en commençant par la galerie d'Apollon. La Grande Galerie elle-même est progressivement envahie en raison du nombre croissant des œuvres exposées : 542 en 1800, 1 294 en 1812, 2 219 en 1835.

Une protestation émise en 1831 par les rédacteurs du journal *L'Artiste* souligne d'autres inconvénients de ces expositions [14]. Depuis peu, les tableaux permanents du musée ne sont plus décrochés mais masqués par une cimaise de planches et de tentures. Outre le danger qu'une telle installation leur fait courir, le temps nécessaire aux préparatifs, ajouté à la durée de l'exposition, prive les visiteurs et les artistes pendant parfois plus de quatre mois des chefs-d'œuvre du musée. Si l'on ajoute que les frais de l'installation sont estimés par *L'Artiste* à 80 000 francs, et même si cette somme est probablement exagérée, on peut penser avec ce journal que l'argent serait mieux employé en achats aux artistes.

La sculpture de son côté fut longtemps rassemblée dans les sous-sols du musée où le recul nécessaire à l'examen des œuvres est pratiquement impossible [15]. On mesure ainsi les inconvénients de locaux convenant si mal à leur destination. Aussi diverses suggestions sont-elles formulées, dont la plus fréquente serait de réserver à l'exposition annuelle des salles dans les bâtiments toujours en projet qui doivent relier le Louvre aux Tuileries. Car les artistes s'éloigneraient avec regret d'un palais si propre à leur donner l'impression d'avoir rejoint, ne serait-ce que pour quelques semaines, les grands maîtres du passé.

Mais en attendant mieux, il fallut bien s'installer ailleurs. En 1849, un essai, dans le palais même des Tuileries, parut peu satisfaisant, les salles étant mal éclairées. Les artistes se plurent mieux au Palais-Royal où les œuvres furent présentées, en 1850 et 1852, à la fois dans les salles du bâtiment et dans une construction provisoire édifiée dans la cour. Mais après l'Exposition universelle de 1855, le Salon émigra définitivement vers les Champs-Élysées. Le palais de l'Industrie n'avait pas les inconvénients du Louvre ; il était vide, isolé, spacieux ; pourtant cette médiocre construction, lieu de manifestations variées, hippiques ou commerciales, tenait selon ses détracteurs du hangar ou du hall de gare. Rien non plus de la majesté de la demeure des rois. Pourtant des plantes vertes, des arrangements floraux, jusqu'à un petit lac à cascade installé en 1859, de nombreux sofas ou fauteuils pour la détente, donnèrent finalement aux Salons, qui s'y tinrent jusqu'à la démolition du bâtiment en 1897, sinon un décor fastueux, du moins une certaine atmosphère de frivolité mondaine et de confort bourgeois, bien accordée à l'art officiel de la deuxième moitié du siècle.

* * *

Les artistes attendent dans l'anxiété le jour de l'ouverture : leurs œuvres ont-elles été acceptées et, si elles le sont, à quelle place vont-ils les trouver, qu'en diront les confrères, le public, la critique ? Ce jour-là, vers 1830-1840, le Salon n'ouvrait qu'en fin de matinée, à onze heures ou midi ; mais une heure à l'avance aux abords du musée, la foule se rassemblait, faite surtout des exposants et de leurs amis. Maxime Du Camp nous a laissé le souvenir de ces journées :

Vers midi moins le quart, on commençait à se masser devant la porte close ; il y avait des poussées formidables. [...] Parfois un cri jeune et vibrant, un cri de rapin retentissait : « L'Institut à la lanterne ! » On riait et quelque vieux « classique » fourvoyé disait : « Où allons-nous, mon Dieu, où allons-nous ? » Au premier coup de l'horloge sonnant midi, la porte s'ouvrait à deux battants et le gros suisse vêtu de rouge, en culottes courtes, le tricorne au front et la hallebarde au poing, apparaissait sur le seuil. C'était une clameur : « Vive le père Hénault ! » On se précipitait. L'escalier était franchi ; chaque artiste parcourait fiévreusement le livret pour voir si son nom était inscrit et l'on pénétrait dans le Salon carré [16].

A la fin du siècle, les choses se passent différemment. Une journée, servant en quelque sorte de répétition générale, a été instituée à la veille de l'ouverture et elle est réservée aux artistes, à leurs familles, aux critiques d'art et à quelques privilégiés. Ce *vernissage* mérite alors son nom, car les peintres passent généralement du vernis sur leurs toiles après l'accrochage, et les journaux illustrés nous montrent les vernisseurs opérant sur de grandes échelles au milieu d'une assistance clairsemée mais choisie [17].

Il est alors de bon ton, ce jour-là, de déjeuner dans les restaurants disséminés dans la verdure des Champs-Élysées. Le plus sélect est Ledoyen que fréquentent les artistes en renom accompagnés de leurs modèles ; la tradition veut que le menu de Ledoyen soit toujours identique : saumon sauce verte et rosbif à l'anglaise.

Mais le public du Salon ne comporte pas que des artistes et des mondains. Nous sommes même étonnés de le voir fréquenté par les milieux les plus variés et les plus populaires. Il faut comprendre le retentissement de cette manifestation annuelle auprès d'un public beaucoup moins comblé de distractions qu'on ne l'est de nos jours ; il va au Salon comme il assiste aux revues militaires et au défilé du bœuf gras.

La gratuité du spectacle en facilite d'ailleurs l'accès. Jusqu'en 1849, l'entrée est absolument libre ; tout au plus réserve-t-on, certaines années, un jour de la semaine à des porteurs de cartes désireux d'éviter le peuple. C'est en 1850 qu'on institue un jour payant à 1 franc ; en 1852, un jour à 5 francs et un autre à 1 franc. A partir de 1857, la situation est renversée : seul le dimanche est gratuit ; les autres jours, on a le choix entre payer 5 francs entre 8 et 10 heures — ou 9 et 11 heures — et côtoyer les curieux de marque, l'impératrice par exemple, ou entrer pour 1 franc le reste de la journée, jusqu'à 16 ou 18 heures. Même justifié par la possibilité qu'il donne d'accroître les crédits d'achat aux artistes, le droit d'entrée attire de vives critiques ; du moins le dimanche, et quelquefois le jeudi, continue-t-on à admettre le public librement.

Aussi la foule est-elle énorme. Zola nous montre, certains dimanches sous le Second Empire, « jusqu'à des bandes de campagnards, de tourlourous, de bonnes d'enfants poussées les jours gratuits au travers des salles, jusqu'à ce chiffre effrayant de 50 000 visiteurs par certains beaux dimanches, toute une armée, les arrière-bataillons du menu peuple ignorant, suivant le monde, défilant les yeux arrondis, dans cette grande boutique d'images [18] ».

Si le chiffre peut paraître excessif, il rejoint celui que donne Daumier, en 1857, ironisant il est vrai sur la qualité du public : « Rien que des vrais connaisseurs : 60 000 personnes ! » *L'Artiste* de 1831 prévoyait un million de visiteurs, cette année-là ; il y eut en tout cas 518 892 entrées en 1876, dont 185 000 payantes.

C'est parce qu'ils redoutaient les réactions imprévisibles d'une telle foule un jour de Mardi gras que les organisateurs du Salon de 1840 préférèrent retarder l'ouverture de quelques jours, se souvenant qu'au carnaval de 1831 la populace excitée avait mis à sac l'archevêché. Mais en général, on ne craint que les pickpockets qui s'en donnent à cœur joie : dans une seule journée du Salon de 1841, les agents chargés de la surveillance prirent sur le fait huit voleurs à la tire.

Dès les premières années du siècle, les délicats font la petite bouche devant la foule, alors que la poussière soulevée dans le Salon carré empêche parfois, affirme-t-on, de bien voir les tableaux. Cinquante ans plus tard, les locaux sont plus vastes, mais le public n'est pas encore blasé : les maigres gravures sur bois que lui offrent les journaux, les rares affiches collées aux murs de la ville ne valent pas les vastes compositions en couleurs, offertes par les cimaises de l'exposition. Taine a bien décrit ce « gros public » en 1867 : « Il vient là comme à une féerie ou comme à une représentation de cirque. Il demande des scènes mélodramatiques ou militaires, des femmes déshabillées et des trompe-l'œil. On lui fournit des batailles, des autodafés, des égorgements de cirque, des Andromèdes sur des rochers, des histoires de Napoléon et de la République, des cruches et des vaisselles qui font illusion [19]. »

Le succès du catalogue — on dit plutôt le « livret » — s'explique de la même façon, bien que le premier catalogue illustré ne soit apparu qu'en 1879. Mais le livret indique le sujet exact, n'hésite pas à le décrire quelquefois en dix ou quinze lignes, quand il s'agit de peinture d'histoire. D'où son succès, non seulement auprès des amateurs mais d'un large public : déjà au Salon de 1801, n'en vendit-on pas 12 571 exemplaires [20] ?

On vend aussi aux portes des critiques ou des pamphlets en prose ou même en vers comme *L'Arlequin au Muséum*, qui, au début du siècle, est publié chaque année. Ingres a beau s'insurger, en 1806, contre cette littérature, destinée, dit-il, aux laquais ; cela prouve du moins que les laquais d'alors s'intéressent aux tableaux et aux artistes.

Les chroniqueurs et les caricaturistes se sont complu à évoquer différents types d'habitués des Salons. Ils distinguent les silencieux contemplatifs, les bavards qui exposent longuement leurs théories esthétiques, les gens sérieux prenant des notes dans les marges du livret. Nous voyons les artistes eux-mêmes restant près de leurs œuvres pour les commenter aux amis de passage, lorgnant les concurrents et les jugeant parfois d'un mot spirituel ou cruel que les petits camarades se hâtent de rapporter. Autour d'eux des modèles, estimant que leur revient une partie du mérite qu'on attribue au maître. Et puis tout un peuple de gagne-petit de l'art, copistes, dessinateurs du dimanche, jeunes filles du monde, heureux les uns et les autres d'approcher de plus près les grands hommes dont on parle et les œuvres qu'ils imitent.

Le Salon est aussi un lieu de rencontre favorable entre artistes et amateurs. Le bourgeois, qui s'est fait peindre ou dont le buste trône sur un socle, emmène ses amis pour qu'ils admirent sa figure, et voilà peut-être des clients pour l'auteur du portrait. Mais le collectionneur typique visite longuement le Salon et repère les valeurs sûres : aucune difficulté puisque les meilleures de l'année sont là, garanties par le gouvernement, et que les vrais chefs-d'œuvre, auxquels vont les médailles, sont à sa disposition [21].

*
* *

L'État ne se contente pas d'organiser le Salon annuel — ce qu'il appelle plus officiellement « l'exposition des artistes vivants » — et d'intervenir dans le choix des œuvres à y admettre. Il prétend désigner les meilleures de celles qui ont été retenues. L'achat de peintures et de tableaux par les autorités gouvernementales, plus encore l'attribution de récompenses — médailles et distinctions — couronnent une vaste conception du jugement artistique fort bien acceptée d'ailleurs par la majorité du public à qui elle épargne l'incertitude du choix.

Toute une catégorie d'artistes y trouve également son compte : ce sont ceux qui voient dans la succession bien définie des honneurs un chemin tout tracé, de l'École des beaux-arts à l'Institut. Avec un prolongement, toutefois moins assuré, vers l'immortalité.

Le jeu des récompenses est complexe et trop variable, selon les périodes, pour qu'on puisse le résumer en une formule simple. En gros, on décerne des médailles de troisième classe, de deuxième classe et de première classe ; suivent, pour les mieux placés, la grande médaille et la médaille d'honneur. Mais beaucoup s'arrêtent en route. Il existe aussi des mentions honorables et des « rappels de médaille ». A partir du milieu du siècle, quiconque a obtenu au moins deux fois une seconde médaille, est désormais « exempt » ou hors-concours, ce qui entraîne l'acceptation de ses œuvres sans jugement. Vers 1880, quatre-vingt-cinq médailles en moyenne sont distribuées par an.

Ces récompenses suscitent des intrigues, des jalousies, des protestations. Pourquoi Corot, qui reçut la médaille de deuxième classe en 1833, dut-il attendre quinze ans pour obtenir la médaille de première classe ? Proposé pour la médaille d'honneur en 1865, il se vit préférer Cabanel, après vingt-six tours de scrutin. De nouveau proposé neuf ans plus tard, en 1874, il n'obtint que trois voix : alors ses amis ouvrirent une souscription pour lui offrir en compensation une médaille d'or. Meissonier, en revanche, a une médaille de troisième classe en 1840 ; l'année suivante, celle de deuxième classe ; deux ans plus tard, celle de première classe ; la grande médaille lui est décernée en 1855, la médaille d'honneur eu 1867. Alfred Roll, lauréat de la médaille de troisième classe en 1875, reçoit celle de première classe au bout de deux ans... On pourrait multiplier ces exemples qui font, avec le recul, apparaître comme dérisoires de telles récompenses auxquelles les contemporains ont pourtant attaché beaucoup de prix.

Pour en renforcer l'éclat, la remise des médailles donnait

lieu à une cérémonie solennelle, située habituellement à la fin du Salon et parfois quelques semaines après la clôture. Toujours présidée par un haut personnage, elle l'est quelquefois par le chef de l'État en personne. Ainsi Napoléon tint à y figurer à plusieurs reprises. En 1808, il en profita pour remettre à Gros la Légion d'honneur, d'une façon quelque peu théâtrale en décrochant sa propre croix de sa poitrine. Charles X distribua les récompenses de 1824 et de 1828. Louis-Philippe, présent en 1831, dut subir les remous qu'entraîna la lecture du palmarès. Ce fut assez pour le pousser à s'abstenir désormais. Afin de rétablir une certaine solennité, la remise des récompenses du Salon de 1848 se fit chez le ministre de l'Intérieur. Mais en 1849, le Prince-Président vint en personne. Les années suivantes, la cérémonie eut lieu en présence du ministre de l'Intérieur puis du maréchal Vaillant, représentant la maison de l'empereur ; à partir de 1864, on ajouta au palmarès la proclamation des prix de Rome de l'année. Enfin, sous la Troisième République et en attendant que la responsabilité du Salon soit remise aux artistes, c'est le ministre de l'Instruction publique qui distribua les récompenses.

* *

Les médaillés sont les triomphateurs de l'année ; mais, à l'autre bout de l'échelle des valeurs, les refusés au Salon se considèrent comme des parias. Devant les injustices, devant les discussions provoquées par le système du jury, pourquoi ne pourrait-on pas provoquer un jugement en appel ? De là, l'idée d'un Salon des refusés où le public apprécierait la valeur des exclusions.

Nous connaissons mal un essai de ce genre, réalisé en 1827. Cette année-là, le 8 décembre, soit un mois après l'ouverture du Salon, on annonce une « exposition supplémentaire de tableaux dans la galerie de la rue du Gros-Chenet, n° 4, où vient d'être placée une partie des productions non admises au musée du Louvre ». Il s'agit d'une initiative privée. Toujours est-il que le *Journal des Artistes* du 16 décembre affirme que « quelques-uns de ces réprouvés valent infiniment mieux que beaucoup d'élus ».

En 1841, une autre tentative, ouvrant aux tableaux refusés les galeries artistiques du boulevard Bonne-Nouvelle, ne semble pas avoir rencontré beaucoup d'échos [22].

Il faut attendre 1863 pour que les artistes bénéficient d'une initiative beaucoup plus importante. Après plusieurs années où les décisions du jury avaient provoqué grincements de dents et protestations, la crise se déclencha à l'annonce que plus de la moitié des tableaux présentés n'était pas retenue, et le mécontentement fut tel que l'empereur décida de faire un geste. Officiellement cette fois, s'ouvrit quinze jours après le vrai Salon, un Salon des refusés : s'il est vrai qu'une partie des visiteurs y vint dans l'espoir de rire d'œuvres si évidemment ridicules, dès les premières heures de l'ouverture, sept mille personnes avaient déjà défilé devant les tableaux dont certains portaient les signatures de Fantin-Latour, d'Harpignies, de Manet, de Whistler. Moins de la moitié des toiles refusées y figuraient d'ailleurs, beaucoup d'artistes ayant préféré accepter le verdict avec l'intention de faire mieux l'année suivante. En 1864, l'expérience perdit en partie son succès de curiosité ; elle ne devait pas être renouvelée une troisième fois malgré l'insistance des intéressés.

Marquées par essence du sceau de la réprobation, ces expositions de refusés restaient à la remorque du Salon officiel. N'existait-il donc pas pour un artiste d'autre moyen de montrer ses œuvres au public ?

Il serait excessif de dire que le XIXᵉ siècle n'a pas connu d'expositions privées. Mais si leur nombre croît avec les années, il est sans rapport, même dans le dernier tiers du siècle, avec ce que nous connaissons de nos jours. Et surtout, à s'en tenir aux réactions de l'opinion, aux comptes rendus de la critique, à l'attitude des artistes eux-mêmes, il ne semble pas que ces derniers aient pu en attendre une véritable consécration. Le *Journal des Artistes,* pourtant prêt à critiquer les décisions du jury, n'hésite pas à écrire en 1845 : « Décidément les expositions particulières deviennent à la mode. [...] Ce n'est pas un mal, quand on ne cherche pas, du reste, à s'affranchir du tribut que tout homme de cœur doit aux Salons annuels [23]. »

Les plus fréquentes, dues à des sociétés d'entraide ou de charité, rassemblent des tableaux sans but esthétique précis.

Il en est ainsi, par exemple, des expositions organisées en 1826 au profit des Grecs, en 1830 au profit des victimes de Juillet, en 1832 pour venir au secours des indigents parisiens. Parmi les expositions périodiques, les plus importantes sont celles de la Société des amis des arts. Créée avant la Révolution, réorganisée en 1816, cette société qui eut de nombreuses imitations en province, achète des œuvres aux artistes grâce aux cotisations de ses membres et aux loteries dont elle prend l'initiative. Bien qu'elle ait pu profiter elle aussi de locaux au Louvre, il semble que ses expositions aient été de valeur très médiocre [24]. L'association, fondée par le baron Taylor pour soutenir les artistes malheureux, mit également à son programme des expositions dont le profit devait aller à sa caisse de secours et dont la qualité est attestée par des échos très nombreux. La première d'entre elles, organisée en 1846, 22, boulevard Bonne-Nouvelle, fut en partie rétrospective ; mais elle vit le triomphe d'Ingres qui, boudant le Salon depuis plusieurs années, accepta d'y présenter onze toiles. On imagine pourtant l'atmosphère des lieux en lisant, sous la plume de Baudelaire, que l'exposition est « calme, douce et sérieuse comme un cabinet de travail », et qu'elle n'évoque nullement le tumulte du Salon [25].

De leur côté, les marchands montrent, eux aussi, des œuvres destinées à la vente comme Susse, place de la Bourse, chez qui l'on peut, vers 1835, acquérir les statuettes-charges de Dantan. Les plus remarquées de ces expositions de marchands sont celles de la galerie ouverte par Louis Martinet, boulevard des Italiens. C'est là qu'en 1861 Manet expose son *Guitariste espagnol*, là encore qu'en 1864 on peut voir du même peintre quatorze tableaux, dont la présentation provoque un beau tumulte dans la presse.

Mais rares sont les expositions consacrées à un seul artiste, bien que le public se déplace parfois pour voir un unique tableau. Ainsi le *Couronnement de l'Empereur* de David fut présenté seul au Louvre dès février 1808, bien avant le Salon qui ne devait s'ouvrir, cette année-là, que le 14 octobre. Déjà David avait déplacé la foule pour une de ses œuvres en 1800 : l'*Enlèvement des Sabines* fut alors visible dans l'atelier du peintre, moyennant un droit d'entrée, et la foule se pressa à cette exposition puisqu'elle rapporta à David une somme évaluée, selon les auteurs, de 20 000 à 65 000 francs [26]. Temps heureux où un public non blasé apprécie l'occasion de juger l'œuvre nouvelle d'un maître dont on parle.

On connaît bien d'autres exemples d'artistes ouvrant les portes de leurs ateliers aux connaisseurs : Isabey en 1800 pour sa *Revue du Premier Consul dans la cour des Tuileries*, Regnault en 1801 pour trois toiles, Amaury-Duval en 1837, les sculpteurs Auvray et Pradier, l'un et l'autre en 1845... Particulièrement remarquée fut la présentation en 1822 par Horace Vernet de quarante-cinq tableaux ; à sa manière Vernet était alors un refusé, puisque plusieurs compositions comme *La Bataille de Jemmapes* et *La Défense de Clichy*, évoquant les épopées révolutionnaire et napoléonienne, avaient été écartées du Salon pour des motifs politiques.

Le cas de Courbet et celui de Manet sont différents : ce sont leurs conceptions artistiques qui les mirent fréquemment en opposition avec le jury du Salon. Aussi en 1855, Courbet, dont certaines toiles n'avaient pas été admises à l'Exposition universelle, remplaçant cette année-là le Salon, décida de frapper un grand coup. Il obtint de faire construire une baraque dans l'ombre même de l'Exposition. « Cela me coûtera 10 ou 12 000, écrit-il à un ami. J'ai déjà le terrain avec une location de 2 000 pour six mois ; la construction me coûtera 6 ou 8 000... » L'entrée était payante, 1 franc au début, 0,50 franc quand les visiteurs se firent plus rares. Mais beaucoup vinrent, comme on viendra huit ans plus tard au Salon des refusés, dans l'espoir de se divertir. Il semble d'ailleurs que le peintre « réaliste » soit rentré à peu près dans ses frais puisqu'il récidiva en 1867, se faisant construire au pont de l'Alma un pavillon qu'il nomme modestement « une cathédrale dans le plus bel endroit qui soit en Europe ». Ce fut un vrai musée de ses œuvres les plus marquantes, mais le pavillon avait coûté 30 000 francs et, malgré la vente de quelques tableaux, Courbet en fut de sa poche [27].

Cette année-là d'ailleurs, il fut imité par Manet qui, dans un autre emplacement, exposa cinquante peintures ; la plaquette de présentation commençait ainsi : « Depuis

1861, M. Manet expose ou tente d'exposer. Cette année, il s'est décidé à montrer directement l'ensemble de ses travaux. » Le succès fut médiocre.

Quand on considère toutes ces initiatives et les difficultés pour certains novateurs de s'imposer au Salon, on s'étonne qu'ils n'aient pas songé à se grouper pour s'offrir dans de meilleures conditions au jugement public. Le manque d'argent explique, en grande partie, leur manque d'audace. Après leur échec de 1867 — décidément une année cruciale pour ce problème —, Monet, Courbet, Renoir et d'autres jeunes peintres envisagèrent une exposition commune ; mais ils durent renoncer, n'ayant pu rassembler que 2 500 francs et pourtant, parmi eux, Bazille entre autres disposait d'une certaine aisance. Ils devaient mieux réussir après 1870 ; en 1874, se tint dans les locaux du photographe Nadar la première exposition de ce qu'on allait appeler, à cette occasion, l'école impressionniste. Le succès obtenu, malgré les sarcasmes de la majorité de l'opinion, leur permit de récidiver en huit expositions du même type jusqu'en 1886.

Une impulsion nouvelle est désormais donnée, que favorise en outre la transformation du Salon en 1881. Des expositions de groupes selon les tendances — les synthétistes, les Rose-Croix —, selon les techniques — les aquarellistes, les pastellistes —, ou selon les sujets — les orientalistes, les animaliers —, vont transformer le climat artistique. La curiosité du public va progressivement se déplacer du Salon vers les expositions particulières. Pour les artistes s'annoncent des temps où il va être plus aisé sinon de faire admettre la valeur de leurs œuvres, du moins de les faire connaître.

*
* *

S'il est exclu des récompenses ou si nul n'achète ses œuvres, l'artiste peut encore espérer que la critique signalera ses mérites. Un compte rendu favorable dans un journal important équivaut presque à une médaille ; le bénéficiaire estime alors que la critique représente l'opinion impartiale, dégagée à la fois des coteries et des influences officielles. Dans le cas d'un éreintement, on peut toujours évoquer l'incompétence des journalistes ou cet esprit moutonnier qui les pousse à plaire à leurs lecteurs plutôt qu'à les éclairer.

En tout cas, l'importance du Salon se manifeste encore par la place que lui consacrent la plupart des journaux alors qu'ils délaissent les expositions isolées. Naturellement le nombre et l'étendue des articles varient avec le développement même de la presse. Limitée sous la Restauration, libérée puis vite muselée sous le gouvernement de Juillet, c'est après 1848, puis surtout sous la Troisième République que la presse connaît son véritable essor. Mais, même dans les périodes de restriction, les directeurs de journaux accordent à leurs lecteurs de longs articles sur le Salon, dont ils les savent friands. C'est tableau par tableau, statue par statue, que les critiques mènent leur quête en de longs commentaires ; et comme ils se trouvent parfois en présence de six kilomètres de peinture et de trois mille tableaux, leur étude exige du soin, du temps et de la place. Effectivement des publications hebdomadaires comme *L'Artiste* à partir de 1831, ou bi-mensuelles comme la *Gazette des Beaux-Arts* à partir de 1859, consacrent quatre ou cinq grands articles au Salon. Mais la presse quotidienne est encore plus prolixe et chaque « salonnier » peut s'étendre pendant plusieurs semaines sur tous les aspects de l'exposition. Ainsi Théophile Gautier, qui tient, sous le Second Empire, la rubrique des arts dans *Le Moniteur universel*, donne douze à quinze « feuilletons » successifs sur ce sujet capital. Chaque auteur d'une œuvre un peu importante est ainsi presque certain de la voir au moins mentionnée.

D'un esprit différent, les « salons comiques », publiés par des journaux amusants comme *Le Charivari* ou *L'Éclipse*, attestent une fois de plus l'intérêt que le public porte à l'exposition annuelle. Dessinés par Bertall, par Nadar — ce sont les fameux « Nadar-Jury » —, par Gill, ces séries de caricatures donnent un aspect parodique aux œuvres exposées. Sans constituer une véritable critique et se bornant à des attaques superficielles, elles ne contribuent pas moins à faire connaître les artistes.

Les articles des journalistes d'art n'ont pas toujours été beaucoup plus compréhensifs à l'égard des œuvres qui sortaient des sentiers battus. Nous ne pouvons qu'évoquer ici le divorce grandissant entre les artistes et l'opinion à partir du romantisme et, plus encore, à l'apparition de la peinture dite réaliste. Un homme comme Delécluze, dans la tradition de David, n'a pas cessé d'attaquer la peinture de Delacroix. Le célèbre Albert Wolff, qui tint à partir du Second Empire la rubrique artistique du *Figaro*, fut plus féroce encore pour Courbet, pour Manet et les artistes de leur génération. En revanche, des critiques lucides comme Thoré-Bürger, Baudelaire ou Castagnary n'ont pas toujours eu la tribune qu'ils méritaient. Lorsque Zola entreprend courageusement de soutenir Manet dans *L'Événement*, il est remercié au bout de trois feuilletons par le directeur du journal et ne peut terminer son « Salon »[28].

Les artistes doivent faire preuve de beaucoup de courage pour ne pas céder au désespoir devant une incompréhension qui reflète celle du public. Vers 1885, la multiplication des petites revues, souvent animées par des esprits audacieux, augmente aussi le nombre d'articles plus favorables à l'évolution de l'art. Des hommes comme J.-K. Huysmans, comme Félix Fénéon, comme Aurier approuvent et font connaître les impressionnistes et leurs successeurs. Si agréables pourtant que soient ces encouragements au cœur des artistes, ils ne les consolent pas toujours de rester incompris d'un public plus large. Une allusion nuancée dans la grande presse plaît souvent mieux qu'un éloge sans restriction dans un organe confidentiel. Virmaître l'affirme en 1890 : « Un artiste préfère dans *Le Figaro*, à qui on accorde une valeur à cause de sa publicité, deux lignes malveillantes que vingt-cinq lignes dans *Le Petit Journal*[29]... »

Entendre parler de soi, là où cela compte, dans les milieux fréquentés par les riches amateurs et dans les organes que lit l'élite mondaine, n'est-ce pas le rêve de tous les artistes ? Heureux ceux qui, obtenant cette satisfaction, savent résister à la facilité et ne pas infléchir leur idéal en fonction d'éloges qui ne sont pas toujours de bon aloi.

CHAPITRE VIII

COMMANDES ET DÉBOUCHÉS

L A CRÉATION de l'artiste répond, en principe, à une exigence intérieure. Mais qui peut peindre ou sculpter toute sa vie sans autre mobile que de se satisfaire lui-même ? Le plus dénué de besoins demande à un public même restreint de l'encourager. La liberté de créer trouve aussi un frein dans les nécessités de la vie. Même s'il dispose d'une fortune personnelle, l'artiste doit négocier ses œuvres ; à plus forte raison si toutes ses ressources viennent de son art. Degas, pourtant d'un milieu bourgeois, le rappelait à son ami Renoir : « Et pourquoi faisons-nous donc des tableaux si ce n'est pas pour les vendre [1] ? »

Dans ce domaine, le jeu de l'offre et de la demande répond à des conditions particulières. Enclin à travailler selon sa vision des choses et ses propres goûts, l'artiste réussira mieux auprès du public s'il se conforme aux goûts de ce dernier, et ce ne sont pas forcément les mêmes : au XIXᵉ siècle plus qu'à toute autre époque, les artistes originaux ont du mal à s'imposer. Il y a donc, qu'on le veuille ou non et jusque chez les plus grands, un conflit presque inévitable entre leurs désirs spontanés et les exigences de la demande. Heureux l'artiste dont les œuvres, telles qu'il les conçoit, répondent exactement à ce que souhaite un large public, prêt à acquérir tout ce qui sort de sa main. Chez la plupart, un certain équilibre s'établit entre les œuvres nées de leur désir et celles qu'on leur impose. Plus à plaindre sont ceux que la soumission aux commandes réduit à la répétition indéfinie des mêmes thèmes dans une manière dont il est interdit de sortir sous peine de décevoir leur clientèle. Pire encore le sort de ceux qui n'atteignent même pas ce niveau et doivent s'atteler, pour vivre, à des travaux médiocres, à des besognes de tâcherons, de copistes, à des décorations subalternes. Beaucoup de grands artistes ont dû en passer par là à un moment ou un autre de leur existence ; mais si ces tâches sont souvent utiles et pas toujours méprisables, elles rognent fâcheusement les ailes à toute inspiration.

La biographie des artistes est jalonnée du détail des difficultés matérielles qu'ils eurent presque tous à surmonter. Mais leur réussite varie de façon étonnante selon les individus : s'il y eut des miséreux, d'autres ont fait fortune. Leur gloire posthume a peu de rapport avec le niveau de leur succès. Mais il est intéressant de comprendre quels problèmes se sont posés pour eux, quels débouchés leur ont été offerts, d'où venaient les commandes et comment, en fonction des nécessités matérielles et des prix atteints par leurs œuvres, ils ont pu vivre selon les cas comme de pauvres hères ou comme des seigneurs.

* *

Le premier soutien de l'artiste est l'État : c'est le plus riche, peut-être le plus honorable et, dans une nation qui comme la nôtre se pique d'être la « mère des arts », il est normal qu'une part des deniers communs soit consacrée à les encourager. Le jeune artiste qui a demandé à l'État de l'instruire dans son École des beaux-arts, qui, avec de la chance, a pu bénéficier des avantages du prix de Rome, pourquoi ne poursuivrait-il pas dans la même voie ?

L'idéal serait d'être pris en charge de façon permanente par la communauté. Mais cette faveur n'a été donnée qu'à un tout petit nombre d'individus. Ainsi David fut-il nommé premier peintre de l'empereur, poste qui aurait dû lui assurer une vie facile, si les circonstances politiques ne s'y étaient pas opposées. La pension annuelle de 12 000 francs, attachée à ce titre, n'excluait d'ailleurs nullement lpaiement des tableaux commandés. Napoléon avait relevé par cette nomination une charge d'origine royale et Gérard devait bénéficier sous la Restauration d'un titre de « premier peintre du roi » avec des avantages identiques ; Gérard renonça à l'ensemble devant la révolution de 1830.

Le traitement de membre de l'Institut, sans être comparable, représente pourtant un privilège du même genre : 1 000 francs par an au début du siècle, 1 200 francs ensuite. Certains artistes ont encore bénéficié de pensions exceptionnelles. Sigalon, à qui Thiers avait confié la copie du *Jugement dernier* de la chapelle Sixtine, reçut en même temps une rente viagère de 3 000 francs [2].

On peut de ces pensions rapprocher les secours versés à certains artistes tombés dans la misère. Chaptal, ministre de l'Intérieur sous l'Empire de 1802 à 1804, se vante dans ses *Mémoires* d'avoir consacré chaque année une somme de 120 000 francs à ce genre de charité [3]. Mais le cas n'est pas exceptionnel. Louis-Philippe, pour la seule année 1832, distribua 59 900 rancs entre des artistes et des écrivains. De même après 1870, le gouvernement républicain attribua à Daumier âgé une pension de 2 400 francs.

La forme essentielle et la plus efficace de protection officielle des arts repose pourtant sur les achats et surtout sur les commandes faites aux artistes. Sans obéir toujours aux mêmes critères, les différents régimes qui se sont succédé en France de l'Empire à la Troisième République n'ont jamais remis en cause leurs obligations dans ce domaine.

Soucieux de prestige, Napoléon consacra d'énormes sommes à construire des monuments à sa gloire et à embellir les différents palais impériaux : il se voulait par là le successeur des rois de France. Les bénéfices en allèrent surtout aux architectes et aux sculpteurs : manne assez largement répartie si l'on songe qu'à eux seuls les soixante-seize épisodes figurant sur la colonne Vendôme fournirent du travail à trente-deux artistes. Les peintres, eux, participèrent à un vaste programme iconographique, destiné à célébrer les hauts faits de l'empereur. Dès le lendemain du sacre, ce dernier chargea David, son peintre préféré, de représenter les moments successifs de la cérémonie. Un décret du 3 mars 1806 fixe la commande de dix-huit tableaux à exécuter pour le Salon de 1808, comportant onze sujets relatifs à la récente campagne d'Autriche. En 1809, deux jours seulement après la bataille de Wagram, Napoléon adresse de Vienne une liste de douze tableaux à distribuer entre différents peintres. Il charge à chaque fois Vivant-Denon, son directeur des Musées, de préciser le détail du programme et d'en étudier l'exécution avec les artistes. Ce qui ne l'empêche pas d'intervenir lui-même pour s'assurer que son rôle est suffisamment mis en valeur. C'est ainsi que David dut changer différents détails de la scène du couronnement et que Gros fut contraint de remanier ses *Pestiférés de Jaffa* pour donner à la présence de Bonaparte au milieu des lépreux toute sa signification humaine et symbolique.

Ainsi les artistes apprennent-ils à leurs dépens les servitudes auxquelles les entraînent souvent les commandes officielles.

Il y a pire quand change l'autorité qui dispense les commandes et que les avatars de la politique rendent inopportune la glorification demandée. Chargé de décorer la coupole du Panthéon, Gros, victime de la Restauration et des Cent-Jours, dut par trois fois transformer sa composition où Louis XVIII et la duchesse d'Angoulême vinrent finalement remplacer Napoléon et Marie-Louise exigés par le programme primitif.

Sous Louis XVIII et Charles X, les travaux de prestige furent moins nombreux, mais le volume des commandes resta important. Ainsi la décoration intérieure de l'église de la Madeleine fut-elle l'occasion de travaux pour neuf peintres différents. D'autres se répartirent les plafonds du Louvre, les salles du Conseil d'État ou de la Bourse. D'ailleurs les livrets des Salons qui, à cette époque, signalent, parmi les œuvres exposées, celles qui résultent de commandes, permettent de constater qu'un nombre important d'entre elles ont été demandées par la maison du roi, par le ministre de l'Intérieur, par le préfet de la Seine, ou par le duc d'Orléans.

Une plus grande liberté semble avoir été laissée alors aux artistes pour le choix des sujets, encore que fussent proscrites les scènes révolutionnaires ou napoléoniennes. Mais c'est plutôt dans le domaine esthétique que s'exercent les remarques des autorités, sous la pression de l'Institut, soucieux de faire barrage à la naissante école romantique. Il est pourtant arrivé qu'une œuvre aussi discutée que *Dante et Virgile aux enfers*, exposée par Delacroix au Salon de 1822, fut finalement achetée par l'État. Mais en 1827, le directeur des Beaux-Arts prévient le même Delacroix qu'après les tendances condamnables des *Massacres de Scio*, il risque de se voir « exclure irrévocablement de la liste des peintres employés par l'État, *s'il ne change pas de manière* [4] ».

Bien que son action ait été finalement l'objet de vives critiques, on doit reconnaître que Louis-Philippe porta un grand intérêt aux artistes. C'est sous son règne que Delacroix reçut ses grandes commandes de décorations murales, celles du salon du Roi, en 1833, de la bibliothèque du Palais-Bourbon en 1838, de la bibliothèque de la Chambre des pairs en 1840. Ingres, de son côté, fut chargé du plafond de la salle du Trône au Luxembourg, à son retour de Rome en 1841. Mais l'idée centrale du règne, celle qui devait fournir des travaux à une véritable armée d'artistes, ce fut la transformation de Versailles en un musée consacré « à toutes les gloires de la France ». Le roi établit un programme pour que les grandes scènes de l'histoire de France fussent représentées par l'image sur les murs des galeries. Ainsi un homme comme Alaux, particulièrement apprécié de Louis-Philippe, passa neuf années de sa vie à reconstituer, dans la salle des États-Généraux, l'histoire des assemblées en quatre-vingt-six panneaux.

« Sur plus de trois mille objets d'art commandés sous son règne, il n'en est presque pas un seul dont il n'ait inspiré la pensée, soigneusement examiné l'esquisse et arrêté les dernières dispositions. » Ce témoignage de Montalivet, qui fut intendant de la liste civile sous Louis-Philippe, explique les déboires de certains artistes. Horace Vernet, pourtant comblé de faveurs royales, dut accepter à chaque instant des exigences méticuleuses. Couder, chargé de reconstituer la fête de la Fédération, fut obligé de reprendre complètement son tableau pour tenir compte des remarques de Louis-Philippe, témoin de l'événement et soucieux de vérité historique [5].

On imagine mal aujourd'hui à quel point les commandes officielles entraient dans le détail du sujet. Voici le programme d'une statue destinée à être érigée à Toulon pour célébrer le *Génie de la Navigation*. Cette statue fut commandée au sculpteur Louis-Joseph Daumas :

> La pose droite, calme et énergique, portant sur la jambe gauche et la droite en avant. Elle saisit de la main droite la barre du gouvernail qui dirige la coquille marine sur laquelle la statue est plantée. Le bras gauche, ployé en avant, tient un sextant ; la tête de face et couronnée d'étoiles plonge le regard dans l'horizon. On verra à ses pieds les attributs de la marine et particulièrement la boussole. Quatre bas-reliefs décoreront le piédestal. Chacun d'eux s'harmonisera avec le sentiment de la statue et ils détermineront dans leur ensemble les différents progrès de la navigation [6].

Une description si précise d'une œuvre encore virtuelle est bien faite pour limiter l'inspiration d'un artiste. Déjà, on comprend que Pradier n'ait guère été satisfait, lorsque le ministre du Commerce, lui ayant commandé en 1832 une statue de l'*Ordre Public*, imposa le remplacement par une lance de la pique qu'il avait mise dans la main droite de sa statue et par une « main de justice » des rênes placées à gauche.

Mais si ses exigences étaient discutables, il faut laisser à Louis-Philippe le bénéfice de sa bonne volonté à l'égard des artistes contemporains. Pendant les mois du Salon, il se rendait presque quotidiennement dans les salles après la fermeture au public, ces visites lui étant facilitées par la proximité des Tuileries et du Louvre. Après avoir examiné chaque œuvre, crayon à la main, il transmettait des observations qui servaient de base aux achats et aux commandes. On évalue à quelque cinquante millions la somme consacrée aux arts sous son règne.

La révolution de 1848 puis l'instauration du Second Empire devaient apporter quelque bouleversement dans les commandes. Une fois encore, des artistes furent victimes des changements de régime. Bénéficiaire d'une commande du gouvernement de Juillet, Couture ne cache pas sa fureur lorsque, en 1851, on substitue au tableau qu'il avait entrepris sur les enrôlements volontaires sous la Révolution, un sujet combien différent : la décoration de la chapelle de la Vierge dans l'église Saint-Eustache. Soitoux, lauréat du concours pour la figure de la République, préféra abandonner sa statue que de la transformer, comme on le lui proposait, en allégorie de la Justice.

Dans l'ensemble, Napoléon III poursuivit la politique de prestige des règnes précédents. Si les transformations de Paris, dont il chargea Haussmann, devaient offrir peu de débouchés aux artistes [7], ils en trouvèrent d'importants dans l'édification du nouvel Opéra et dans l'achèvement du Louvre : sur ce dernier chantier par exemple, deux cents artistes eurent à se partager quinze cents motifs de sculpture. Les restaurations entreprises dans les châteaux et les églises, en grande partie sous la direction de Viollet-le-Duc, nous paraissent souvent excessives ou regrettables : ce n'était pas l'avis de tous ceux à qui elles donnaient du travail.

En matière de peinture, l'empereur avait d'abord cédé à ses goûts spontanés qui le portaient vers les tableautins de genre et les scènes militaires. Mais à partir de l'Exposition universelle de 1855, le niveau de ses achats s'élève : il acquiert des œuvres de Bouguereau, de Cabanel, d'Hébert, suivant ainsi la majorité dans ses choix. Il achète même des Corot, malgré les réticences de son directeur des Musées, le comte de Nieuwerkerke [8]. Par ailleurs, les artistes apprennent qu'ils peuvent solliciter leur député : et les services des Beaux-Arts sont assiégés par des hommes désireux à la fois de se faire des protégés et d'enrichir les églises et les musées de leur circonscription.

Les mêmes excès ont continué sous la Troisième République, et trop d'artistes médiocres ont encombré d'œuvres sans intérêt les musées de petites villes ; malgré l'évolution du goût et des genres, les achats continuant de favoriser la peinture d'histoire que ne pratiquent ni Monet, ni Renoir, ni Gauguin. Au Salon des artistes français de 1893, Henri Bouchot constatait que les auteurs de grandes reconstitutions historiques ne désarmaient pas et il expliquait ainsi ce phénomène : « L'usage s'en garde pour des raisons d'État. Entendez que l'État a le plus facile débit de ces résurrections, surtout lorsqu'on sait les tailler à ses goûts ; d'où quelque pléthore de patriotismes vibrants. Destinées par avance aux musées de province, ces œuvres ont le loisir de s'étendre en large [9]. »

Les sculpteurs ont rarement été plus heureux que pendant

cette période. Dès le règne de Louis-Philippe, des souscriptions municipales permettent d'élever des statues sur les places publiques, et David d'Angers répond à de nombreuses commandes de ce genre à Béziers, à Strasbourg ou à La Ferté-Milon. Mais après 1870 sévit ce qu'on a pu appeler la « statuomanie » : la commémoration des récents combats, l'hommage aux gloires d'intérêt local en sont le prétexte. Alors que Paris ne comptait, en 1870, que neuf statues de souverains ou de grands hommes, une centaine d'effigies se dressaient sur ses places en 1914 : encombrement que les artistes furent les derniers à regretter.

*
* *

Si souhaitable que soit pour un artiste l'attribution d'une commande, elle est souvent pour lui le début de multiples ennuis. Mis à part les changements de programme et les exigences inattendues, auxquels certains ont dû se soumettre, les difficultés matérielles sont nombreuses, les lenteurs administratives étant le lot de tous les régimes. La correspondance des artistes est remplie des réclamations adressées aux services responsables pour obtenir les crédits promis.

Dans ce genre d'affaires, les sculpteurs sont les plus à plaindre, car ils doivent payer le marbre et les praticiens. Les peintres chargés de vastes décorations éprouvent des difficultés du même ordre ; les frais d'échafaudages, le paiement des aides grèvent leur budget au départ. Il est arrivé à Delacroix de découvrir que l'état des murs ou des plafonds à décorer allait entraîner pour lui des complications onéreuses : aussi le voit-on sans cesse réclamer des crédits supplémentaires ou simplement le paiement plus rapide de son dû.

Dans l'évocation de scènes contemporaines, les ennuis commencent avec les modèles qui se dérobent. Chargé en 1859 de représenter la visite de l'impératrice à la Manufacture de Saint-Gobain, Landelle devait y placer trente-quatre personnages officiels. Parmi eux, bien peu acceptèrent de poser. Ni l'empereur, ni l'impératrice ne vinrent à son atelier et il dut se contenter de leur photographie par Disderi : pour l'impératrice, il put pourtant profiter

de l'aide d'une de ses femmes de chambre qu'elle envoya
poser à sa place. Mais pour l'évêque de Soissons, Landelle
se débrouilla avec une photo et un de ses costumes posé
sur un mannequin. Le tableau terminé, l'impératrice
exigea des changements, voulant en particulier montrer les
accroche-cœurs qu'elle s'était mise à porter récemment [10].

Un autre privilège qu'accorde l'État, c'est l'envoi d'artistes en mission ; ils vivent alors totalement aux frais de
l'administration tout en rassemblant sur place la documentation nécessaire. Toute une équipe de dessinateurs
suivait ainsi Napoléon ou retournait prendre sur place des
croquis des champs de bataille : Martinet, Bourgeois,
Zix et Vivant-Denon lui-même récoltèrent des documents
qu'ils purent utiliser eux-mêmes ou fournir aux peintres
chargés de représenter les campagnes impériales. Pour
perpétuer le souvenir de la bataille de Navarin, le gouvernement de Charles X envoya un peintre de marines,
Garneray, accompagné du jeune Decamps, sur les lieux du
combat. Mission d'ailleurs mal remplie : parti en décembre 1828, Garneray, de retour à Marseille un an plus tard,
est malade et s'est mis une fâcheuse affaire de duel sur les
bras ; Decamps renonce à peindre les personnages dans
l'esquisse envoyée au musée de Versailles, mais le voyage
qui l'a mené à Smyrne, est à l'origine de ses tableaux à
sujets orientaux [11].

Horace Vernet fut envoyé plusieurs fois en Afrique et
jusqu'au Mexique pour étudier le site de combats ou
recueillir sur place documents et témoignages. Dans d'autres
cas, les peintres furent joints comme observateurs directs
aux troupes en mouvement, un rôle qui n'aura plus grand
sens quand on pourra les remplacer par des reporters
photographes. Ary Scheffer fut attaché ainsi au quartier
général du duc d'Orléans au moment du siège d'Anvers en
1822. Meissonier accompagna de la même façon les opéra-
tions d'Italie sous le Second Empire et bénéficia d'un
crédit de 50 000 francs. On dit qu'il fut frappé d'horreur
sur les champs de bataille, ce qui étonne d'autant moins
que les carnages de Solferino furent, par réaction humani-
taire, à l'origine de la création de la Croix-Rouge : aussi
dans la toile consacrée par Meissonier à cette bataille
a-t-il escamoté habilement la représentation même du

massacre. En 1881 encore, Detaille et Berne-Bellecour suivi-
rent la campagne de Tunisie.

Il est des missions plus pacifiques : celle, par exemple,
que Charles Blanc ménagea en 1849 à Eugène Fromentin
pour lui permettre d'aller peindre en Afrique du Nord,
avec l'idée secrète de faire pièce à Delacroix, célèbre par
les tableaux qu'il avait rapportés du Maroc et d'Alger après
son voyage de 1832 avec l'ambassadeur de Mornay.

*
* *

Si nombreuses et si diverses qu'elles puissent paraître,
toutes ces faveurs ne touchent qu'un nombre limité de
privilégiés. Et leur désignation ne va pas sans rancœur
de la part des exclus, qui estiment, souvent avec raison,
que l'État a, en ces matières, une politique discutable. On
ne dit trop rien quand les achats ou les commandes se font
parmi les médaillés du Salon. Mais que de raisons personnelles, politiques ou autres !

« Jusqu'ici, écrit Viel-Castel en 1831, l'autorité n'a envi-
sagé dans les secours ou la protection qu'elle accordait aux
artistes qu'un moyen politique de s'attacher cette classe
importante [12]. » Jugement excessif mais en partie fondé,
il souligne que trop de choix se font sans raison esthétique défendable. Le résultat n'est pas toujours meilleur
quand le souverain suit son goût ,et pourtant il s'en remet
souvent aux directeurs des musées ou au responsable des
Beaux-Arts : d'où le rôle capital de ce dernier, que ce soit
Vivant-Denon sous la Restauration, le comte de Montalivet sous Louis-Philippe, Charles Blanc sous la Seconde
République, le comte de Nieuwerkerke sous le Second
Empire, le marquis de Chennevières au début de la Troisième République.

Décide-t-on de remplacer le choix du prince par celui
d'une commission, et voilà Delacroix qui prend la tête
des protestataires, mécontents d'une telle décision : « Les
encouragements du gouvernement sont les seuls qui puissent
soutenir les artistes dans plusieurs branches de l'art. [...]
En s'en rapportant à l'administration pour les encouragements à donner, les soussignés ont pensé que c'était la voie
qui donnait le moins d'accès à des préférences dictées par

l'esprit de coterie. L'autorité ne peut que consulter la voix publique qui désigne suffisamment les hommes remarquables [13]... »

Un autre système paraît souvent plus juste, c'est celui des concours. Le concours permet un choix public, il récompense des œuvres et non des personnes, il est incontestablement démocratique. Mais ses inconvénients sont certains : les candidats malheureux ont fait un travail inutile ; favorisé d'une inspiration exceptionnelle, un jeune inconnu risque de l'emporter sur des artistes de plus grand talent ou de plus grand mérite. Aussi voit-on un homme comme Rude écrire à son ami Moine qu'il ne fera plus la sottise de concourir [14], et Delacroix encore en combattre le principe avec une particulière vigueur : « Remarquez que ce n'est pas à la nécessité de rendre tel ou tel sujet que je me prends, mais à la nécessité de passer par le crible impitoyable des concours, d'être aligné sous les yeux du public comme un troupeau de gladiateurs qui se disputent d'impertinents sourires et qui prennent plaisir à s'immoler entre eux dans une arène. Sainte pudeur de l'artiste, quelle épreuve pour vous [15] ! »

De fait, Delacroix avait conservé mauvais souvenir du concours ouvert en 1831 pour décorer la Chambre des députés sur le thème de Boissy d'Anglas à la Convention, où le tableau de Court avait été préféré au sien. On vit encore l'ambiguïté des situations que provoque ce genre de choix, au concours de 1838 pour le tombeau de Napoléon aux Invalides. Victor Baltard obtint le premier prix ; mais on préféra écarter cet artiste de trente-trois ans et lui attribuer une médaille d'or pour toute récompense. La commande fut donnée à Visconti, plus connu et plus chevronné.

Les concours ouverts pour des monuments publics, pour des statues de grands hommes, pour de vastes décorations furent néanmoins nombreux tout au long du siècle : les vices du système expliquent sans doute que beaucoup d'artistes de talent aient renoncé à y participer.

*
* *

Parmi les milliers de toiles et de sculptures, présentées au Salon, il est certain que trop d'entre elles ne trouvent pas preneurs, bien que cette grande foire annuelle soit bien propre à éveiller les désirs, à favoriser les rencontres et les transactions.

Nous avons vu qu'une partie des œuvres exposées représentait des commandes officielles ; d'autres, en particulier des portraits, ont été par avance payées par leurs modèles. Mais le reste ? Le chroniqueur du *Bulletin des Arts* en 1846 s'est posé la question à propos du Salon de cette année-là, qui comportait 2 241 numéros, en excluant l'architecture, la gravure et la lithographie. Or, affirme le chroniqueur, « les neuf dixièmes des tableaux, aquarelles, pastels et sculptures ne se vendront jamais. Mettons qu'il y ait 741 portraits, bustes, médaillons et autres productions de cette catégorie qui spécule sur la vanité des bourgeois ou sur la faveur politique par la recommandation des députés : il reste 1 500 tableaux et statues à placer [16]. »

L'année précédente, le même journaliste avait estimé à un peu plus de la moitié les œuvres du Salon incapables d'être vendues : estimation un peu plus optimiste, mais le déchet reste énorme. La petite sculpture, bronzes d'animaux ou d'ornements, peut finir dans le commerce ; des peintures au rabais, réclamées pour l'exportation, gagnent parfois l'Angleterre, la Russie ou l'Amérique, payées 12 francs à leur auteur, avec le cadre. Mais ce sont là les soldes de l'art. Beaucoup préfèrent garder leur œuvre ou la détruire. Delacroix en 1847 se rappelait le petit jardin du sculpteur Maindron « peuplé des infortunées statues dont le malheureux artiste ne sait que faire [17] ». Restent donc les œuvres acquises par des particuliers, mais, dans une proportion, on le voit, minime.

*
* *

Les observateurs contemporains n'ont pas manqué de dénoncer les conséquences de l'évolution sociale sur la clientèle des artistes. Moins de mécènes et de grands seigneurs pour s'intéresser à l'art. Bien sûr, le duc de Luynes va s'adresser à l'architecte Duban, puis à Rude et à Ingres pour décorer son château de Dampierre. Bien sûr, le duc d'Orléans, qui devait se tuer prématurément, soutint l'art de son temps, quelquefois contre son père, Louis-Philippe. Ami d'Ary Scheffer, il achète des toiles à Rousseau et à Huet, des sculptures à Barye et à Feuchère. Quant au duc d'Aumale, autre fils de Louis-Philippe, il ouvre Chantilly aux artistes et, s'il mise trop sur Meissonier, il est de ceux qui paient cher les toiles qu'ils désirent. Il y a d'autres exemples et l'argent se trouve parfois dans des milieux de moins haute noblesse et jusque chez des demi-mondaines. Baudry fut ainsi chargé de décorer non seulement les hôtels de Mmes de Nadaillac et de Galliéra, mais celui de la Païva.

« Mon Dieu ! s'écriait Balzac dans *Les Paysans*, comment ne comprend-on pas que les merveilles de l'art sont impossibles sans grandes fortunes, sans grandes existences assurées [18]. »

Mais désormais, ce sont les bourgeois qui s'enrichissent et les bourgeois ont des exigences particulières : leurs logis étant exigus, il leur faut des œuvres de petite taille ; l'art étant un luxe, ils ne veulent pas le payer trop cher ; enfin leur goût est à la remorque des décisions officielles. « Tel qui fera des folies chez son tapissier, écrit le sculpteur Etex en 1859, ne regardera pas à dépenser 20 000, 50 000 francs pour parer pour une saison son appartement, son salon, son hôtel. Mais parlez-lui de payer 2 000 francs pour avoir un excellent buste, un excellent portrait de sa femme ou de sa fille [...], il jettera les hauts cris [19]. »

Les particuliers offrent aux sculpteurs encore moins de débouchés qu'aux peintres. Aussi, le critique Thoré pouvait-il écrire en 1847, soulignant à quel point les exigences du jury des Salons paralysaient la sculpture : « Un groupe de plâtre, une statue de marbre, où l'exposer, à qui la vendre ? Il n'y a pas à Paris six existences de sculpteurs indépendants de la publicité des Salons et de la protection de l'État [20]. »

Les plus fréquentes commandes privées portent en général sur les bustes portraits. Mais au-delà, il n'y a plus que la petite sculpture : les médaillons — ceux de David d'Angers sont souvent des chefs-d'œuvre —, la statuette d'appartement — Pradier en a fourni beaucoup, sans excepter des sujets égrillards —, et enfin les sujets de pendule. Mais relèvent-ils encore de l'art ?

*
* *

L'importance du milieu bourgeois influence les prises de position esthétiques et explique, en grande partie, le divorce entre les artistes les plus combatifs et un public souvent médiocre : ceux qui veulent attirer ce public doivent être sans illusion.

Le visage de ces acheteurs est difficile à évoquer. Il reste surtout sur leur comportement des anecdotes, promptes à les ridiculiser : mais ces anecdotes sont significatives dans la mesure où elles résument les difficultés des artistes dans leurs contacts avec cette clientèle.

C'est l'histoire de ce notaire de village du fils de qui Jules Laurens peignait le portrait, et qui souhaitait, ne reculant pas devant la dépense, que le peintre passât une *deuxième couche* sur son tableau [21]. C'est l'histoire de cette femme du monde rapportant son portrait et exigeant qu'on change la couleur de la robe, parce qu'elle venait de tomber en deuil [22]. Ce sont vingt récits de gens qui ne jugent de la valeur d'un artiste qu'en fonction de ses décorations ou de la cote de ses tableaux. Le client du Pierre Grassou, de Balzac, disant à sa femme : « Est-ce que j'aurais fait faire nos portraits par un artiste qui ne serait pas décoré ? » Le modèle d'un peintre connu versant 1 000 francs pour son effigie et promettant par contrat 2 000 francs de plus si le tableau est reçu au Salon [23]. Le banquier Pillet-Will affirmant à Renoir : « ... Ma situation m'oblige à avoir chez moi des tableaux qui se vendent cher. C'est pour cela que je dois m'adresser à Bouguereau, à moins que je ne découvre encore un peintre plus haut coté [24]. » Et le célèbre Chauchard, des magasins du Louvre, songeant à faire porter devant son corbillard celui de ses tableaux qui lui aurait coûté le plus cher.

L'influence de ce public se fait sentir dans l'évolution des genres. Les grandes « machines » étant par nature réservées aux achats officiels, le succès va aux petites toiles faciles à loger et ce point est un élément important du succès de

Meissonier. Le bourgeois veut des scènes de genre qui l'amusent ou des compositions sentimentales qui l'émeuvent ; il devrait demander des paysages, mais le paysage pur ne raconte aucune histoire. Il commande surtout des portraits, si bien qu'un chroniqueur a pu écrire : « Le portrait est le pot-au-feu du peintre [25]. » Mais Ingres, obligé d'en exécuter plus qu'il n'aurait voulu pendant son séjour en Italie, répondit avec fierté à quelqu'un qui demandait si c'était bien là qu'habitait le dessinateur de portraits : « Non, monsieur, celui qui demeure ici est un peintre [26] ! »

Rapidement la photographie vint faire concurrence à la peinture et au buste : mais ces derniers conservent leur lustre et leur prix.

Le public n'hésite pas à réclamer un sujet qui a plu, avec d'infimes variantes. Troyon dut se faire aider par Boudin, tant on lui demandait de prairies peuplées de bœufs blancs, vers 1861. Landelle peignit plus de vingt répliques de sa *Femme fellah*, succès incroyable du Salon de 1866, qui n'était pourtant qu'une paysanne normande déguisée à l'orientale d'un costume d'emprunt [27].

Qui veut bien vivre, doit accepter. Car enfin, comme le dit Baudelaire, non sans ironie, en introduction à sa critique du Salon de 1845 : « Le bourgeois, puisque bourgeois il y a, est fort respectable ; car il faut plaire à ceux aux frais de qui on veut vivre. »

A ce public dont on ne peut se passer mais dont les réactions et l'influence sont souvent regrettables, il faudrait, pour être juste, opposer quelques belles figures d'amateurs qui ont soutenu les meilleures formes de l'art de leur temps au mépris de l'opinion courante. Parmi ces mécènes de la bourgeoisie, on pense, par exemple, à Alfred Bruyas qui se fit peindre par dix-sept peintres et qui soutint et aida Courbet dans ses débuts difficiles. Mais Bruyas, fils d'un banquier de Montpellier, possédait une solide fortune personnelle. Plus étonnants ces hommes modestes dont le goût s'affirme meilleur que celui des amateurs chevronnés. Ainsi Victor Chocquet, employé des douanes, qui consacra ses premières économies à acheter un tableau de Delacroix. Il finit par posséder une magnifique collection des premières peintures impressionnistes à une époque où les soi-disant connaisseurs se détournaient avec mépris de ces œuvres novatrices.

*
* *

Le marchand prélève sa dîme sur les œuvres vendues, mais, évitant à l'artiste de chercher une clientèle, il représente un intermédiaire naturel. Et pourtant, c'est seulement vers 1825, avec le développement de l'école romantique, que s'instaure la vente, chez des marchands, d'œuvres d'art contemporaines [28].

A l'origine, la vente des tableaux n'est qu'un commerce annexe pour des papetiers ou des marchands de couleurs. Un des premiers, Alphonse Giroux, installé boulevard de la Madeleine au coin de la rue des Capucines, vend des jeux, des articles de luxe, avant d'y adjoindre la peinture. Le magasin de Susse, place de la Bourse, est très couru des amateurs de maroquinerie : c'est chez lui pourtant que Dantan peut exposer et vendre ses célèbres statuettes charges, telles que celle de Balzac portant une canne aussi grosse que lui. Bientôt Susse achète des tableaux de petite taille, qu'il paie 100 ou 200 francs au maximum, mais il sait qu'il les placera facilement pour des intérieurs bourgeois, surtout à l'époque des étrennes.

La maison Durand-Ruel, dont le développement devint considérable, n'est d'abord qu'une papeterie de la rue Saint-Jacques où les artistes trouvent du matériel pour leurs travaux. Parce que ceux-ci font parfois accepter en paiement des aquarelles, des lithographies ou des esquisses, un rayon d'œuvres d'art est constitué peu à peu. Durand-Ruel se transporte sur la rive droite : en 1833, il ouvre rue des Petits-Champs un magasin plus vaste de matériel de peintre et de peinture ; en 1839, il s'installe rue de la Paix. Le meilleur de ses revenus vient moins de la vente que de la location de tableaux. A cette époque en effet, on loue volontiers un tableau pour une soirée ou pour huit jours : pour meubler un logis, le temps d'une réception ou plus fréquemment pour les copier. Dans ce cas les clients sont aussi bien des collèges, des cours de dessin parisiens ou surtout provinciaux, ou des jeunes filles du monde. On trouve également des tableaux à louer chez Berville, à la Chaussée-d'Antin, chez Esnault-Pelterie, rue du Paradis, et chez cinq ou six autres [29].

Avant de faire commerce des tableaux, certains marchands vendent des gravures. La boutique de Martinet, rue du Coq-Saint-Honoré, est célèbre pour cela depuis l'Empire ; plus tard, elle se transforme en galerie de peinture sur le boulevard. Goupil, installé en 1827, boulevard Montmartre, vit surtout de la reproduction lithographique des tableaux, ce qui lui permet d'offrir à des artistes des débouchés non négligeables. Ainsi Ingres avait vendu 24 000 francs le droit de reproduire son *Odalisque*, un tableau qui n'avait trouvé acheteur qu'à 1 200 francs [30]. Goupil s'adjoint à son tour un rayon de tableaux, et il peut passer avec des peintres des contrats semblables à celui que signe Landelle, le 15 mars 1845 :

M. Landelle s'engage à ne jamais disposer du droit de reproduction de ses compositions, tableaux, dessins, qu'après l'avoir proposé à MM. Goupil et Vibert. Les droits de reproduction seront payés à M. Landelle à raison de 25 francs par franc du prix de publication fixé par ces messieurs aux estampes publiées d'après M. L. Landelle. De plus M. Landelle vend à Goupil et Vibert, qui l'acceptent, ses deux tableaux exposés en ce moment au Louvre sous les titres *L'Idylle* et *L'Élégie*, y compris les droits exclusifs de reproduction et les bordures, moyennant 2 000 francs qu'ils lui paieront à sa convenance [31].

L'année même où ce contrat fut établi, le critique Thoré estimait à une centaine le nombre des marchands parisiens. Le chiffre paraît énorme, d'autant que Thoré ajoute : « Il y a autant et plus de marchands que d'acheteurs. » Et il ne juge guère supérieur à deux cents le nombre de toiles vendues annuellement chez les marchands [32]. Nous aurions une singulière idée du sens commercial de cette époque, si nous ne savions que ces marchands d'œuvres d'art ne le sont en général que par raccroc. C'est pourtant à cette date que s'ouvrent des magasins spéciaux de tableaux modernes. Ainsi Souty montre une collection fameuse de Vernet et de Charlet. Durand-Ruel a réuni rue de la Paix un nombre d'œuvres assez important pour qu'en 1845 il juge intéressant d'en faire reproduire les plus marquantes dans un album où figure aussi une vue de sa galerie.

Le commerce des œuvres d'art prend tout son essor sous le Second Empire, et à partir de cette époque les marchands commencent à jouer un rôle décisif dans la vie des créateurs. « La rue Laffitte est une sorte de Salon permanent, écrit Théophile Gautier en 1858 dans *L'Artiste,* une exhibition de peinture qui dure toute l'année. Cinq ou six boutiques offrent derrière leurs vitrines de glace des tableaux sans cesse renouvelés sur lesquels le soir de puissants réflecteurs concentrent la lumière [33]. » C'est là, par exemple, qu'est l'élégant magasin de Beugniet, à qui Delacroix préfère vendre, à moins qu'il ne s'adresse à Thomas ou à Tedesco, plutôt que de discuter avec des amateurs. Les magasins se multiplient, et leur activité s'étend à l'étranger. En 1865, Goupil ne se contente pas de deux établissements à Paris où l'on trouve régulièrement des œuvres de Delaroche ou de Gérome : il a ouvert des succursales à Londres, à Bruxelles, à La Haye, à Berlin et à New York. Paul Durand-Ruel, à la tête de la maison depuis 1862, croit à l'avenir des peintres de Barbizon ; bientôt il va soutenir contre l'opinion générale les premières toiles des peintres impressionnistes ; il s'installera rue Laffitte, mais, en attendant, il établit lui aussi des contacts avec l'Amérique.

Au moment où le marché des œuvres d'art commence à prendre une ampleur internationale, de nouveaux rapports s'instaurent entre les marchands et les artistes. Certes subsistent de petits commerçants, souvent utiles pour soutenir les besoins modestes. Plus près de la brocante que leurs confrères, il ne leur est pas interdit d'avoir du flair et quelquefois du goût. Mais s'ils font de bonnes affaires, c'est souvent sur le dos d'artistes miséreux. C'est le cas d'Aubourg, dit le père Lacrasse, établi place Pigalle vers 1870, à qui dans leurs débuts Fantin-Latour, Ribot ont été bien contents de céder des toiles de 5 à 15 francs pièce. C'est le cas de Martin, achetant les toiles de Jongkind, de Corot et aussi de Pissarro et de Monet 20 à 40 francs selon les dimensions, et les revendant 60 à 80 francs. Zola a présenté, dans *L'Œuvre,* le père Malgras, synthèse de personnages réels, raflant les toiles de Lantier pour 10 à 15 francs et lui donnant un jour un homard, à condition qu'il en tire une nature morte. Quelques années plus tard, l'un d'eux finira par atteindre la célébrité ; Julien **Tanguy**, rue Clauzel, ancien communard, marchand de couleurs et homme fruste, montra une intuition étonnante à l'égard de novateurs comme Cézanne, Gauguin, van Gogh. Et parce qu'il finit par rassembler dans sa boutique les meilleurs artistes de l'art moderne, le père Tanguy devint un personnage sacré pour toute une génération, de Pissarro à Seurat et aux Nabis [34].

Les grands marchands, qui eux ne décèlent pas toujours les plus grands peintres, instaurent d'autres méthodes. Ainsi en 1860 Arthur Stevens, le frère du peintre, propose à Millet un contrat qui lui assure pour trois ans un minimum de 1 000 francs par mois, des sommes supplémentaires pouvant lui être versées en fonction des tableaux qu'il exécuterait ; en fait de ce contrat, d'où le peintre aurait dû tirer une très large aisance, naquirent de telles difficultés, que dès la fin de 1861 Millet connut de fort mauvais moments [35]. Durand-Ruel, de son côté, organisa le premier le « trust » d'un peintre en achetant d'un seul coup soixantedix tableaux à Théodore Rousseau pour la somme de 130 000 francs [36].

Certains procédés sont plus discutables ; Zola nous a rapporté, dans ses notes préparatoires pour *L'Œuvre*, comment Brame mit en valeur le peintre Roybet. Brame va chez Roybet : « Vous avez du génie. Combien avezvous vendu tel tableau ? — 1 200 francs. — Mais c'est de la folie, il vaut 2 000 francs. Et celui-ci, combien voulezvous le vendre ? — Mon Dieu ! 2 000 ! — Allez donc ! Vous ne m'entendez pas ; il en vaut 4 000. Je le prends pour 4 000, entendez-vous. Dès aujourd'hui, vous ne travaillez plus que pour Brame. » Et le marchand vante partout Roybet, vend un tableau 5 000 avec promesse de racheter le tableau 6 000, l'année suivante, si l'amateur n'en veut plus. Mais l'amateur a bien trop peur de lâcher une valeur qui monte. De fait, Brame parvient à vendre un Roybet 40 000 francs à Chauchard [37].

D'autres excitent la spéculation en organisant de fausses ventes publiques, où les œuvres, surévaluées, sont rachetées par le marchand.

Mais il arrive que l'aide des marchands soit bénéfique

pour des peintres de valeur que boude l'opinion. Après 1870, Durand-Ruel, Georges Petit, plus tard Le Barc de Boutteville, présentent des expositions de jeunes artistes dont le retentissement et le succès financier peuvent équilibrer ou remplacer en partie ceux du Salon. Auprès des impressionnistes, Durand-Ruel finit d'ailleurs par jouer le rôle d'un banquier, versant à certains des mensualités, avançant à Degas des sommes importantes moins en raison de ventes immédiates qu'en fonction de ses besoins [38].

Personnage nouveau dans le monde des arts, le marchand a ainsi acquis à la fin du siècle une place ambiguë. Parce qu'il contribue à faire et à défaire les réputations, il fausse la loi de l'offre et de la demande. Mais en organisant des expositions, en soutenant des peintres dont l'audace effraie l'opinion, en les introduisant auprès des amateurs, il tient finalement un rôle irremplaçable dans la vie matérielle des artistes.

CHAPITRE IX

LA QUESTION D'ARGENT :
GAINS ET DÉPENSES

S I LES DÉPENSES et les besoins varient selon les individus, il est des sommes dont on peut dire, à chaque époque, qu'elles permettent de tout juste subsister, de vivre plus largement ou de connaître l'opulence. Quelques éléments de comparaison sont donc indispensables pour juger du niveau de vie des artistes. Par chance, la grande stabilité des prix au XIXᵉ siècle facilite les calculs. Certes le coût des denrées et des services a peu varié en cent ans ; les salaires de leur côté ont subi une hausse sensible à partir du Second Empire et surtout à la fin du siècle. Mais des hausses de 20 pour 100 ou même de 50 pour 100 n'ont pas bouleversé de façon fondamentale l'économie des Français. Elles ont permis aux gens raisonnables de constituer des économies. En amassant sou par sou un petit capital, on était sûr alors de se procurer des revenus de valeur fixe qu'aucun impôt ne viendrait grever. Ce sont des conditions favorables qu'il faut avoir présentes à l'esprit pour comprendre comment les artistes ont organisé leur budget.

.*.*

En 1829, à vingt-deux ans, Henri Dutilleux vit de copies de tableaux et de quelques leçons de latin. Son déjeuner est des plus modestes : 3 sous de pain, 1 sou de fromage. Le soir, il dîne plus copieusement pour 17 sous. « Logis (rue Gît-le-Cœur nº 5), 17 F par mois, bottes comprises. » Le déjeuner de Hamon, élève de l'atelier Delaroche vers 1840, est aussi ascétique, bien que composé différemment : 2 sous de pain et 2 sous de charcuterie. Il dîne près de l'École des beaux-arts, pour 9 sous, d'une portion de bœuf et d'une soupe trempée sur du pain qu'il achète chez un boulanger : au total, 70 centimes par jour pour sa nourriture [1]. Rapin aisé, Bazille connaît un régime un peu moins spartiate : en 1863, il déjeune pour 15 sous, avec « une tasse de bouillon, bourrée de pain et une côtelette [2] ». Plus riche, Courbet, qui en 1850 n'est plus un débutant, dépense 1,35 F à 1,50 F pour déjeuner à la brasserie Andler, avec café et chope. Ses notes mensuelles dans cet établissement s'élèvent de 97 à 130 F [3].

Zola, engageant son ami Cézanne à venir à Paris, vers 1859, établissait ainsi son budget :

Une chambre de 20 F par mois ; un déjeuner de 18 sous et un dîner de 22 sous, ce qui fait 2 F par jour ou 60 F par mois ; en ajoutant les 20 F de la chambre, soit 80 F par mois. Tu as ensuite ton atelier à payer ; celui de Suisse, un des moins chers, est, je crois, de 10 F ; de plus je mets 10 F de toile, pinceaux, couleurs, cela fait 100 F. Il te restera donc 25 F pour ton blanchissage, la lumière, les mille petits besoins qui se présentent, ton tabac, les menus plaisirs. Mais il y a les ressources accessoires que l'on peut se créer par soi-même ! Les études faites dans les ateliers, surtout les copies prises au Louvre, se vendent très bien... Le tout est de trouver un marchand, ce qui n'est qu'une question de recherches [4].

<center>
**

On estimait en 1850 que les Parisiens dépensaient en moyenne 1 F à 1,25 F pour se nourrir : en considérant l'abondance de certains repas, ce calcul suppose une nourriture à peine suffisante pour trop d'individus. Effectivement, le gain journalier de quelques-uns ne dépasse pas alors 50 centimes ; s'ils doivent subir, comme certains ouvriers du bâtiment, une morte-saison assez longue, ils connaissent la misère. En moyenne, on compte à cette époque de 365 F à 460 F par an pour la nourriture. Seize ans plus tôt, en 1834, le *Nouveau Tableau de Paris* avait fixé cette somme à 352 F : l'augmentation est, on le voit, très faible.

Le salaire annuel de la classe laborieuse variait en 1850 de 900 F à 3 000 F, en excluant les moins favorisés. Il était donc possible de vivre modestement avec 1 500 F ; mais on mesure la simplicité de Rude qui estima son existence assurée, lorsqu'il fut arrivé à se constituer une rente annuelle de cet ordre, et qui refusa les 30 000 F que lui proposait Thiers pour un voyage en Italie : « Je suis très sensible à votre libéralité, lui écrivit-il, mais je n'ai besoin de rien. »

D'autres artistes préférèrent une vie plus large. Mais pour apprécier leur niveau de vie, il est bon d'avoir idée des gains dans des domaines voisins.

Deux auteurs dramatiques, aussi oubliés aujourd'hui qu'ils furent applaudis en leur temps, Émile Augier et Scribe, possédaient l'un et l'autre 5 000 à 6 000 F de rente annuelle, à quoi ils pouvaient ajouter naturellement d'importants droits d'auteur et des gains occasionnels. En vingt-huit ans, de 1817 à 1845, Victor Hugo dit lui-même avoir gagné environ 550 000 F, soit une moyenne de 19 640 F par an. On peut, dans son cas, parler de très large aisance [5].

Danseuse étoile de l'Opéra, Mlle Beaugrand, engagée en 1857 avec 300 F par an — de quoi mourir de faim —, voit son salaire croître rapidement avec le succès : 1 000 F en 1860, 5 000 F en 1863, 14 000 F à la fin de 1867 ; elle devait atteindre 30 000 F en 1875.

Notons encore qu'à la cour de Napoléon III, le grand chambellan et le grand aumônier ont un traitement de 40 000 F, et que le premier valet de chambre touche lui-même 6 000 F, soit le double des ouvriers les plus favorisés [6].

*
* *

De tous les genres d'industrie exercée par l'homme, il n'en est point où la matière première employée soit moins coûteuse que dans la peinture, intrinsèquement d'abord, et ensuite relativement à la valeur acquise au tableau par le travail du peintre. Ainsi, tel tableau qui a coûté deux ou trois cents francs à faire, acquiert, valeur moyenne et *du vivant de l'auteur,* un prix de trois à quatre mille francs, qui s'élèvera, après la mort de celui qui l'a fait et, par la suite des temps, doublera et triplera [7].

Ces réflexions du peintre Bergeret ne sont pas dépourvues de bon sens. Mais la valeur finale d'une œuvre d'art dépend d'une infinité de circonstances. Ce texte ramène pourtant l'attention sur le « prix de revient » d'un tableau, qui, si réduit qu'il soit, n'est pas totalement négligeable.

Un chevalet coûte de 15 à 100 F, s'il est soigné et à crémaillère ; il faut au peintre des palettes, des appuis-main, des godets, une soixantaine de pinceaux représentant à eux seuls 200 à 300 F. Les couleurs sont chères : 25 centimes le tube, le plus souvent 1 F, les plus rares, 10 à 15 F. Une grande toile peut absorber de 300 à 500 F de couleurs, si bien qu'un peintre qui travaille régulièrement, arrive, dans ce domaine, à des notes de 400 à 1 000 F par an. Avec ce que coûte un tube, on peut se nourrir pendant un jour ; aussi ne s'étonne-t-on point de voir Claude Monet, dans ses moments de grande misère, lorsqu'il peut à peine faire vivre femme et enfants, renoncer à peindre faute de couleurs. Les marchands sont d'ailleurs accusés de vendre cher, ce qui leur permet de faire crédit dans leurs meilleurs jours. Si l'on en croit Zola, Baudry dut jusqu'à 60 000 F à son marchand de couleurs, sans que celui-ci fît pour autant faillite [8].

Le prix des toiles et des cadres varie selon les tailles. Une toile moyenne dite de 120 (1 m 95 × 1 m 30) vaut 33 F. Un peintre très actif, auteur de petits tableaux, dépense facilement 200 à 300 F de toiles. Ajoutons cinq à six cadres par an, soit 500 à 1 000 F, et naturellement des frais très variables de modèles. Si l'on en croit un calcul de 1898, un petit tableau d'un mètre carré — 1 m 25 × 0 m 80 — nécessitant 100 F de couleurs et 300 F de modèle, reviendrait à 558 F à son auteur ; naturellement un paysage de même taille, encadré moins luxueusement, peut ne pas dépasser 200 F [9].

A la fin du siècle, la location d'un atelier est estimée de 1 000 à 1 800 F par an : ces prix semblent avoir doublé en cinquante ans, car le *Journal des Artistes* de 1841 signale en location « un élégant atelier garni et ses dépendances pour un peintre d'histoire ou de portraits : 500 F par an ou 50 F par mois [10] ».

Le sculpteur a des charges encore plus lourdes que le peintre. Certes il peut s'équiper honorablement pour 400 ou 500 F : selles, seaux, baquets, ébauchoirs, râpes et outils divers. Mais une activité importante entraîne 1 500 à 1 800 F de dépenses annuelles : frais de terre, d'armature, de moulage — 600 à 800 F —, de modèles — 400 à 1 000 F —, de location de costumes — 200 à 300 F. Surtout l'exécution en marbre ou en bronze, que l'artiste peut différer tant qu'il n'a pas de commande ferme, nécessite des dépenses beaucoup plus considérables. Le beau marbre d'Italie vaut 1 500 à 2 000 F le mètre cube et il faut deux mètres cubes pour une statue assise. Un buste payé 8 000 F, un simple buste en marbre, coûte 300 F de marbre ; ajoutez 200 F de moulage, 700 à 800 F de travail de praticien et 100 F de faux frais, soit 1 400 F que débourse l'artiste. Il ne lui reste donc que 6 600 F pour prix de son travail, de son inspiration... et pour vivre.

**
* **

La stabilité du coût de la vie au XIXe siècle rend plus étonnante la diversité des prix atteints par les œuvres d'art et par la peinture en particulier. Il est certes normal que la valeur d'une toile varie avec le sujet, la taille et surtout la notoriété du peintre. Une œuvre commandée à un artiste connu est souvent payée plus cher qu'une œuvre de même type acquise à un Salon. Mais d'autres éléments interviennent : pourquoi les tableaux de Troyon, qui trouvaient difficilement acquéreur à 500 F, furent-ils payés 6 000 à 10 000 F à partir de 1849, sinon parce que Troyon venait alors d'être décoré ? Quels facteurs d'engouement jouent en faveur de Meissonier, qui en font un des peintres les plus chers du siècle, alors qu'il se trouve parmi les plus dédaignés cent ans plus tard ?

Les prix étaient fort élevés sous le Premier Empire, au moins pour les artistes soutenus par le pouvoir. David, déjà bénéficiaire d'un traitement annuel de 12 000 F comme premier peintre, demandait 400 000 F pour les quatre tableaux consacrés au couronnement. Cette somme fut réduite, mais il toucha 65 000 F pour sa composition du *Sacre*. Même dans le domaine de la peinture d'histoire, c'est un prix qu'on retrouvera rarement au cours du siècle. Horace Vernet vendit en 1849 un tableau 99 000 F à l'empereur de Russie, mais ce fut une exception, même pour Vernet. En 1840, Delacroix s'était contenté de 4 000 F pour sa *Justice de Trajan* [11], et le fameux *Hémicycle de l'École des beaux-arts*, le triomphe de Paul Delaroche, ne lui fut payé que 25 000 F. Il faudra attendre une trentaine d'années pour voir Meissonier dépasser ces prix, avec ses *Cuirassiers de 1805*, composition qui lui fut achetée 250 000 F en 1878 [12].

David avait réclamé 22 000 F pour son portrait du pape, accompagné, il est vrai, de deux copies. Un portrait d'Horace Vernet en 1815 ne vaut que 500 F, et sa célèbre figure du duc d'Angoulême, en 1824, est payée exceptionnellement 9 950 F. Les 4 000 F demandés par Ingres au duc d'Orléans pour le peindre en 1842 parurent en général exagérés. Là encore, ces prix ne seront dépassés que par Cabanel qui demande 10 000 à 20 000 F à ses modèles, et par Carolus-Duran, dont le prix courant est 25 000 F.

Le plus haut prix du siècle est celui qu'atteignit *L'Angélus* de Millet : 553 000 F à la vente Secrétan en 1889 ; cette toile devait même être payée quelques années plus tard 800 000 F par Chauchard ; Millet, lui, l'avait cédée pour 1 000 F en 1860...

Ces sommes fabuleuses, dues au jeu de la spéculation dans les ventes publiques, ne nous intéressent pas ici : cet argent-là n'a pas profité aux artistes. Il n'en a pas moins contribué à influencer la valeur des œuvres d'art.

.**.

Vivant-Denon, choqué des exigences de David, écrivait dans un rapport de 1806 qu'il faudrait le ramener, lui et ses pareils, « à la simplicité modeste des véritables artistes de tous les pays dont la gloire a toujours consisté à produire beaucoup et à vivre honorablement mais sans faste [13] ». Que les mânes de Vivant-Denon soient rassurés ! Si quelques peintres ont fait fortune, beaucoup d'entre eux ont connu la misère et beaucoup, même parmi les plus grands, n'ont pas réussi sans peine à maintenir une existence honorable.

Les plus heureux furent ceux à qui une certaine fortune personnelle permit de ne pas trop craindre les rebuffades de l'opinion et des acheteurs. Heureux, au moins sur le plan strictement matériel, car un peintre peut-il trouver son bonheur à faire indéfiniment une peinture qui ne se vend pas ? Cézanne par exemple, qu'on tient parfois pour un peintre maudit, fut pourtant dépourvu de réelle inquiétude financière : une pension paternelle de 200 F, puis de 100 F par mois et des revenus plus larges après la mort de son père, lui assurèrent une indépendance modeste. Van Gogh n'était pas sans aisance avec la mensualité de 150 F que lui versait son frère Théo, employé de la maison Goupil. Degas, né dans une famille de banquiers, put dédaigner les débouchés, jusqu'au moment où naquirent des difficultés qui lui compliquèrent l'existence. D'autres, comme Delacroix ou Manet, purent s'engager dans leur carrière sans avoir besoin de succès immédiat. Et pourtant Delacroix cherchait encore difficilement à trente ans à s'assurer « un peu de pain et d'indépendance ». Dans ses dernières années, il s'était constitué une rente de 10 000 F par an.

Parmi ceux qui, au contraire, durent lutter sévèrement et quelquefois pour subsister de la façon la plus modeste, ne parlons ici que d'hommes dont les œuvres sont aujourd'hui la fierté de l'art français. Nous retrouverons plus loin les tâcherons dont le sort, pour avoir été encore moins enviable, nous paraît moins injuste, parce qu'ils avaient surestimé leur talent.

Les plus grands artistes ont connu des périodes difficiles lorsqu'ils ne disposaient pas de ressources personnelles suffisantes. C'est ainsi que Ingres vécut pauvrement pendant plusieurs années, heureux que sa femme pût améliorer la vie du ménage en faisant de la couture. Lorsque Granet alla lui rendre visite pendant son séjour à Florence entre 1820 et 1828, le grand peintre le laissa sur le seuil de son logis avec ces mots : « N'entre pas ici, tu trouverais la misère [14]. » Sa situation changea lorsqu'il revint à Paris et que Louis-Philippe le chargea de décorer, en 1841, le plafond de la salle du Trône à la Chambre des pairs pour la somme de 100 000 F. Alors que son *Odalisque* s'était vendue 1 200 F au Salon de 1829, il céda *La Source* pour 25 000 F en 1856 au comte Duchâtel.

Moreau-Nélaton a calculé que, de 1862 à 1866, Manet avait dépensé 20 000 F par an, sans pratiquement rien tirer de son art. S'il put organiser en 1867 son exposition particulière avenue de l'Alma, c'est grâce à une somme de 18 300 F que lui prêta sa mère. De telles pratiques supposent de la fortune. Manet avait cinquante ans quand Durand-Ruel lui fit un achat massif de vingt-quatre toiles, mais pour une somme globale n'excédant pas 35 000 F. Les temps sont enfin meilleurs lorsque, dans la seule année 1879, il tire de ses tableaux 11 300 F.

Le cas d'Eugène Deveria fut tout à fait différent. A vingt-deux ans, il mit tout son génie dans sa *Naissance d'Henri IV* qui fut le clou du Salon de 1828 et qu'il vendit 10 000 F. Quatorze ans plus tard, il était bien content de trouver, de passage à Fougères, la commande de quatre tableaux pour 500 F chacun [15], et quelques années après, on prétend qu'il se contentait d'expédier des portraits à 20 F pièce.

Les sculpteurs ont souvent des difficultés d'existence encore plus sérieuses que les peintres. La lettre suivante, écrite par le sculpteur J.-J. Perraud à un ami de jeunesse, apporte un témoignage navrant sur les servitudes de certaines carrières, socialement réussies mais lourdes de misères cachées. Car Perraud, né en 1819, a obtenu le prix de Rome de 1847 ; on ne l'oublie pas puisqu'il entre à l'Institut en 1865 ; et voilà pourtant comment, arrivé à quarante-neuf ans, il raconte sa vie :

J'ai savouré non sans restriction les éloges dont j'ai été l'objet ; j'ai eu de cette fumée d'encens, autant que j'en méritais et du meilleur coin. Mais la fumée s'évaporait et il fallait ramener les plâtres à l'atelier. Je n'avais pas le moyen de montrer mes essais en marbre. On me donnait bien les premières médailles, les médailles d'honneur, la croix et de la considération, mais c'était tout. Il fallait rentrer tout ça dans mon atelier, où tout se couvrait de poussière au bout d'un certain temps pour une durée indéfinie et j'en étais pour mes frais de déménagement d'aller et retour.

Quelques architectes, ayant besoin d'un certain nombre de sculpteurs pour décorer leurs constructions, me donnaient bien par-ci par-là une statue, un bas-relief avec tout le monde, avec la marmaille, travail que j'étais bien content de faire. C'était la seule chose qui me permît de vivre en étant économe comme une pauvre bordeuse de souliers. Encore aujourd'hui je vivote parce que mes goûts sont bien modestes. J'ai remplacé, il y a trois ans, M. Nanteuil à l'Institut. J'ai un habit brodé de soie, feuilles d'olivier, chapeau à claque et épée au côté, s'il vous plaît ! que je mets dans les grandes cérémonies, mais je m'en prive parce que ces solennités coûtent trop cher de voiture et qu'elles ne sont pas dans mes goûts.

Et cet homme modeste conclut, résigné : « Tu vois qu'il ne suffit pas d'avoir certaines qualités pour arriver à la fortune [16]. »

*
**

En butte à l'hostilité de l'opinion, la plupart des peintres de l'école impressionniste passèrent par des heures parfois dramatiques. Eugène Boudin, précurseur de leurs effets lumineux de plein air, ne vendait en 1861 ses scènes de plage, aujourd'hui si recherchées, que 75 F... la douzaine. On s'interroge pour savoir comment il a pu vivre, quand on sait que, vingt ans plus tard, il ne demandait encore que 100 à 250 F par tableau à Durand-Ruel [17].

Claude Monet avait débuté grâce à l'argent que lui fournissaient ses parents ; mais ceux-ci lui coupèrent les vivres quand ils surent qu'il refusait de rompre avec sa maîtresse qui attendait un enfant. Son ami, Bazille, fils d'une famille très aisée, lui acheta alors 2 500 F une de ses toiles, mais à tempérament : Monet attend, avec une impatience qu'il ne dissimule pas, ces 50 F mensuels versés par son ami. En 1866, son portrait de Camille, reçu au Salon, est acheté 800 F par Arsène Houssaye. En 1868, il reçoit l'hospitalité d'un armateur du Havre qui lui commande le portrait de sa femme. Mais en 1869, il connaît vraiment la misère : « Renoir nous apporte du pain de chez lui pour que nous ne crevions pas. Depuis huit jours, pas de pain, pas de feu pour la cuisine, pas de lumière, c'est atroce [18]. » Après la guerre, sa situation n'est guère meilleure, bien qu'en 1871 Durand-Ruel lui achète deux tableaux pour 300 F chacun. En 1875, on le voit solliciter de Manet un billet de 20 F ; en 1876, 200 F du docteur roumain de Bellio.

Les années suivantes sont encore difficiles ; il peut se réjouir quand un de ses tableaux atteint 2 000 F à la deuxième exposition en 1876 du groupe impressionniste. Et pourtant, à l'automne 1877, il supplie l'amateur Chocquet de lui prendre un ou deux tableaux, à n'importe quel prix, à 40 ou 50 F s'il ne peut mettre davantage, tant ses besoins sont urgents. Il entre enfin dans une période plus heureuse quand, à partir de 1881, Durand-Ruel, à qui il confie toutes les toiles qu'il ne vend pas à de rares amateurs, lui envoie régulièrement de l'argent.

Dix ans plus tard, ses conditions de vie sont devenues bien meilleures puisqu'en 1890 il a acheté sa maison de Giverny et que ses prix montent lentement : en 1883, pour des vues de Pourville ou d'Étretat, il demande 500 à 600 F par tableau, l'année suivante il estime de 600 à 1 200 F les toiles peintes à Bordighera. A l'Exposition universelle de 1889, une de ses toiles est vendue par l'intermédiaire de Théo van Gogh 9 000 F à un Américain. En 1899, pour sept tableaux de la série des Nymphéas les prix vont de 5 000 à 7 000 F. Monet connaît enfin sa récompense, et il lui reste vingt-sept années à vivre dans une relative aisance.

A une carrière comme celle de Monet, typique du groupe impressionniste et dont on pourrait rapprocher aussi bien celle de Renoir que celle de Pissarro [19], il faut opposer les peintres qui ont su largement gagner leur vie avec leur art.

Une des réussites les plus indiscutables fut celle d'Horace Vernet. D'une famille de peintres pourvus de ressources, Vernet eut un talent précoce qui lui aurait permis, dit-on, de subvenir à ses besoins dès l'âge de treize ans. Pendant son adolescence, ses travaux de miniaturiste, de dessinateur pour le *Journal des Modes* lui sont payés 6 F par dessin, et il vend 20 F ses premiers tableaux. Nous connaissons ses gains exacts, grâce au livre de comptes tenu à partir de son mariage en avril 1811 [20]. Dès l'année 1812, il gagne 13 537,50 F dont 8 000 F pour un tableau commandé par le roi de Westphalie. En 1814, année troublée, 6 322 F seulement, mais il ne sera jamais aussi bas. *La Mort de Poniatowski* en 1816 est payée 1 200 F, mais *La Bataille de Montmirail* en 1822 lui rapporte 10 000 F. Il parvient à gagner 64 685 F en 1827 et 63 826 F en 1828.

Si ses gains diminuent un peu les années suivantes, c'est qu'il a été nommé à la tête de l'Académie de France à Rome, charge qui lui laisse moins de temps pour peindre. Il touche pourtant 6 000 F comme traitement de directeur à quoi s'ajoutent 6 000 autres francs pour frais de table et d'écurie ; et n'oublions pas ses 100 F mensuels de membre de l'Institut. Il atteint 78 604 F en 1839. De 1835 à 1844, en dix ans, ses gains se montent au total à 652 022,70 F.

A son retour en France, les travaux qu'il exécute pour les galeries de Versailles représentent une part importante de ses revenus : Vernet figure, en effet, pour un total de 843 000 F dans les acquisitions et les commandes de Louis-Philippe ! Ces sommes énormes expliquent que ses gains atteignent 139 146 F en 1849, avec, il est vrai, cette année-là, un seul tableau vendu à l'empereur de Russie pour la somme énorme de 99 000 F.

*
* *

Il est peu de carrières aussi continuellement prospères que celle d'Horace Vernet, mais d'autres sont arrivés à de semblables revenus après des périodes moins fructueuses. Bouguereau, brillant prix de Rome, vendait déjà ses tableaux 5 000 F à son retour de la Villa Médicis, en 1855. Vingt ans plus tard, il exigeait 30 000 F d'une toile équivalente. Vers 1885, sa peinture avait atteint de tels prix et les commandes étaient si nombreuses qu'on répétait ce mot de lui : « Je perds cinq francs toutes les fois que je vais pisser [21]... »

Le cas de Meissonier est un des plus extraordinaires. Meissonier avait débuté pauvrement ; avec Daubigny, il brossait des tableaux destinés à l'exportation pour 5 F pièce. Sa première toile reçue au Salon de 1836, *Le Petit Messager*, ne trouva preneur qu'à 100 F. Mais ses minutieuses reconstitutions de la vie au XVIIIe siècle ou de scènes militaires, dessinées à la loupe en des tableaux de très petit format, finirent par susciter l'engouement des amateurs. En 1862, on estimait qu'il gagnait déjà 150 000 F par an. Les prix de ses œuvres atteignirent bientôt des sommes fabuleuses : ses *Cuirassiers de 1805*, tableau où selon le mot de Degas tout est en fer sauf les cuirasses, trouva preneur en 1878 pour la somme de 250 000 F ; onze ans plus tard d'ailleurs le duc d'Aumale n'hésita pas à le racheter 400 000 F.

Il est des artistes encore plus obscurs, dont le succès et les gains étonnent davantage. Charles Landelle n'est guère connu aujourd'hui que par un médiocre portrait d'Alfred de Musset. Or ce peintre, dont les œuvres sont achetées par l'ambassadeur des États-Unis dès son deuxième envoi au Salon de 1842, reçoit des séries de commandes de l'État et de la Ville pour la Cour des comptes, pour l'Hôtel de ville et pour des églises parisiennes. Mais l'apogée de son succès est atteint en 1866 avec sa *Femme fellah.* Ce tableau d'un exotisme de pacotille, disputé par plusieurs amateurs, est emporté finalement par l'empereur pour 5 000 F ; mais il entraîna surtout pour l'artiste une série de commandes du même type : le « livre de raison » de Landelle conserve trace de trente-deux toiles qui sont des copies, des réductions ou des variantes de la *Femme fellah* et qu'il se fait payer de 800 à 10 000 F. Ainsi, en 1872, sa meilleure année il est vrai, Landelle gagne-t-il 114 800 F [22].

*
* *

Fantin-Latour s'écriait amèrement en 1884, après la vente de l'atelier Manet : « Quelle déplorable idée de croire que la bonne peinture peut se vendre cher comme la mauvaise ! »

Certains prix pratiqués au XIXe siècle semblent donner raison à cette constatation pessimiste. En 1846, Ary Scheffer vendait 45 000 F deux tableaux qu'il avait composés sur le thème de Faust ; la même année, entraîné par le même sujet à la mode, Delacroix avait peint sa *Marguerite à l'église,* qu'il vendit 1 000 F. Beaucoup de bons esprits furent scandalisés quand le très obscur Vetter eut son *Bernard Palissy* du Salon de 1861 acheté par l'État pour 25 000 F. Mais on trouva plus normal que Napoléon paie 40 000 F la *Vénus Anadyomède* de Cabanel. Nous avons vu quels pouvaient être à la même époque les prix de Manet ou de Monet.

Quelque cent ans plus tard, la table des valeurs a été tellement bouleversée qu'on peut estimer que la bonne peinture a pris une juste revanche. Même dans la mesure où les artistes alors méprisés ont pu espérer cette gloire posthume, il est difficile de penser qu'un tel espoir ait suffit à compenser pour eux les difficultés quotidiennes.

CHAPITRE X

LA GRAVURE
ET LES MÉTIERS D'APPOINT

SUR LES quelque quatre mille à quatre mille cinq cents
artistes dénombrés, seulement à Paris, vers 1860,
combien méritaient véritablement ce nom et combien
pouvaient vivre en exécutant des peintures ou des statues,
dignes d'être considérées comme des œuvres d'art ?

Les plus grands maîtres ont dû, surtout à leurs débuts,
se rabattre vers des travaux alimentaires. Delacroix et Courbet n'ont pu peindre tous les jours *La Mort de Sardanapale*
ou l'*Enterrement à Ornans*. A plus forte raison, les mal-
chanceux et les ratés, quand ils n'ont pas renoncé franchement à leurs ambitions de jeunesse, ont été contraints
d'accepter des besognes peu glorieuses.

Laissons de côté les activités relevant des arts décoratifs,
ce qu'on appelle alors plus volontiers les « arts indus-
triels » : avant la fin du siècle, elles sont confiées à
des artisans plus proches de la classe des ouvriers que de
la catégorie des artistes. Il reste une longue gamme de
travaux point toujours méprisables, domaine d'aides, de
praticiens, de restaurateurs où peuvent s'exercer utilement
ceux dont le métier est supérieur au génie créateur. Il est
des pis-aller beaucoup plus difficiles à accepter. C'est
pourquoi, faute de pouvoir vivre comme ils le souhaitent,
certains ont préféré chercher dans un second métier leurs

moyens d'existence et consacrer seulement à leur idéal les heures dérobées aux nécessités matérielles.

*
* *

On hésite à rapprocher la gravure de ces travaux secondaires, car la gravure n'est pas un art mineur. Une eau-forte de Chassériau ou une lithographie de Toulouse-Lautrec tiennent leur rang parmi les chefs-d'œuvre du siècle. D'ailleurs des graveurs sont envoyés à Rome depuis 1804 et, à partir de 1863, l'art du burin prend place dans l'enseignement de l'École des beaux-arts. Pourtant les plus belles planches gravées à cette époque, moyen d'expression pour des peintres, restent presque toutes un travail confidentiel que le public voit à peine ou qu'il n'estime pas à sa juste valeur.

En revanche, ce que le public apprécie, ou en tout cas connaît, est l'œuvre de graveurs de profession, une troupe considérable qui fournit les images qu'on vend en feuilles, en albums, ou qui illustrent livres et journaux. Voilà une profession moribonde vers 1900 : c'est que la découverte de la photographie et surtout de la photogravure aux alentours de 1871 réduit rapidement à peu de chose le rôle de la gravure comme technique de reproduction. Or jusque-là elle était indispensable pour diffuser les œuvres d'art comme pour agrémenter d'images ouvrages et magazines de plus en plus nombreux. Elle a donc procuré des débouchés très importants pour des besognes d'intérêt très inégal et de qualité très variable.

Mais l'importance des besoins est telle qu'un bon graveur est certain de trouver du travail et d'avoir une occupation assurée. C'est une des raisons qui engagent de jeunes artistes de talent à se tourner vers la gravure : ainsi Lepère, fils pourtant de sculpteur, se destine à graver sur bois. Henriquel-Dupont offre un cas encore plus typique : quoique il fût un excellent élève de l'atelier de Guérin, son père le pousse à se consacrer au burin afin de lui assurer une large aisance. Les déceptions ne viennent qu'après la guerre de 1870, quand l'extension des procédés photomécaniques raréfie petit à petit les commandes.

Deux faits techniques très importants avaient, dès le

début du siècle, permis l'élargissement du monde des images : la découverte de la lithographie et la transformation de la gravure sur bois. Nous retrouverons plus loin cette dernière. La lithographie, nouveauté du siècle — sa découverte date de 1797 —, se répand très vite parce qu'elle n'exige d'autre aptitude que de savoir tenir un crayon ; c'est pourquoi plus d'un peintre de Delacroix à Renoir a aimé dessiner sur la pierre calcaire. Sa facilité et son bon marché entraînent les éditeurs. A côté de maîtres habiles comme Deveria, comme Daumier, comme Gavarni, une nuée de dessinateurs médiocres trouve un débouché à tracer des œuvres qu'on vend quelques sous aux éventaires des marchands.

La lithographie sert à tout. Au plus bas degré, elle constitue un travail purement commercial : en-têtes de factures ou de lettres, prospectus, affichettes. Bouguereau dans sa jeunesse s'est fait ainsi quelque argent en dessinant des étiquettes pour les boîtes de pruneaux.

Vient ensuite une imagerie populaire destinée aux écoliers, aux auberges, à la décoration des chaumières, toute une production de portraits d'hommes politiques, de premiers rôles du théâtre lyrique, de scènes de romances où les amoureux voguent le long d'une rive dominée par des ruines romantiques. L'évocation des souvenirs napoléoniens ou des heures héroïques de Juillet, les modes élégantes fournissent une infinité de motifs. Pour un public peu exigeant, l'éditeur commande ses sujets à la douzaine : la première suite de dessins que Jean Gigoux exécuta ainsi vers 1830 lui fut payée 24 francs. Mais dans la catégorie plus raffinée, où les meilleures réussites atteignent l'œuvre d'art, Achille Deveria, aussi rapide qu'habile, arrive à sa meilleure époque à se faire 200 à 300 francs par jour, somme énorme [1].

Reproduites par la lithographie, les peintures du Salon ou des musées donnent des images sommaires et de qualité discutable. Il en va autrement des planches en feuilles ou en albums, de grand ou moyen format, diffusées à l'usage des artistes et des amateurs par des éditeurs spécialisés ; elles sont généralement gravées au burin, procédé froid et souvent ennuyeux. L'aquatinte, propre à masquer les à-peu-près du dessin, s'emploie aussi à reproduire les tableaux où domine le clair-obscur. L'eau-forte n'est remise en valeur qu'après 1850 : malgré la qualité d'un procédé plus souple et plus rapide que le burin, il est placé au-dessous de ce dernier dans une hiérarchie indiscutée qui sévit ici comme dans la peinture.

Des éditeurs habiles organisent la diffusion de ces repro-ductions auprès d'un large public, allant des collectionneurs aux amateurs occasionnels. Goupil, par exemple, installé sur le boulevard en 1827, fait graver non seulement les maîtres contemporains mais les peintres anciens. *La Vierge aux Rochers* d'après Vinci ou *La Vierge et l'Enfant Jésus* d'après Delaroche vont ainsi décorer des logis élégants ou prendre place dans les portefeuilles des artistes qui les étudient et les copient. Des journaux spécialisés, *L'Artiste* à partir de 1831, la *Gazette des Beaux-Arts* à partir de 1859, *L'Art* à partir de 1875, et d'autres moins importants, donnent à graver ou à lithographier les œuvres les plus remarquées au Salon et quelquefois les tableaux refusés. Ces publications apportent des commandes régulières à de nombreux graveurs ; le travail de l'eau-forte, celui surtout du burin sont lents et minutieux ; l'exécution d'une grande planche dure des mois et quelquefois plusieurs années. Aussi les commandes des éditeurs supposent-elles une organisation à long terme et d'importants capitaux.

Car, buriniste ou aquafortiste, le graveur en taille-douce du XIXe siècle n'opère pas autrement que ses prédécesseurs, et son atelier ne diffère pas sensiblement de celui dont Abraham Bosse a fixé une image célèbre en 1642. Face à une fenêtre où la lumière est tamisée par un châssis en papier translucide, quelquefois par un verre dépoli, incliné à 45 degrés, il pousse, comme un soc miniature, le burin sur le métal poli et rouge, ou égratigne de la pointe le vernis qui recouvre le cuivre, sans que les techniques aient varié depuis plusieurs siècles. Consultant le modèle dont un miroir lui renvoie l'image renversée, le graveur opère avec une minutie proche de l'orfèvre. Les Goncourt, qui avaient pratiqué l'eau-forte, ont bien décrit la longue concentration du graveur : « C'était comme une suspension momentanée de sa vie que ce doux hébétement cérébral, cette espèce de congestion qu'amenait en lui la fatigue des yeux, ce vide qu'il sentait dans le cerveau [2]... »

L'aquafortiste connaît des moments plus exaltants lorsqu'il fait mordre l'acide et qu'il en surveille l'alchimie un peu mystérieuse, dans des cuvettes dont toute la nouveauté est qu'elles sont maintenant parfois en gutta-percha. Mais tout graveur en taille-douce procède finalement et presque toujours lui-même, au moins pour les épreuves d'essai, au tirage sur la traditionnelle presse à bras d'où naît, dans l'inquiétude et l'émotion, l'enfant de sa longue patience.

Pour introduire un peu de variété dans des travaux aussi absorbants, certains préfèrent mettre plusieurs planches en chantier. Ainsi opérait Calamatta, graveur attitré de plusieurs maîtres de l'époque : « Il menait de front plusieurs ouvrages à la fois et il se trouvait bien de cette habitude. Il évitait ainsi ou du moins corrigeait par des diversions continuelles ce que le travail du graveur a de fastidieux. Dans le temps qu'il travaillait à la planche de Francesca de Rimini (d'après Ingres), il entamait le portrait de M. Guizot par Delaroche et bientôt après celui de M. Molé d'après Ingres [3]. »

Chargé de reproduire la fameuse composition dont Delaroche venait de décorer l'Hémicycle de l'École des beaux-arts, Henriquel-Dupont exécuta trois planches au burin d'une longueur totale de deux mètres soixante. Il y travailla pendant six ans, mais le résultat fut considéré comme un des chefs-d'œuvre de la gravure de tous les temps : l'auteur reçut la médaille d'honneur au Salon de 1853, récompense que certains jugèrent d'ailleurs dérisoire pour un maître déjà membre de l'Institut.

Des travaux aussi longs sont honorablement payés. Après le succès de son *Vœu de Louis XIII* au Salon de 1824, Ingres souhaita voir son tableau gravé, d'autant que Calamatta en avait déjà exécuté un beau dessin. Mais c'est seulement en 1830 qu'un ami du peintre trouva 25 000 francs à avancer à Calamatta : la planche surveillée de très près par Ingres ne devait voir le jour qu'en 1837 ! Publiées par l'éditeur Gavard sur la demande de Louis-Philippe, les *Galeries historiques de Versailles* firent connaître au monde entier les peintures que le roi y avait rassemblées. Et dans cette vaste entreprise, c'est une somme d'environ un million qui fut partagée entre les dessinateurs et les graveurs.

Le travail de l'aquafortiste est plus rapide que celui du buriniste ; fournisseur de nombreux éditeurs d'art, Léopold Flameng finit par avoir sept cents planches à son actif ; il n'empêche que *La Source*, qu'il grave d'après Ingres, lui est payée 1 200 francs. Jasinski, d'origine polonaise, entre dans cette carrière à une époque où la photogravure commence à concurrencer sérieusement la gravure manuelle. La *Gazette des Beaux-Arts* lui accorde pourtant 800 francs par planche vers 1888. L'éditeur Hautecœur donne 1 000 francs pour reproduire *Le Trompette* de Meissonier. Bien mieux : en 1891, le même éditeur offre à l'artiste 8 000 francs pour qu'il aille exécuter à Milan une planche de soixante centimètres d'après *La Cène* de Léonard de Vinci, à condition que le travail soit terminé en dix-huit mois. Jasinski, assuré d'autres commandes, n'hésite pas à refuser [4].

Graver un tableau ancien n'entraîne pas les mêmes problèmes que reproduire une œuvre contemporaine, problèmes qui tiennent aux rapports souvent difficiles entre le peintre et le graveur. Quand un tableau fait parler de lui, le peintre se trouve sollicité de plusieurs côtés ; il peut donc être exigeant et réclamer à l'éditeur des droits élevés. Ingres toucha vingt fois plus en droits de reproduction de son *Odalisque* qu'en vendant le tableau lui-même.

Mais le graveur demande souvent de garder l'œuvre chez lui pour mieux la reproduire, et le peintre souffre de voir ses tableaux ainsi immobilisés. Delaroche regrette en 1836 de ne pouvoir montrer à l'ambassadeur d'Autriche deux de ses toiles qu'il lui réclamait, mais elles sont chez le graveur pour plusieurs mois [5]. Aussi Delacroix, ayant accepté de laisser lithographier les *Massacres de Scio*, préfère-t-il confier au dessinateur la copie réduite qu'avait exécutée de cette vaste toile son élève Louis de Planet [6].

Les désaccords les plus sérieux viennent de l'interprétation de l'œuvre. Les possibilités du noir et blanc — il n'est guère question avant la fin du siècle de graver en couleurs — sont limitées, bien que le graveur habile sache rendre avec cette gamme étroite toutes les valeurs d'un tableau. En présence d'un burin de Toschi, d'après une de ses toiles, Gérard réclame quantité de modifications, d'ailleurs avec une grande courtoisie : « J'ai fait de nombreuses remarques, toutes de détail... Je confesse que la plus grande partie de ces légères erreurs vient de moi seul ; aussi c'est à votre amitié autant qu'à votre talent que j'en demande la rectification [7]... »

Il est exceptionnel que le différend atteigne le ton de la lettre écrite par François Flameng, le fils de Léopold, en réponse à Manet, qui s'était étonné de trouver dans un catalogue une reproduction des plus médiocres de son *Bon Bock* :

> *Monsieur,*
>
> *La gravure d'après le* Bon Bock *est très mauvaise parce qu'elle rend très bien le tableau. J'ai bien l'honneur de vous saluer* [8].

Même si le graveur a comme excuse l'incompréhension générale que le public manifestait alors devant l'œuvre de Manet, on conviendra qu'il est difficile de pousser plus loin l'insolence.

*   *
*

Si le buriniste ou l'aquafortiste de talent sont encore des personnages importants du monde des arts, le graveur sur bois se situe beaucoup plus près de l'artisan. Et pourtant il travaille dans un domaine qui a connu un développement exceptionnel à partir du moment où une nouvelle technique dite du « bois de bout » a permis de l'utiliser pour l'illustration et jusqu'à ce que, là encore, la photographie l'ait remplacé. Entre 1820 environ et la fin du siècle, la gravure sur bois représente ainsi une technique surtout commerciale, qui permet et entraîne la naissance de nombreux magazines : *Monde illustré, Illustration, Magasin pittoresque* et bien d'autres.

Ce développement a pour conséquence la création d'ateliers collectifs comme celui qu'abrite l'immeuble du *Magasin pittoresque*, près de la rue de Sèvres, et que dirige Smeeton vers 1860. Les gravures, publiées alors dans les journaux illustrés, ont quelquefois quarante-cinq centimètres sur trente. Or, ces hebdomadaires prétendent suivre l'actualité, c'est-à-dire offrir une image des événements qui n'ait pas plus de huit ou de quinze jours de retard. Aussi les dessins, composés sur place ou exécutés d'après des récits de témoins oculaires et par la suite d'après des photographies, doivent-ils être gravés en quelques jours. L'équipe se répartit le travail, découpant l'image en morceaux, quatre, huit, parfois douze, et les bois ainsi gravés, sont réunis finalement en un bloc au moyen de tringles avant de passer sous la presse. Chaque graveur s'applique à des aspects identiques sur chacun des fragments : à l'un les fonds, à l'autre les arbres, à un troisième l'architecture, au plus habile les figures. Le chef d'atelier répartit le travail, le surveille et au besoin lui donne de l'accent en gravant lui-même quelque motif essentiel.

C'est dans un atelier de ce genre qu'à treize ans, en 1862, entre comme apprenti Auguste Lepère, dont le nom devait heureusement se détacher d'une foule de tâcherons presque anonymes. Le contrat d'apprentissage qu'il signe nous montre les sévères conditions imposées à un adolescent voué à la gravure sur bois. Cinq années sans aucun salaire, comportant dix heures « de travail effectif par jour ». Pour tout repos, les dimanches et de rares fêtes chômées, le temps perdu par les absences, dues à la maladie ou à toute autre cause, devant s'ajouter aux cinq années prévues. Certes, ce contrat n'était pas plus rigoureux que celui des jeunes ouvriers, et le travail en fin de compte était plus intéressant. Encore fallait-il dix heures durant se tenir penché sur le bloc de buis pour l'entailler plus ou moins profondément du burin ou de la gouge [9]. Comment l'adolescent de quatorze ou seize ans, soumis à ce régime, n'aurait-il pas envié ceux de ses camarades qui se préparaient à l'École des beaux-arts, dans une relative liberté de leur talent et de leur temps ? Il est vrai que leur réussite est incertaine, tandis que le graveur est sûr de gagner sa vie, lui qui n'aurait peut-être été qu'un artiste des plus médiocres.

Écoutons ce que dit à ce sujet le personnage d'un roman de Champfleury :

Ainsi comprends bien que tous ces gens qui pleurnichent, qui font sonner l'art si haut, qui se disent victimes de la société, qui gagnent largement leur vie à des travaux tels que la gravure et la lithographie, sont des orgueilleux : ils donnent tout ce qu'ils peuvent donner ; ils étaient nés pour être des ouvriers et se sont lancés dans l'art par une manie trop commune aujourd'hui ; ils sont restés ouvriers, c'est-à-dire de médiocres interprètes des créateurs ; ils n'en sont pas dignes et ils se plaignent encore [10] !

Le propos est juste mais dur pour certains. Lepère, bien digne de reproduire les créateurs et même d'entrer en compétition avec eux, ne manquait pas d'occuper une part de ses maigres loisirs à dessiner et à peindre. En 1878, au bout de seize ans de métier, devenu graveur et dessinateur du *Monde illustré*, libéré de sa tâche dès le jeudi soir, il put consacrer les trois derniers jours de la semaine à travailler à sa guise et à épanouir son talent.

*
* *

Peu d'artistes sont liés à moins de contingences que les dessinateurs. Une feuille de papier ou un carnet, des crayons ou du fusain, éventuellement des plumes, des pinceaux et un flacon d'encre de Chine, voilà tout leur matériel. La lumière du jour ne leur est pas indispensable et ils peuvent travailler sur une table à la clarté de la lampe. Bien mieux : debout ou prenant quelque appui, partout, au théâtre, dans l'omnibus, ils esquissent des croquis qu'il leur suffit ensuite de mettre au point ou de compléter.

Les débouchés se trouvent surtout dans l'illustration, y compris dans cette forme particulière qu'est la caricature. S'ils préparent des dessins pour les journaux illustrés, ils peuvent n'être que des praticiens habiles mais sans grand talent. De plus en plus fréquemment on leur demande de dessiner directement à la plume ou au lavis sur le bloc de bois que tailleront ensuite les graveurs. Liés à ceux-ci, ils bénéficient pourtant d'un travail plus indépendant et moins mécanique.

Pour l'illustration des livres, les éditeurs, soucieux de présenter des ouvrages de qualité, sont plus exigeants sur le talent des dessinateurs. Il en résulte qu'ils procurent là souvent un travail d'appoint à de bons artistes tels que Gigoux, Raffet ou Gavarni. Horace Vernet, chargé pourtant de commandes considérables pour des tableaux historiques, ne dédaigne pas de consacrer ses soirées à illustrer de vignettes une histoire de Napoléon.

Mais il arrive qu'un éditeur fasse confiance à de jeunes artistes. En 1838, Trimolet partage avec ses amis Steinheil et Daubigny un lot d'illustrations confiées par l'éditeur Curmer, et Curmer leur donne 20 francs par vignette, ce qui est considéré comme un bon prix.

Le plus génial et le plus fécond de ces dessinateurs est sans conteste Gustave Doré. Malgré ses prétentions à la peinture et même à la sculpture — mais quel est celui de ces artistes mineurs qui ne conserve pas la nostalgie du grand art ? — c'est dans ce domaine qu'il se surpasse et qu'il l'emporte de loin sur tant d'illustrateurs honorables. Doué dès l'enfance, Doré réussit à décrocher un contrat avec Philipon, l'astucieux éditeur du *Charivari*, alors qu'âgé seulement de seize ans il fréquente encore les classes du lycée Charlemagne. Ce contrat lui garantit pour trois ans la publication d'un dessin par semaine, payé selon format de 15 à 40 francs la première année et jusqu'à 60 francs la troisième. Mais le contrat précise qu'il s'agit là d'un minimum, « s'il n'a pas le temps d'en faire davantage, soit à cause de ses devoirs tant que dureront ses études, soit à l'époque des vacances, dont il sera libre de jouir, soit enfin pour cause de maladie [11]... » On mesure ainsi la distance qui sépare un tel accord passé en 1848 avec un jeune « artiste » des conventions appliquées quatorze ans plus tard à l'apprenti Lepère, simple graveur sur bois...

L'habileté et l'imagination de Gustave Doré devait lui permettre une carrière aussi brillante et aussi fructueuse que celles de certains peintres de son temps. Les éditeurs lui confièrent successivement tous les grands textes de la littérature mondiale, et il exerça sa verve aussi bien sur la Bible que sur Cervantès ou sur Rabelais. Sa rapidité d'exécution lui permettait, prétend-on, de mettre au point jusqu'à vingt dessins dans une seule matinée. Et comme certains d'entre eux lui étaient payés 500 francs, on ne s'étonne pas qu'il ait pu en vingt ans, de 1850 à 1870, encaisser quelque sept millions, ce qui en fait un des fortunés de l'art du XIXe siècle.

Les caricaturistes travaillent plus rarement sur commande. Du moins le sujet leur est-il rarement imposé. Mais l'inspiration, qui leur permet de saisir le côté plaisant d'une situation, ne souffle pas à tout propos. Heureux celui qui, attaché à un journal, est certain de placer chaque semaine un ou plusieurs dessins. A condition que la fatigue et la lassitude ne le paralysent pas, à condition que le directeur du journal ou ses lecteurs soient d'accord avec lui sur le sens à donner aux événements, à condition encore que la censure ne menace pas ses audaces de l'amende ou de la prison, comme ce fut le cas sous Louis-Philippe ou sous le Second Empire. Ainsi Daumier, emprisonné en 1832 pour ses charges contre le roi, fut-il mis à la porte du *Charivari* en 1860, après vingt années de collaboration, sous prétexte que ses admirables caricatures de mœurs entraînaient des désabonnements. Pauvre Daumier, condamné malgré son immense talent à se replier dans un silence provisoire en attendant des jours meilleurs !

Les possibilités offertes aux dessinateurs et aux caricaturistes, aux seconds surtout, s'élargissent sous la Troisième République et plus encore après l'adoption des lois sur la presse de 1881. Moins gênés que les graveurs par l'intrusion de la photogravure, ils y trouvent même parfois leur avantage, dans la mesure où les procédés mécaniques trahissent moins leur dessin que la gravure manuelle. Et si l'on pense qu'en 1890 plus de deux cents journaux publient en France des caricatures, on devine les débouchés immenses qui s'offrent à une nuée d'artistes plus ou moins habiles.

Et pourtant l'abondance de la demande crée dans certains journaux une atmosphère de production à tout prix, contraire à la qualité.

Mais ces conditions favorables permettent aussi l'épanouissement de talents qui sans elles auraient tenté fortune ailleurs ; de Forain à Willette, de Robida à Steinlen, l'équipe de tête des dessinateurs est particulièrement brillante.

Widhoff, dans *Le Courrier français*, nous a laissé une évocation satirique de la « journée d'un dessinateur d'aujourd'hui », autour de 1900. Recevant des commandes par téléphone, cet industriel de la presse dirige une équipe usant de calques, de moulages, de photos : « Vous dites huit dessins dans une heure, c'est plus qu'il n'en faut... » Et il ajoute, à l'intention de ses collaborateurs : « S'agit pas de faire de l'art, mais de satisfaire le goût du public [12]. »

Les différences de qualité des dessins et des journaux, les différences aussi de notoriété qu'obtiennent les dessinateurs expliquent la différence des rémunérations. Lorsque Fabiano débuta au *Frou-frou* à la fin du siècle, on lui donna 5 francs par dessin, somme sur laquelle le directeur retenait 25 centimes pour la quittance. En 1880, Willette touchait dix fois plus, mais c'est qu'il avait accepté pour vivre de collaborer à une publication pornographique où il se dissimulait sous un pseudonyme. Au moment où Henriot remplaça Cham au *Charivari* en 1879, on lui versa un fixe de 300 francs par mois. Et Edmond de Goncourt fut quelque peu scandalisé d'apprendre en 1893 que Forain pour un seul dessin recevait parfois cette somme de la direction du *Journal* [13].

*
* *

Ceux qui préfèrent le pinceau au crayon ou au burin, sans réussir à s'imposer par l'originalité de leur talent, peuvent se rabattre vers plusieurs activités. L'exécution de copies est une des plus honorables, en raison du fait que l'on estime alors une bonne copie presque à l'égal de l'original. Si les élèves de l'Académie de France à Rome se voyaient chargés de reproduire des œuvres des peintres italiens, ce n'était pas seulement pour leur permettre de s'entraîner : les meilleures de ses copies étaient destinées à l'École des beaux-arts et à différents musées. De riches amateurs en commandent pour orner leurs châteaux ou leurs appartements, et on voit Thiers, indépendamment des programmes officiels, solliciter des copies pour ses propres collections et s'entourer chez lui de reproductions des grands tableaux italiens, peintes par l'obscur Bellay [14].

Pendant son directoriat à Rome, Schnetz accepta d'exécuter plusieurs copies demandées par le gouvernement. Ingres eut plus de fierté. A soixante-dix ans et chargé de tant de gloire, il estimera avoir encore besoin de reproduire les maîtres « pour apprendre ». Mais il refusa avec hauteur le dessin que lui avait commandé Thiers de la *Transfiguration* de Raphaël : « Me demander un dessin d'après un

autre ! Moi directeur de l'École, aller au Vatican avec
mon carton sous le bras ! Je lui ai répondu : « Monsieur
« le ministre, maintenant quand je fais des dessins, je les
« signe : *Ingres* [15] »

L'importance accordée aux copistes se mesure par les
facilités que leur procure l'administration. Ne voit-on pas
certains tableaux du Louvre passer provisoirement dans
l'atelier de peintres connus, chargés de les copier ? En
1872 encore, Pils sollicite du Val-de-Grâce le prêt d'une
toile de Gros qu'il a besoin de reproduire. Comme il ajoute
qu'il en profitera pour la restaurer, nous ne sommes pas —
rétrospectivement — plus rassurés !

La majorité des commandes est faite par les services des
Beaux-Arts au profit des musées de province et des églises.
Ainsi cette copie d'une *Assomption* du Louvre, acceptée en
1842 par le jeune Gleyre et destinée à une église du Doubs :
elle lui fut payée 1 000 francs. Ces crédits, dont l'octroi
est souvent sollicité par les députés, permettent d'aider des
artistes dans le besoin ou tout simplement favorisés. On
estime courir moins de risques à leur demander une copie
d'un tableau du Louvre plutôt qu'une composition de leur
invention. Mais que beaucoup de bénéficiaires soient des
femmes, ne fait qu'ajouter au soupçon de complaisance
qui flotte sur ce genre de commandes.

Les étrangers désirent avoir chez eux des toiles des
musées français. Fantin-Latour, dès l'âge de dix-sept ans
et pendant plusieurs années, vécut de copies qu'il exécuta
pour des Américains [16]. Faut-il mentionner le commerce
peu avouable mais trop fréquent de copies qu'on fait passer, après les avoir soigneusement patinées, pour d'autres
versions d'œuvres célèbres ? Bien que le règlement inter-
dise de copier dans les dimensions de l'original, plus d'une
« réplique du maître » a circulé, qui n'avait pas d'autre
source.

La majorité des copistes se rend pourtant sur place et
en particulier au Louvre. Il n'est pas un rapin qui n'ait
un jour planté son chevalet dans les galeries du musée.
Renoir et Cézanne y firent leur classe aussi bien que
Delacroix et Géricault. Certains copistes sont des peintres
amateurs consacrant leurs loisirs ou leur retraite à une
occupation somme toute bien innocente. Il y a peut-être

plus d'arrière-pensée chez ces jeunes filles qui viennent là
dans l'espoir moins d'apprendre le grand art que de rencontrer un mari. Mais la majorité des copistes sont des
professionnels qui vivent exceptionnellement ou régulièrement de cette occupation.

Les galeries du Louvre ont été fréquentées pour cette
raison dès qu'elles furent ouvertes au public. Hubert-
Robert nous montre déjà des copistes dans sa *Vue de la
Grande Galerie du Muséum*, peinte en 1796. Mais au milieu
du siècle, leur affluence était telle qu'elle gênait parfois
les visiteurs, surtout en certains coins privilégiés par l'abondance de leurs chefs-d'œuvre dans la Grande Galerie ou le
Salon carré. Les images, qui en gardent le témoignage,
présentent une véritable forêt de chevalets et d'escabeaux
roulants, de toiles de toutes dimensions, dont certaines
considérables, et une foule de peintres dans les poses les
plus variées, assis, debout ou perchés. Parmi eux, aussi
bien des jeunes hommes chevelus que des vieillards dignes,
coiffés de hauts-de-forme. Parmi cette curieuse faune, dont
la majorité semble établie à demeure, une proportion
étonnante de femmes dans les tenues les plus variées et
qui n'oublient pas lorsqu'elles travaillent au haut d'un
escabeau d'entourer leurs jambes d'une étoffe de serge
pour les protéger des regards indiscrets. Plus modestes,
recroquevillés devant une petite table, les miniaturistes
sur porcelaine que les Goncourt nous montrent « les yeux
fixés, grimaçant de copier à la loupe la *Mise au tombeau*
de Titien [17] ».

*
* *

Faut-il des copistes rapprocher les restaurateurs ? Leur
travail, purement technique, est encore plus ingrat. Il varie
d'ailleurs avec la conception que chaque époque se fait
de la restauration et qui lui permet d'avoir raison contre
les prédécesseurs. La prudence, hélas ! ne règne pas toujours dans les ateliers du Louvre : elle ne fut pas la
principale qualité de Granet, qui, comme conservateur des
tableaux, eut de 1826 à 1848 la haute main sur l'entretien
des chefs-d'œuvre. Lorsque Daubigny, à son retour de
Rome, fut obligé d'entrer dans l'atelier de restauration

du Louvre, il fut effaré par l'imprudence de l'équipe qui travaillait sous les ordres de Granet. « Tous ses camarades le distançaient dans les repeints qu'il avait l'ingénuité de vouloir raccorder avec les fonds. Il ne touchait jamais sans embarras à ces graves chefs-d'œuvre dont la majesté le déconcertait et il était loin de posséder le triomphant aplomb de ses confrères [18]. »

Les choses n'allèrent pas mieux sous l'administration de Villot, ami de Delacroix. Viel-Castel évoque son restaurateur favori, Godefroy, à propos du portrait de François de Moncade par van Dyck, en des termes où l'on espère que le mémorialiste a mis quelque exagération. Viel-Castel fait parler Godefroy :

Vous avez peine à reconnaître ce portrait ! Il est bien changé depuis que je l'ai déverni... Les peintres qui avaient commencé des copies les recommenceront. (Ici Godefroy se livre à une hilarité contenue.) La tête de Moncade s'enlevait avec vigueur sur un nuage clair, elle se détache actuellement en clair sur un nuage vigoureux !... Il se trouvait un tronc d'arbre au premier plan, il n'y a plus qu'une pierre !... Le train de derrière du cheval est perdu, le contour a disparu, mais M. Villot doit m'apporter une ancienne gravure de cette œuvre et je referai le train de derrière. (Ici Godefroy se rengorge.) [19]...

Que parlions-nous de travail ingrat ? Conçu ainsi le travail de restauration offre bien des exutoires à la fantaisie.

La restauration des monuments offrit un vaste programme de travaux, où là aussi la fantaisie s'est quelquefois donné trop libre cours. Mais il y avait beaucoup à faire pour apporter de l'éclat et souvent simple chance de survie à tant de monuments du Moyen Age, longtemps abandonnés ou dévastés par le vandalisme. Sous la direction d'hommes comme Viollet-le-Duc, Lassus, Ruprich-Robert, des troupes de collaborateurs ont consacré leur travail et souvent leur habileté aux chantiers archéologiques ouverts un peu partout en France. Des sculpteurs comme Toussaint, Michel Pascal, Geoffroy-Dechaumes ont trouvé là d'intéressants débouchés, en complément des trop rares commandes fournies par le gouvernement ou les particuliers.

Dans le domaine de la sculpture, ceux qu'on nomme des praticiens font un travail beaucoup plus obscur, puisque

jamais leur nom ne figure à côté de celui du maître considéré comme l'unique créateur. Mais dégrossir le marbre,
retoucher le bronze, parfois même exécuter une statue
d'après maquette sont des besognes qui, si elles n'enrichissent pas leur homme, lui permettent de vivre. Encore faut-il
avoir perdu toute envie d'être considéré comme un artiste
et se satisfaire des joies secrètes de l'exécutant.

Quelques-uns travaillent ainsi provisoirement en attendant l'occasion de voler de leurs propres ailes. Ainsi Rodin
et Dalou aidèrent-ils Carrier-Belleuse, surchargé de
commandes, à exécuter d'innombrables objets d'art sur
lesquels le maître n'avait plus qu'à apposer sa signature.

Les « nègres » des peintres n'ont pas à attendre plus
de gloire de leurs travaux. A vrai dire, leur collaboration
peut s'exercer de différentes façons. Jeune élève d'un
maître, le rapin n'a pas à s'offusquer de préparer des
fonds ou des détails mineurs sur la toile de son patron.
C'est ainsi qu'il apprendra le métier et c'est même un
honneur pour lui d'apporter sa collaboration discrète.
Élève de l'atelier de David, Ingres peignit le candélabre
de bronze qui figure dans le portrait de *Madame Réca-*
mier ; mais qui le saurait si David, son élève et son
portrait n'étaient devenus aussi célèbres ? Ingres à son
tour n'hésita pas à confier le fond de sa *Stratonice* à son
élève Victor Baltard ; celui-ci devait se faire un nom,
mais dans l'architecture.

Un autre type de collaboration se trouve dans l'aide que
réclament des artistes chargés de vastes commandes, des
travaux de décoration en particulier ; il leur faut des
hommes habiles, rompus au métier mais insoucieux de
voler de leurs propres ailes, et qu'ils paient de façon
honnête. Delacroix embaucha Louis de Planet en 1843 pour
l'aider en particulier à préparer les fonds de *La Mort de*
Marc-Aurèle qui figura au Salon de l'année suivante, au
taux mensuel de 150 francs. Dès 1838, il avait engagé un
autre aide, Lassalle-Bordes, qui devait travailler avec lui
pendant treize ans : ébauchant par exemple les écoinçons
de la Chambre des députés, Lassalle-Bordes apporta une
collaboration importante à Delacroix dans ses grands travaux de décoration ; à la meilleure époque, il recevait de
Delacroix 500 francs par mois. Mais par la suite il reven-

diqua, avec quelque excès semble-t-il, la paternité de
morceaux entiers des travaux décoratifs du maître. Les
deux hommes se brouillèrent en 1851, sans que Lassalle-
Bordes, libéré de la tutelle de Delacroix, fît jamais preuve
de son génie [20].

Bien qu'il s'agisse de nuances et que tout dépende des
rapports entre l'artiste et ceux qui l'aident, il semble
que dans certains cas le déni de justice soit flagrant à
l'égard de ces collaborateurs. Nous connaissons mal, par
exemple, les aides de Gérard, mais lorsque la renommée
européenne de ce dernier eut amené dans son atelier plus
de commandes de portraits qu'il n'en pouvait exécuter,
c'est une véritable équipe qui se chargea de tableaux
auxquels il ajoutait seulement sa signature [21]. Pils fit de
même avec ses compositions historiques pourtant bien
oubliées aujourd'hui : une partie d'entre elles fut peinte
par l'obscur Charles Lhuillier. Il n'empêche que ce tâcheron
ignoré, devenu professeur au Havre à partir de 1871, forma
des élèves dont certains s'appelaient Dufy, Othon Friez,
Braque...

*
* *

La plupart de ces travaux, travaux sans gloire, supposent
pourtant un certain talent créateur et en tout cas une
grande habileté technique. Il est d'autres gagne-pain qui
n'offrent même plus à leurs auteurs la consolation de
rester quand même des artistes.

Ainsi ce sont des besognes purement artisanales que
certains durent accepter à leurs débuts.

Telle la peinture sur céramique, destinée en général à
reproduire le même motif sur des objets identiques, qui
apporta des ressources à des hommes aussi différents que
Diaz, Raffet, Rodin et Renoir. Ou encore la décoration sur
stores, pratiquée également par Renoir et par Guillaumin.

Les sculpteurs en attente de commandes monumentales
se résignèrent parfois à des travaux de moindre ampleur :
statuettes d'appartement que ne dédaignèrent ni Pradier
ni Carpeaux, ornements de meubles, modèles de vases ou de
cheminées qui furent le lot du même Carpeaux. Rodin,
dans ses jeunes années, alla jusqu'à modeler des mascarons

à la façade des immeubles. Barye débuta chez un ciseleur qui lui fit composer des plaques d'uniformes et des boutons ; il travailla aussi à des plans en relief. Il ne descendit pas si bas que Chapu, peu après son retour de Rome, résigné par un jour de disette à sculpter sur saindoux pour un charcutier, ni que Frémiet, qui, comme l'Anatole des Goncourt dans *Manette Salomon*, travailla quelque temps à la Morgue avec un embaumeur.

Les responsables de la décoration des églises, alors particulièrement surchargée, commandèrent volontiers à la grosse des statues de saints et de saintes. Ils se contentaient aussi de chemins de croix sculptés ou peints en série comme ceux qu'exécuta Gérome avec une équipe de camarades, où pour simplifier la besogne chacun mettait une seule couleur, l'un le bleu, l'autre le rouge...[22]

Des débouchés du même genre ont pu être offerts par des entrepreneurs sans scrupules et trop heureux de satisfaire à bas prix une clientèle peu exigeante. Certains sujets plaisent toujours que ce soit par leur mièvrerie ou par leurs sous-entendus sentimentaux ou grivois. Ainsi se multiplient les scènes enfantines, les chats, les bergeries, les têtes d'Espagnoles, les paysages de Suisse exécutés en chambre, les petites femmes à leur toilette comme celles que peignait Millet — il en vendit une fois six pour 75 francs — jusqu'au jour où il en eut honte et y renonça.

Que dire des portraitistes de type industriel, dont l'un avait, dit-on, mis cette enseigne :

« Ressemblance parfaite... 20 francs ; demi-ressemblance... 15 francs ; un air de famille... 10 francs ; pour les personnes décorées, 2 francs en sus[23]. »

D'autres reproduisent des figures de disparus d'après les photos qu'on leur confie, et c'est ainsi que débuta le jeune Henner. Un ami du poète Banville faisait partie d'une entreprise qui photographiait et tirait des épreuves très pâles de tableaux anecdotiques ; un artiste coloriait les vêtements, un miniaturiste se chargeait des têtes et l'ami de Banville peignait le fond au goût du client. Le frère de Pradier, massier dans l'atelier d'Ingres, se procura des ressources en copiant indéfiniment un Napoléon à cheval de Carle Vernet décalqué sur une gravure coloriée[24]. Mieux vaut encore se faire peintre d'armoiries sur voitures

comme Robert Fleury ou peintre d'enseignes comme Charlet, Gérome et bien d'autres. Quitte à s'exclamer comme
cet homme que nous montre Daumier dans le journal
La Caricature en 1843 : « Dire que j'ai passé quinze ans
de ma vie à copier la jambe de l'Apollon du Belvédère
pour arriver à peindre un pain de sucre sur l'enseigne
d'un épicier [25]. »

*
* *

Souvenirs attendrissants pour ceux qui les ont dépassées,
ces tristes besognes restent, hélas ! le lot quotidien d'hommes qu'on hésite un peu à qualifier d'artistes. On comprend
que pour éviter de tomber si bas, certains aient préféré
exercer franchement un métier rémunérateur, un « second
métier », et réserver leurs seuls loisirs à l'exercice de
leur art. Mais à quel prix parfois ! Ainsi Bonvin, successivement compositeur typographe puis surnuméraire à la
préfecture de Police, était obligé de dessiner à la lampe
en sortant de son bureau et ne pouvait peindre au grand
jour que quelques heures, le matin en été. Il avait déjà
trente-trois ans quand il se décida à abandonner son poste.
Guillaumin eut longtemps un petit emploi à la compagnie
d'Orléans. Gauguin avait trente-cinq ans, lorsque, malgré
sa famille, il joua le tout pour le tout et quitta sa place
d'employé de banque.

Mais le sort de ces hommes qui finissent par réaliser le
rêve de leur jeunesse est peut-être plus enviable que celui
d'artistes qu'une vie trop difficile ou un succès sans lendemain obligent à se replier vers des tâches plus rémunéra-
trices.

Ainsi la photographie vers 1850 a pu fournir une voie
moins aléatoire et artistique par certains aspects à des
dessinateurs comme Carjat et Nadar.

Apprendre le dessin à autrui est un moindre mal, puisque
les plus grands maîtres ont aimé transmettre leurs connaissances à des disciples. Mais autre chose est d'enseigner à
l'École des beaux-arts, autre chose d'apprendre les rudi-
ments à des jeunes filles de bonne famille ou à des gamins
débutants. Combien de peintres ou de sculpteurs ont dû
pourtant s'y résigner !

Plus brillants sont les postes de conservateurs de musées ; mais si ces établissements restent alors peu actifs, le rôle du conservateur entraîne souvent un renoncement presque total à l'exercice de l'art. Ce fut le cas pour Achille Deveria, nommé à partir de 1848 conservateur-adjoint puis conservateur du cabinet des Estampes, comme pour Granet, qui dut la conservation des peintures du Louvre à l'amitié du comte de Forbin, alors directeur des Musées. Encore Deveria et Granet, occupant des situations importantes dans la capitale, restent-ils en contact avec les milieux artistiques. Mais c'est souvent se retirer du mouvement actif des arts que d'être nommé à la tête du musée de Rouen comme Bellangé ou Garneray, ou de celui de Dijon comme Célestin Nanteuil. A défaut de gloire, de telles occupations apportent au moins la considération sociale. Il est vrai que les non-conformistes préfèrent l'obscurité et ne pas renoncer à un idéal qu'ils sont pourtant incapables d'assumer.

CHAPITRE XI

LA VIE EN SOCIÉTÉ

LES ARTISTES méprisent les bourgeois mais les bourgeois se méfient des artistes. Comment les uns et les autres pourraient-ils vivre en bonne intelligence, quand la société française du XIXᵉ siècle est à prédominance bourgeoise ? Aussi la plupart des artistes s'intègrent-ils mal à un monde dont ils redoutent les jugements et les contraintes. Quand ils cessent leur activité de créateurs solitaires, ils recherchent plus volontiers la compagnie de leurs semblables, forment des réunions, des associations où ils restent entre eux, fréquentent des cafés ou des salons pour retrouver d'autres artistes.

Les mœurs évoluent pourtant, les catégories se rapprochent et la société bourgeoise consent à s'ouvrir à des hommes dont les mérites sont évidents. Et tandis que certains continuent à vivre en marge, presque en parias, d'autres artistes mieux accordés aux principes de la bourgeoisie, en ayant accepté les valeurs, enrichis, décorés, finissent par tenir un rang très honorable dans la meilleure société.

*
**

Bien que la bohème soit de tous les temps, jamais elle n'avait reçu l'auréole qu'on lui attribue à l'époque du romantisme. Décrites par Henri Murger, *Les Scènes de la*

Vie de bohème évoquent le mélange de misère et d'idéalisme où s'est trouvé plongé tout un groupe de jeunes poètes et de jeunes rapins autour des années 1830-1840. Le peintre Schanne, le paysagiste Chintreuil, le graveur Fauchery qui s'installait volontiers au café avec tout son matériel, Nadar, dessinateur de petits journaux avant de devenir photographe, ont connu les longues journées sans feu ni pain, les mansardes sordides, les amours faciles et pour quelques-uns le lit d'hôpital, qui sont l'apanage des héros de Murger.

Mais le tableau que ce dernier en dresse, possède un côté attendrissant et fixe un mythe. « La bohème, c'est le stage de la vie artistique », affirme Murger[1]. Affirmation qui donne bonne conscience à une société, déjà trop encline à croire qu'un peu de vache enragée est la nourriture indispensable du génie. Ceux-là même qui en sont sortis, en gardent quelquefois comme la nostalgie d'une étape difficile mais où ils ont pu affirmer leur défi à l'égard du conformisme. Jusqu'à la fin du siècle, la bohème demeure le lot et quelquefois l'idéal d'un certain nombre d'artistes particulièrement indépendants.

En restant à l'écart, ils ne tiennent pourtant pas à passer inaperçus, et une tenue particulière est la marque fréquente de leur singularité. Dès le début de l'époque romantique, les peintres sont les plus prompts à adopter la mode lancée par la jeunesse. Un chapeau de feutre aux bords démesurés, à la calotte généralement en pointe, une jaquette très cintrée, aux longs revers, une cravate à nœud bouffant, tels sont les éléments dominants du costume adopté vers 1830 par ceux qu'on nomme alors les Jeune-France. Qu'on y joigne les cheveux longs, la barbe et la moustache souvent abondantes, et l'on aura dans ses grandes lignes l'allure qui fera reconnaître l'artiste bien au-delà de 1900.

Au milieu du siècle, les plus raffinés y ajoutaient des gilets fastueux en forme de pourpoints — on se rappelle le fameux gilet rouge de Théophile Gautier, peintre avant d'être poète —, d'amples manteaux comme celui dans lequel se drapait Deveria, des escarpins pointus ou des bottes à la poulaine. Un peu plus tard, Pradier aimait les vestes de velours noir, adoptées par plusieurs de ses amis[2].

Ces fantaisies horrifiaient le public bourgeois à un point

qu'il nous est difficile d'imaginer. Sait-on que le seul fait de porter la barbe ou la moustache a pu constituer une mauvaise note pour un candidat à l'Académie ? Ce fut une des raisons qui en écarta le grand sculpteur Rude : « Nous ne pouvons pas, disaient les membres de l'Institut, recevoir au milieu de nous l'homme à la barbe[3]. » Sous le Second Empire, l'évolution de la mode devait modifier la situation : les vastes barbes de Cabanel et de Meissonier sont tout à fait compatibles avec leur situation officielle. Cabanel professe alors à l'École des beaux-arts en veste de velours, la cravate flottant au vent, et Meissonier se présente volontiers avec un gilet de tricot rouge et des bottes de cavalier.

Ce sont alors les artistes les moins traditionnels qui évitent la tenue des rapins. Manet, très soigné, le haut-de-forme sur la tête, s'efforçait de présenter une tenue irréprochable et même élégante. Seurat comme Signac mirent leur point d'honneur à paraître toujours dans des costumes noirs ou bleu foncé. En revanche Cézanne, malgré ses origines bourgeoises ou à cause de l'incompréhension qu'il rencontrait dans son milieu, cherchait à choquer. Vers 1878, le critique Duranty évoque dans une lettre à Zola une récente apparition de Cézanne, dans un petit café de la place Pigalle : « cotte bleue, veste de toile blanche toute couverte de coups de pinceaux et autres instruments, vieux chapeau défoncé. Il a eu un succès ! Mais ce sont des démonstrations dangereuses[4]. »

* * *

Faute de pouvoir s'intégrer à un monde qui vous méprise, pourquoi ne pas rester entre soi ? Tout au long du siècle, des témoignages multiples évoquent les réunions d'artistes que caractérise une certaine façon de prendre la vie. Dans la soirée ou en fin d'après-midi, lorsque la nuit tombe tôt en hiver, il est doux de se retrouver dans l'atelier de tel ou tel, de fumer une pipe, d'échanger des théories esthétiques ou des espoirs de réussite, voire de jouer aux cartes ou de faire un peu de musique.

Plus importantes sont les réceptions hebdomadaires, auxquelles participent souvent des écrivains, prosateurs, hommes de théâtre et poètes, où acteurs et actrices apportent aussi l'intérêt de leur présence, de leur talent ou de leur beauté. Ces rapprochements entre créateurs ou interprètes qui ont en commun le même goût pour l'art, permettent dans un esprit très libre des réunions vivantes dont les échos scandalisent les uns, excitent l'envie des autres, et représentent pour les bourgeois une des composantes essentielles de la vie d'artiste.

Chez la plupart des artistes de la Restauration, les réunions n'offrent d'ailleurs nullement le débraillé qu'elles prendront chez leurs camarades plus jeunes. Ainsi les réceptions du baron Gérard rue Bonaparte étaient relativement austères, bien qu'on y ait profité de la conversation de gens d'esprit tels que Mérimée, Cuvier et Stendhal. Le sans-façon, quand il existe alors, est en quelque sorte familial. Nous avons déjà évoqué les soirées qui groupaient avant 1821 les occupants des ateliers de la Sorbonne, dans une familiarité bon enfant. Chez Duval-le-Camus, rue Vivienne, l'atmosphère était du même ordre ; mais le maître de maison joue un rôle d'animateur, organise des petits jeux ou amène un funambule. Chez Cicéri, la société est plus mondaine et les divertissements plus variés. On danse, on joue à l'écarté, on représente des saynètes. Et c'est chez lui, si l'on en croit Jal, que naît un jeu bien typique des milieux d'artistes :

« Là commencèrent ces séances de l'improvisation pittoresque, si je puis dire ainsi, où le peintre se condamne à faire, pendant qu'un bout de chandelle brûle, un dessin complet, fruit de l'inspiration du moment. C'est là que fut enrichi des meilleures caricatures l'album de charges, si originalement conçues et exécutées par Isabey père, Horace, Carle Vernet et Cicéri [5]. »

De haute tenue aussi, les fameuses soirées de l'Arsenal dans les salons de Nodier, jusqu'à sa mort en 1844, où les lectures, la déclamation alternaient avec la danse : parmi les artistes, Delacroix, David d'Angers, Deveria, Boulanger, Gigoux et de moindres.

On a souvent évoqué, sans doute parce que la vedette en était le jeune Victor Hugo, les réunions chez les Deveria, rue Notre-Dame-des-Champs, soirées familiales autour de la mère et de cinq enfants dont Eugène et Achille devaient atteindre quelque temps la célébrité.

De cette maison, le critique Ernest Chesneau nous a laissé une description étonnante :

Là du haut en bas..., dans les chambres, sur les marches de l'escalier, dans l'atelier, au salon, tout le monde dessinait. Achille Deveria, l'aîné de cinq ans, dirigeait le travail tout en exécutant ces innombrables lithographies si élégantes qui étaient l'unique fortune de ce phalanstère du dessin. On copiait en les agrandissant d'un pied, des empreintes au soufre d'après les médailles antiques ; on lisait Dante, Shakespeare, Gœthe, Byron, les vieilles chroniques françaises, et chacun traduisait immédiatement par le crayon l'impression profonde de ces lectures où le génie national et celui des grands poètes étrangers se révélaient pour la première fois à ces jeunes et brillantes imaginations [6].

On se doute de l'accueil que recevait, dans un tel milieu, le poète à la gloire naissante, porteur de tous les espoirs du lyrisme romantique.

A leur tour les jeunes peintres allaient passer la soirée auprès du ménage Hugo, à quelques pas dans la même rue. Et certes le grand maître du romantisme littéraire attira largement les artistes : Delacroix, David d'Angers, Boulanger, autour des jeunes poètes dont les audaces font alors frémir le public. Installé un peu plus tard au 6 de la place Royale, Hugo groupa autour de lui des peintres et des sculpteurs dont les noms évoquent des sujets inspirés de la littérature nouvelle, comme Camille Rogier, Auguste de Châtillon, Gigoux, Jehan du Seigneur.

Les mêmes ou quelques-uns d'entre eux se réunissaient aussi, d'une façon plus libre, impasse du Doyenné, dans le quartier disparu qui entourait le Carrousel. Un logis animé par Nerval, Houssaye, Théophile Gautier, attirait Théodore Rousseau, Nanteuil, Gavarni et leurs amis. Par leurs outrances de tenue et de manières, le bruit par lequel ils troublèrent un quartier paisible, les grisettes qu'ils y amenèrent, ils furent un temps un objet de scandale.

La même réputation frappa les soirées organisées par les frères Johannot rue du Rocher. Une lithographie, intitulée *Le Champagne* et due au crayon aimable de Gavarni, en a fixé le meilleur témoignage. Sur un grand divan se vautrent Alfred Johannot, un autre jeune homme et trois jeunes femmes dans des poses nonchalantes. Gavarni lui-même pérore, une flûte de vin mousseux à la main. Tony Johannot, debout près d'Alexandre Dumas, fait boire une jeune femme renversée contre lui. Image bien digne d'accréditer la légende des trop fameuses « orgies » que dénoncent, en parlant des ateliers d'artistes, les gens bien informés.

On parla de la même façon des réunions du samedi chez Gavarni, d'abord rue Fontaine-Saint-Georges, puis, après son mariage vers 1845, dans son logis d'Auteuil. Les frères Goncourt, fidèles habitués, ont remis les choses à leur place : « Il y a eu bien des légendes sur ces soirées qu'on a peintes « échevelées » et qui étaient de pauvres petites soirées à grogs pour tout rafraîchissement et dont le plus ordinaire divertissement était des jeux innocents au bout desquels Balzac avec sa grosse naïveté fine et sa bonhomie d'homme de génie, disait : « Maintenant, si on ne « jouait plus ? Si on s'amusait [7] ? »

Plus « orgiaques » sans doute les réunions organisées entre 1843 et 1848 à l'hôtel Pimodan dans l'île Saint-Louis. Car chez le peintre Boissard se tenait le « club des haschichins » où l'on recherchait « les paradis artificiels ». Delacroix a été de ces soirées, et Daumier aussi et naturellement Baudelaire ; mais on y faisait également d'excellente musique, et Boissard jouait d'un violon d'autant plus habile qu'il se trouvait sous l'effet de la drogue.

*
* *

Plus accessible encore que les réunions d'atelier, le café offre un refuge commode au solitaire. S'il est sûr d'y retrouver des camarades, il peut alors y passer les longues heures du soir en échangeant des considérations blagueuses ou désabusées sur la vie, les femmes ou la politique. La petite histoire n'a pas retenu le nom de tous les établissements où se sont réunis des artistes, mais certains sont pourtant restés célèbres à cause de leurs habitués.

C'est ainsi que le café Momus, au 15 de la rue des Prêtres-Saint-Germain-l'Auxerrois, a vu naître les épisodes vécus des *Scènes de la Vie de bohème*, grâce à l'indulgence d'un patron qui avait été poète dans son jeune temps. Entre 1837 et 1859, le Divan-Le-Pelletier, ouvert au 5 de la rue du même nom, a retenti des discussions de quelques ténors : Gautier, Musset, Gustave Planche y ont échangé leurs théories avec Clésinger, Landelle et plus encore Gustave Courbet. Ce dernier fut d'ailleurs un habitué des cafés, et son exubérante personnalité servit de centre d'attraction à une brasserie de la rue Hautefeuille. Fondée par un Bavarois, l'Andler-Keller, comme on l'appelle quelquefois, retentit plus d'une fois dans sa longue salle pavée aux murs peints à la chaux des chants de l'apôtre du réalisme pictural. Auprès de lui, des habitués comme Champfleury et Baudelaire, Gigoux et Bonvin ou des amis de passage : Corot, Daumier, Decamps, Préault, Chenavard [8].

On retrouve Courbet à la brasserie des Martyrs, qui, située sur les pentes de Montmartre derrière Notre-Dame-de-Lorette, fut vers 1855 l'un des lieux les plus pétillants de l'esprit parisien. Musiciens, poètes et artistes la fréquentaient dans une promiscuité sans exclusive où toutes les théories pouvaient coexister ; à côté de Monet et des frères Stevens, toute une bande de sculpteurs, Christophe, Chatrousse, Aimé Millet.

Moins éclectiques furent les habitués du café Guerbois, mais on a pu dire que dans ses murs se sont cristallisées les théories du réalisme et de l'impressionnisme. Situé 11, grande rue des Batignolles, à deux pas des tonnelles du père Lathuille qu'a rendues célèbres une toile de Manet, le café Guerbois fixa, pendant les années précédant la guerre de 1870, le rendez-vous de tous ceux que les critiques appelèrent avec quelque mépris « l'école des Batignolles ». Autour de Manet, Bazille, Guillemet, Renoir, Degas et à l'occasion Sisley, Pissarro, Cézanne, sans oublier des artistes restés en marge comme Constantin Guys et Marcellin Desboutin, ce dernier vrai pilier de cabaret. Et même des peintres qui s'orientèrent ensuite vers les succès mondains comme Carolus-Duran, dont Georges Rivière prétendait qu'il avait failli se convertir à la manière de Manet [9].

Après la guerre franco-allemande, le nombre des cafés fréquentés par les artistes augmenta sensiblement, les plus courus se trouvant dans la région du bas Montmartre, riche en ateliers. Ainsi le café de la Nouvelle-Athènes, place Pigalle, fut le refuge de la plupart des hôtes du café Guerbois : Manet, Renoir, Degas, Cézanne à l'occasion, de plus jeunes artistes comme Forain, La Gandara, Henner, et aussi Victorine, l'ancien modèle de l'*Olympia*, convertie à la peinture. Non loin de là, au coin de la rue Notre-Dame-de-Lorette, le café La Rochefoucauld, cher à Cormon, à Gervex, à Rochegrosse, ne fut pas dédaigné de peintres moins académiques puisque on y vit souvent Degas, Renoir et Forain. L'Abbaye-de-Thélème, installée vers 1885 dans l'ancien hôtel du peintre Roybet, place Pigalle, le café Pigalle dit aussi café du Rat-Mort, voilà encore d'autres points de rencontre pour les peintres du quartier.

La rive gauche paraît, dans l'ensemble, avoir été moins favorable aux cafés d'artistes, alors que les poètes fréquentaient assidûment les établissements du boulevard Saint-Michel et des environs du Luxembourg, du Vachette à la Closerie-des-Lilas. Du moins le café Voltaire, cher aux écrivains symbolistes, vit-il passer Carrière, Rodin et les jeunes Nabis. Enfin un certain nombre de petits établissements ont eu la réputation d'être accueillants aux rapins : tel le café Laffitte, rue Taranne, pratiquement réservé aux étudiants des Beaux-Arts, et dont le patron, lui-même ancien élève de l'atelier Picot, vêtu d'une veste de velours et d'un pantalon à carreaux, aimait venir parler métier avec les habitués [10].

*
* *

Les entretiens dans les cafés n'excluent pas les cancans et les médisances contre les absents, mais face aux bourgeois, il faut serrer les coudes, et la concurrence ne masque pas toujours l'utilité de l'entraide.

Entre anciens de l'Académie de Rome, la communauté de la formation et des souvenirs favorisait un rapprochement dont le but implicite était, en fait, le soutien inconditionnel du petit clan. Comme il arrive souvent entre des hommes sortis d'une même grande école, on a pu les accuser de former une franc-maçonnerie pour faciliter leur réussite, et leur élection à l'Institut. En 1817, au cours d'un dîner frugal sur la voie Appienne, quelques « Romains », comprenant les sculpteurs Cortot et Seurre et le peintre Navez, fondèrent la « confrérie de l'Oignon ». Vers 1850, on prétendait encore qu'un homme comme

Alaux devait à ce groupement son entrée sous la Coupole.

Une dizaine d'années plus tard, leurs successeurs avaient pris le nom de *Cald'arosti*, évoquant le cri des marchands romains de marrons chauds : « *semper ardentes* », ajoutait leur devise, « toujours brûlants ». Menée par Bonnat, avec des hommes comme Chapu, Robert-Fleury, Falguière, la confrérie était encore bien vivante à la fin du siècle, défendant des positions alors de plus en plus menacées [11].

L'entraide peut être désintéressée ou plus largement conçue ; il est difficile de rassembler pour une même action des individualistes à tous crins et des officiels parvenus au faîte des honneurs. Mais les difficultés passagères que chacun peut connaître, les incertitudes de la vieillesse ne pourraient-elles être mieux vaincues par la solidarité ?

Les cas d'entraide amicale sont moins rares que ne pourrait le faire croire l'âpreté de la lutte pour les commandes et les places. Bien des exemples sympathiques ont dû rester ignorés. Mais on cite Jules Dupré, indigné de l'obscurité où végétait son ami Théodore Rousseau, le tirant de la mansarde où il vivait et lui louant un atelier, avenue Frochot. On cite Diaz, mettant à la disposition du jeune Renoir le compte ouvert à son nom chez un marchand de couleurs. Ou encore Corot, assurant à la vieillesse de Daumier un abri honorable dans une maison de Valmondois.

Entre cinq jeunes artistes un arrangement fut établi vers 1838 : Meissonier, Trimolet, Steinheil, Daubigny et Geoffroy-Dechaumes devaient tour à tour profiter d'un an de liberté, pendant que les quatre autres, par leur travail, feraient subsister la communauté. Deux seulement purent en profiter, mais nul ne regretta cet accord.

C'est pourtant le problème de la vieillesse qui soulève le plus de difficultés. Si certains artistes, parvenus tardivement à la notoriété, ont surtout connu le succès dans leurs vieux jours, beaucoup ont vu leurs forces baisser ; plus souvent encore, les fluctuations de la mode ont rejeté dans l'oubli des hommes un moment encensés. Le cas le plus tragique fut celui de Gros qui, après avoir connu tous les honneurs, se sentit délaissé de l'opinion et, en 1833, finit par se suicider au Bas-Meudon.

S'il est difficile de lutter contre ce genre de détresse, la solidarité peut jouer pour apporter un secours matériel aux artistes dans le besoin. L'idée d'une société de secours mutuels fut rapportée de Londres en 1831 par le peintre d'histoire Henry Fradelle [12] : elle ne devait aboutir chez nous que treize ans plus tard parce que reprise en main par un homme dynamique. Le baron Taylor, animateur de publications, directeur du Théâtre-Français, sut créer un ensemble de sociétés, apportant à ceux qui vivent de l'art quelque garantie contre l'infortune. Ayant débuté en 1840 par la Société de secours mutuels des Artistes dramatiques, il fonda en décembre 1844 celles des Artistes peintres, sculpteurs, architectes, graveurs et dessinateurs. La Société Taylor obtint la faveur des intéressés, puisqu'elle compta bientôt trois mille adhérents, avec une cotisation modeste de 6 francs, payable par mensualités de 50 centimes.

Malgré le scepticisme qui accompagne toujours ce genre d'entreprise et la résistance d'hommes trop fiers pour accepter des secours, la société put remplir sa mission : apporter des soins aux malades, donner des pensions aux vieillards, accorder une aide dans des cas d'urgence. Aux cotisations, le baron Taylor sut ajouter d'autres ressources ; non seulement il trouva l'appui de riches amateurs, mais organisa des fêtes, des loteries et des expositions payantes, comme la première en 1846 où triompha Ingres qui avait accepté d'y présenter vingt-deux tableaux.

A la naissance de la Société Taylor, un journaliste du *Bulletin de l'Alliance des Arts* avait estimé qu'elle éviterait la spéculation, empêcherait l'exploitation des artistes et jouerait ainsi le rôle d'un véritable ministère des arts [12]. C'était aller un peu loin, mais poser en même temps un problème assez neuf et en suggérer la solution. Devant la vague continuelle de mécontentement provoquée par les choix arbitraires des autres autorités, pourquoi les artistes eux-mêmes ne prendraient-ils pas en main toute l'organisation de leur profession ?

Les premiers essais en ce sens visent à organiser des expositions indépendantes du Salon officiel. En 1867, Claude Monet et ses amis doivent pourtant renoncer à cette idée devant la somme insuffisante qu'ils ont pu rassembler. L'idée est reprise en 1873 et, à cette occasion, Paul Alexis, ami de Zola, évoque l'intérêt que les artistes auraient à se grouper dans une chambre syndicale [13]. En attendant, Pissarro arrive à constituer la Société anonyme coopérative des Artistes peintres, sculpteurs, graveurs, etc., et c'est ce groupement, très souple dans sa structure, qui devait organiser les expositions connues, dès le lendemain de la première en 1874, sous le nom d'impressionnistes.

Bientôt, nous l'avons vu, c'est l'État lui-même qui songe à confier aux artistes l'organisation du Salon. La Société des Artistes français, créée en 1881, représente en ce sens une véritable révolution. Si sa constitution a coûté quelque peine, du moins l'idée est désormais lancée. La Société dissidente des Beaux-Arts se met à la tête d'un nouveau salon. Le titre d' « artistes indépendants » est relevé à la même heure par deux groupements. En vingt-cinq ans, on passe d'une absence totale d'organisation à un pullulement de petits groupes — les aquarellistes, les peintres-graveurs, les femmes peintres —, plus ou moins vivants, plus ou moins durables, mais tous bien décidés à présenter des œuvres en commun.

On voit même van Gogh, en 1888, envisager la création d'une société chargée de la vente des tableaux impressionnistes, une société d'exploitation et de défense : « Je suis porté à croire, écrit-il à son frère Théo, que les artistes entre eux se garantiraient la vie réciproquement et indépendamment des marchands [14]. »

* * *

L'obstacle majeur à une organisation efficace des artistes réside dans leur habituel non-conformisme, qui se manifeste à l'égard de toutes les obligations sociales. Le mariage, par exemple, apparaît à beaucoup d'entre eux incompatible avec leur vocation. « Un homme marié, dit Courbet, c'est un réactionnaire en art [15]. »

Le doux Corot lui-même avait adopté une attitude aussi tranchante : « Je n'ai qu'un but dans la vie que je veux poursuivre avec constance : c'est de faire des paysages. Cette ferme résolution m'empêchera de m'attacher sérieusement [16]. »

Créer un foyer entraîne certes l'obligation de gagner son pain quotidien, donc de renoncer à l'art désintéressé sans but immédiat et sans compromission. Une femme peut-elle comprendre le rythme même du travail de l'artiste, fait de flânerie, de temps apparemment perdu, suivi de périodes créatrices où tout est sacrifié à l'œuvre qui s'accomplit ?

C'est au point que certains vont jusqu'à penser que non seulement la vie conjugale, mais toute passion pour une femme est susceptible de détourner l'artiste de la voie qu'il doit suivre. Le modèle Dubosc avait entendu Delacroix critiquer vivement un jeune peintre qui voulait se marier : « Si tu l'aimes et si elle est jolie, c'est pire que tout..., ton art est mort ! Un artiste ne doit connaître d'autre passion que son travail, lui sacrifier tout [17]. » Les frères Goncourt ont entièrement construit leur roman de *Manette Salomon*, si précieux par ailleurs pour la connaissance du milieu des peintres vers 1850, sur l'histoire de la déchéance d'un artiste qui, ayant épousé un de ses modèles, se voit poussé par sa femme à dégrader son art et à chercher des avantages immédiats aux dépens de son idéal.

En publiant *Femmes d'artistes* en 1874, Alphonse Daudet a brodé, à son tour, toutes sortes de variations sur les complications qu'entraîne la vie conjugale dans l'existence d'un artiste.

C'est une jeune femme qui, au lendemain de son voyage de noces, s'épouvante de voir son mari en tête à tête avec un modèle et qui préfère se dévouer pour poser elle-même ; c'est le ménage d'un sculpteur qui pourrait être heureux avec sa femme et ses filles, si la mauvaise tenue de la maison et la vie de bohème qu'ils mènent, n'écartaient tous les prétendants ; c'est un académicien anxieux de savoir si, en fin de compte, il n'a pas dû son élection et une partie de son succès aux intrigues galantes de sa trop jolie femme. Mais surtout dans le prologue, où Daudet fait dialoguer un poète et un peintre, la thèse est affirmée que, malgré de très rares exceptions, le mariage de l'artiste est impossible sans qu'il asservisse son talent à des nécessités matérielles et que le type de femme qu'il faudrait « à cet être nerveux, exigeant, impressionnable, à cet homme-enfant qu'on appelle un artiste » est presque introuvable [18].

Ingres, Daumier, Millet, Renoir par exemple, ont pourtant démontré que le mariage n'est pas toujours incompatible avec une grande activité artistique, mais aussi bien David que Delacroix, Courbet que Manet et tant d'autres, ont préféré renoncer à ce lien social, fût-il le plus doux. Et le cas de Gauguin est particulièrement significatif, abandonnant son foyer à l'âge de trente-six ans pour ne plus se consacrer qu'à la peinture.

L'inadaptation à la société se marquerait aussi bien dans les moindres rapports avec les représentants de celle-ci, à commencer par le propriétaire et son représentant direct, le concierge. Mais les démêlés des artistes avec la garde nationale emplissent de leurs échos la biographie de la plupart d'entre eux. Pendant une quarantaine d'années, de l'avènement de Louis-Philippe aux débuts de la Troisième République, l'obligation de revêtir à jours fixes l'uniforme, comme tous les citoyens valides, leur a paru une atteinte insupportable à leur liberté. Bien qu'ils n'aient pas été les seuls à essayer de s'en dégager, leur insubordination n'eut d'égale que celle des poètes, et ce sont eux qui ont fait la renommée de la prison destinée à abriter les réfractaires. Le régime était pourtant fort doux à la maison d'arrêt du quai d'Austerlitz, dénommée familièrement l' « hôtel des Haricots ». Ayant manqué sans raison acceptable leur tour de garde, les artistes se voyaient infliger vingt-quatre heures d'incarcération dans cette prison bénigne où les lits étaient confortables, les jeux de cartes et les rafraîchissements fournis par l'administration. Certains d'entre eux préférèrent employer leurs loisirs forcés en exerçant leur art avec quelque fantaisie. La cellule 14 acquit ainsi sa célébrité des pochades laissées sur les murs par différents occupants : entre autres, un Christ entouré d'enfants de Deveria, des bacchantes d'Auguste de Châtillon, un médaillon de Théophile Gautier. Sans compter quelques inscriptions vengeresses dénotant chez leurs auteurs la confusion de toutes les révoltes devant une société qui les brime, et dont l'expression la plus spontanée est certainement celle-ci : « A bas le jury de l'Institut ! »[19]

Les prises de position politiques et les fonctions officielles paraissent rarement compatibles avec l'exercice de l'art. Il y a pourtant des nuances qui vont de l'indifférence totale à l'abstention. On connaît les vers fameux de Théophile Gautier, prônant le détachement du poète :

> Sans prendre garde à l'ouragan
> Qui fouettait mes vitres fermées,
> Moi, j'ai fait *Émaux et Camées !*

Attitude symbolique, semblable à celle que le critique Théodore Silvestre devait reprocher sévèrement à Ingres : « Nous le revoyons, pendant les journées de juin 1848, terminer impassiblement la *Vénus Anadyomène* au son du tocsin de la guerre civile, quand le sang des victimes coule dans les rues de Paris [20]. »

Même bénéficiaire de charges officielles, un artiste peut rester indifférent aux passions politiques. C'est du moins l'attitude que prête Louis Reybaud au peintre Oscar, dans son roman longtemps fameux, *Jérôme Paturot à la recherche de la meilleure des républiques.* Oscar, au lendemain de la révolution de Juillet, déclare en effet : « Je cesse d'être le peintre ordinaire de Sa Majesté, soit ; mais je deviens le peintre ordinaire de la République. Les couleurs n'ont point d'opinion [21]. »

Cette position ne fut pourtant pas celle de tous les artistes. Ainsi Paul Delaroche eut le courage de refuser l'importante commande qu'on lui proposait sous Napoléon III, la décoration des salles intérieures de l'Arc de Triomphe. Et de préciser dans sa lettre de refus : « Je remercie Sa Majesté du grand honneur qu'elle me fait en m'offrant une magnifique commande ; mais j'ai juré de ne jamais rien faire pour un gouvernement que je combats [22]. »

Au moment des bouleversements, certains n'hésitent pourtant pas à assumer des responsabilités ; dans la mesure où ils se sentent mal adaptés à la société, les révolutions politiques ne peuvent que les toucher. Rien d'étonnant en conséquence que nombre d'artistes se soient révélés républicains. En 1848, le sculpteur dijonnais Garraud s'empare de la direction des Beaux-Arts et Jeanron occupe militairement la direction des Musées. David d'Angers accepte le poste de maire du XIe arrondissement de Paris, dont la mairie était alors rue d'Assas, puis se fait élire pour quelques mois député du Maine-et-Loire. Mais Jehan du Seigneur, nommé conservateur provisoire du musée du Louvre qu'il avait contribué spontanément à protéger, se replie bien vite sur sa seule tâche d'artiste : « Aujourd'hui que l'ordre est assuré, écrit-il le 6 mars 1848 au ministre de l'Intérieur, je crois devoir vous prier d'accepter ma démission. Je rentre dans mon atelier de sculpteur et je ne demande à la République que du marbre [23]. »

Le cas le plus célèbre d'engagement politique et, par ses conséquences, le plus lamentable fut celui de Courbet au moment de la Commune. On sait comment ses fonctions dans la Fédération des artistes de Paris et la responsabilité très controuvée qu'on lui attribua dans la démolition de la colonne Vendôme, lui valurent de finir ses jours en exil.

A la fin du siècle, désireux de combattre une république conservatrice qui les décevait et où les artistes ne leur semblaient pas obtenir la place due à leurs mérites, beaucoup d'entre eux se laissèrent attirer par les mouvements anarchistes. Pissarro et ses fils, Maximilien Luce, Steinlen, Seurat, Signac collaborèrent au moyen de leurs dessins à la diffusion des idées libertaires. Les violentes compositions publiées par des journaux comme *La Feuille* ou le *Père peinard*, étaient des prises de position d'une extrême violence contre les opinions bourgeoises contemporaines. Certains d'entre eux se trouvèrent compromis dans le procès des Trente : des poursuites et même des semaines de prison furent, pour un homme comme Luce, la conséquence d'une lutte ouverte contre la société de leur temps [24].

*
* *

Même si leurs idées coïncident rarement avec celles du gouvernement au pouvoir, la plupart des artistes se contentent d'un détachement sans conséquence, d'une aimable anarchie verbale, d'une hostilité de principe qui ne les empêche pas d'être en fait assez étroitement intégrés à leur temps. Par goût ou par tradition familiale, certains recherchent le monde ; d'autres s'assimilent avec d'autant plus de facilité que la réussite de leurs œuvres leur vaut considération et honneurs.

La méfiance n'est pourtant pas rare, même chez des

hommes auxquels le public accorde toutes ses faveurs. A quoi bon se mêler à un milieu que guide plutôt la curiosité que la véritable sympathie ? Ainsi, disait Meissonier : « L'artiste doit rester dans son atelier où il est roi. Qu'at-il à faire dans le monde où, sans tenir à lui, on se pare de sa personne quand il est célèbre en le servant aux invités [25] ? »

La conclusion de Daubigny était plus brutale encore : « ... Dans la vie, vive les quelques bons amis qu'on rencontre en hommes et en femmes ; et pour le monde officiel et en général toutes les corporations, le mot de Cambronne ! Voire même pour l'Institut [26]. »

En fait, tenus à distance au début du siècle par de larges fractions de la bonne société, les artistes ont eu de la peine à faire admettre une évolution que justifiaient l'histoire et la transformation des mœurs. Le Breton, dans sa *Notice académique de l'an XI*, notait pourtant déjà à cette date : « Le caractère des artistes s'est élevé depuis 1789. Ils se sont *ennoblis* par la nature des choses, par les circonstances, par l'usage qu'ils ont fait de leurs talents [27]... » Considérés comme des êtres étranges, comme des « originaux » dans une société où les différences tendaient à s'effacer, ils ont tout à la fois inquiété et plu. Hommes et femmes de l'aristocratie finiront par attirer à eux ces individus « inférieurs » mais séduisants.

Si certains répondent par le dédain ou par un pied de nez à l'ostracisme plus ou moins avoué qui les frappe, d'autres souffriraient de ne pas être admis dans les salons les plus huppés. Un homme comme Delacroix, parfait homme d'esprit, sait faire oublier sa condition d'artiste et trouve dans l'estime où le tiennent les gens du monde une compensation aux rebuffades que lui valent, dans les milieux de l'art traditionnel, ses positions esthétiques jugées révolutionnaires. Mais l'aînée des demoiselles Clarke, de spirituelles Anglaises que fréquentent aussi Benjamin Constant et Stendhal, s'exclamait un jour à son propos : « Qu'il est charmant et qu'il a de l'esprit M. Delacroix ! Quel dommage qu'il fasse de la peinture [28] ! »

En fait, les relations mondaines de Delacroix sont multiples, et ses soirées souvent prises par des dîners chez d'éminents amis. Pour ne retenir qu'un exemple, au début de l'année 1855 et jusqu'au 15 février, on le voit dîner deux fois chez la princesse Czartoryska, une fois chez la Païva, aller trois fois chez Thiers, deux fois chez Viardot, et encore chez le banquier Fould, l'architecte Lefuel, le chimiste Payen, chez Mme de Lagrange, l'amie de Berryer, et assister à un bal chez le duc de Morny. Ce qui n'empêche nullement ce grand créateur de travailler au même moment à son tableau des *Deux Foscari* et à un autre motif comportant des lions.

*
* *

Décidés à faire carrière dans le monde, les habiles savent l'importance des décorations : si les médailles obtenues au Salon récompensent les œuvres, les décorations s'adressent plutôt à l'homme. Ne les refusent que les artistes soucieux d'une rigoureuse indépendance ou décidés à ne rien accepter d'un régime politique qui leur déplaît. Sans être anarchiste, Degas disait : « Je n'ai d'ordre à recevoir de personne [29] ! »

Daumier, à la veille de 1870, refusa la croix que lui proposait un Empire devenu plus libéral, et Courbet, à la même époque, souligna son propre refus par une lettre qui fit du bruit : « Mes opinions de citoyen s'opposent à ce que j'accepte une distinction qui relève essentiellement de l'ordre monarchique... J'ai cinquante ans et j'ai toujours vécu libre ; laissez-moi terminer mon existence libre [30]... »

Même lorsqu'ils ont conscience de recevoir ainsi un certificat d'embourgeoisement, la majorité des artistes acceptent au contraire de se laisser décorer ou même sollicitent la décoration. Le public, nous l'avons déjà observé, voit dans ces distinctions une garantie de talent et passe plus volontiers commande aux artistes décorés ; pourquoi donc repousser un honneur si profitable ! Manet le dit en 1878 : « Dans cette chienne de vie, toute de lutte qui est la nôtre, on n'est jamais trop armé ! » Ce qui rappelle le mot de Stendhal : « Plus un homme est grand artiste, plus il doit désirer les titres et décorations comme rempart [31]. »

D'où l'acharnement mis par certains, mais ce ne sont pas toujours les plus grands, à réclamer de tous les pouvoirs et de tous les hommes en place un cordon ou une croix qui tarde, selon eux, à venir orner leur poitrine. Ainsi voit-on Gros écrire en janvier 1817 au ministre de l'Intérieur : « N'ayant point vu mon nom dans la liste des chevaliers de Saint-Michel que Sa Majesté vient de nommer, permettez-moi de vous soumettre les droits que je croyais avoir à cette faveur et de réclamer contre le douloureux oubli que Votre Excellence a fait de moi en cette circonstance... »

Et Pradier, dont les mauvaises langues ont toujours affirmé qu'il ne manquait jamais une occasion d'intriguer pour obtenir un avantage ou une commande, préfère en 1824 — notons qu'il a seulement trente-deux ans — rappeler nettement ses mérites avant la promotion prévue : « L'instant arrive, écrit-il au directeur des Musées, le comte de Forbin, où vont être récompensés les artistes désignés par vous qui, par leurs travaux, auront mérité d'être encouragés. Ceux que j'ai fait jusqu'à ce jour, y compris ceux de Versailles, doivent me donner cette année l'espérance de la récompense que je désire et que je crois mériter [32]. » Pradier n'obtiendra pourtant la Légion d'honneur que quatre ans plus tard.

En créant cette récompense comme la plus haute que pût conférer l'État, Napoléon avait d'abord pensé aux militaires. Mais l'empereur n'hésita pas à l'attribuer à des artistes. Il voulut même la décerner une fois avec une ostentation toute particulière. Au moment de récompenser les peintres qui avaient exposé au Salon de 1808, il avait remis plusieurs croix et paraissait avoir oublié Gros. Mais voulant faire un sort particulier à l'auteur de la *Bataille d'Eylau,* il revint vers lui et, détachant de sa redingote la croix qu'il portait, la lui remit solennellement.

Plus rares et d'autant plus appréciés sont les titres de noblesse ou les nominations politiques honorifiques conférées à des artistes. David en 1808 avait été nommé chevalier de l'Empire. La Restauration créa barons un certain nombre d'artistes : Gérard en 1819, Gros en 1824, puis Guérin, Regnault, Lemot, Bosio et Boucher-Desnoyers. Le titre qui fit sans doute le plus de bruit, fut celui de pair de France, attribué à Horace Vernet en 1841 ; si le monde des artistes se montra flatté de voir entrer l'un des siens dans un corps si fermé, le choix fut souvent attribué à la docilité du courtisan plus qu'à son talent [33].

Sous le Second Empire, Ingres devait être nommé à son tour sénateur mais non Delacroix, alors que beaucoup s'attendaient à une double nomination.

*
**

De telles promotions, accordées par le pouvoir, restent exceptionnelles. Entrer à l'Institut représente, au contraire, la consécration normale d'une carrière réussie. Ce n'en est pas moins un privilège limité à un très petit groupe d'hommes. L'Institut avait été créé en 1795 pour remplacer les académies d'Ancien Régime, la quatrième classe de l'Institut étant réservée aux beaux-arts. C'est cette quatrième classe élargie qui constitua la nouvelle Académie des beaux-arts, née de l'ordonnance royale du 21 mars 1816 : ses quarante membres comportaient quatorze peintres, huit sculpteurs, huit architectes, quatre graveurs et aussi six musiciens.

Entrer dans cette élite, sur le choix de vos pairs, c'est donc avoir accès à une sorte de club fréquenté par les meilleurs esprits. C'est aussi participer aux plus hautes décisions dans le domaine des arts : désigner les prix de Rome, donner son avis pour les nominations à l'École des beaux-arts et au jury du Salon. C'est surtout voir son talent confirmé aux yeux du public ; c'est enfin la certitude de n'être pas oublié par la postérité.

Toutes ces vertus théoriques sont malheureusement controversées. Des attaques venues de toutes parts représentent l'Institut comme un groupement de médiocrités satisfaites, un organisme de soutien mutuel, hostile aux indépendants. Pourtant, dans la première partie du siècle, on peut dire par exemple que tous les grands peintres en font partie : Gérard y est nommé à quarante-deux ans en 1812, Guérin et Gros en 1815, le premier à trente-neuf ans, le second à quarante-quatre ans ; Ingres y accède en 1825 à quarante-cinq ans. Sous Charles X, les nominations touchent encore des artistes plus jeunes : Horace Vernet, David d'Angers, Pradier ont trente-six ou trente-sept ans lorsqu'ils sont nommés en 1826 et 1827. Mais Rude, refusé à partir de

1838, ne sera jamais élu. Delacroix, qui se présente en 1837, se voit préférer Léon Cogniet : il n'est élu qu'à sa septième candidature, en 1857 ; il a alors cinquante-neuf ans. Or, Delacroix est le dernier peintre du siècle dont le génie nous paraisse incontestable et qui entre à l'Institut. Après lui, la liste des académiciens va de Meissonier à Jean-Paul Laurens et de Paul Baudry à Jules Breton. La plupart des grands artistes auxquels nous pensons pour cette même période n'ont pas été candidats à un corps qu'ils méprisaient. Mais si l'on écarte de façon objective aussi bien la satisfaction des uns que le dénigrement des autres, on ne peut nier le rôle fondamental joué par l'Institut dans la vie des arts au XIXᵉ siècle et l'honneur qui reste attaché dans la société française à la fonction d'académicien. Que l'évolution esthétique se soit faite en marge de l'Institut ou même contre ses principes, cela est une autre histoire [34].

*
* *

Très aléatoire pour beaucoup, le métier d'artiste permet à certains de magnifiques carrières. Un petit nombre de privilégiés ont connu à travers les récompenses du Salon, les décorations, les nominations à l'Institut, aux jurys des expositions, des étapes riches en satisfactions personnelles et en considération sociale. David, jusqu'à la chute de l'Empire, Ingres, après son retour en France en 1841, ont été traités par le gouvernement et la société française comme des personnages de tout premier ordre. Louis-Philippe fit personnellement à Ingres l'honneur des galeries de Versailles et le retint à dîner le soir dans son château de Neuilly, où l'attendait encore un concert de ses musiciens préférés. Hébert, Carpeaux, Viollet-le-Duc sont les invités de Napoléon III et participent aux divertissements de Compiègne.

La réussite d'un Meissonier nous paraît aujourd'hui exorbitante. Mais pour l'apprécier, il n'est pas inutile de connaître le palmarès des honneurs qui lui sont conférés.

Né en 1815, Meissonier reçoit, au Salon de 1840, une médaille de troisième classe, puis une de deuxième classe en 1841, de première classe en 1843 ; en 1846, il est nommé chevalier de la Légion d'honneur ; en 1848, il obtient la première médaille au Salon. En 1855, on le fait officier de la Légion d'honneur et il reçoit la grande médaille d'honneur de l'Exposition universelle ; en 1861, le voilà membre de l'Institut ; en 1867, commandeur de la Légion d'honneur ; en 1876, président de l'Institut ; en 1878, vice-président du jury de l'Exposition internationale, où il reçoit un rappel de médaille d'honneur ; en 1880, grand officier de la Légion d'honneur ; en 1883, président de la section de peinture de l'Exposition nationale des beaux-arts ; en 1889, rappel de grande médaille d'honneur à l'Exposition universelle, dont il préside le jury internatio-nal ; il meurt en 1891. Ajoutons qu'il avait reçu des décora-tions de la Belgique, de l'Italie, de l'Autriche, de la Suède, de la Turquie et l'ordre de Nassau, et qu'il était en outre membre des académies d'Amsterdam, d'Anvers, de Munich, de Bruxelles, de Londres, de Madrid, de Saint-Luc à Rome, de Venise et de Turin...

Une telle liste — certainement incomplète — prouve que les honneurs de toutes sortes ne manquent pas à celui qui a la chance de convenir aux goûts de ses contemporains et sait tirer le bénéfice de leur admiration. Grâce à l'évolu-tion des mœurs, la notoriété confère à l'artiste une sorte d'aristocratie de talent qui fait oublier la médiocrité fré-quente de ses origines. Ainsi mis à part les individualistes irréductibles et les incompris, parmi lesquels on trouve, il est vrai, quelques-uns des plus grands, les artistes ont fini par tenir un juste rang dans l'élite de la nation.

CHAPITRE XII

FIN DE SIÈCLE

UNE GRANDE stabilité des conditions d'existence et une lente évolution des mœurs nous ont permis de considérer globalement la vie des artistes à travers tout le XIXᵉ siècle. Mais les trente ou vingt dernières années apportent plus que des nuances nouvelles. Un tournant, amorcé sous le Second Empire, aboutit à une période d'intenses transformations qu'on décèle aussi bien dans le domaine de la poésie ou de la musique que dans celui des arts plastiques ; les conditions mêmes de la vie artistique en subissent le contre-coup.

L'opinion est alors très sensible au fait qu'on vit une « fin de siècle », expression souvent reprise et à tout propos, volontiers péjorative parce que beaucoup craignent la décadence des mœurs et des esprits, tandis que quelques-uns y voient la justification de leurs raffinements ou de leurs vices.

Un fait nouveau tient dans la considération que porte désormais le public au métier d'artiste ; on commence à juger qu'il peut s'agir d'une condition honorable et en tout cas lucrative ; et, dans un monde qui place très haut les valeurs d'argent, ces deux éléments sont facilement confondus. Bertall, en 1873, souligne très bien cette récente évolution : « Lorsque vous parliez d'un artiste au plus modeste commerçant, au plus simple bonnetier et quincaillier, on levait invariablement les épaules. Introduire un peintre ou un sculpteur dans l'intérieur de la famille d'un débitant de calicot ou d'argent, était considéré comme une sorte d'énormité. » Même si on lui commandait un portrait, on écartait de lui la fille de la maison : « Tu ne vois donc pas que c'est un artiste ? » Aujourd'hui, continue Bertall, tout est changé et la peinture peut être une bonne affaire. Ne dit-on pas que Meissonier a vendu une toile 200 000 francs ? Et n'est-il pas capable d'en peindre quatre par an ? Du coup l'artiste paraît un excellent parti pour une héritière et on pousse le fils vers la peinture [1].

Dix ans plus tard, Francis Jourdain, évoquant à son tour les milieux d'artistes, fait la même constatation : « Actuellement le peintre arrive plus rapidement à une situation que le clerc de notaire : il exécute des aquarelles sur des albums, s'habille comme le prince de Galles, peint le portrait de dames suaves, conduit les cotillons ; pour avoir l'escompte, il paie comptant son marchand de couleurs ; il place ses économies sur les chemins de fer et il épouse, dès qu'il est hors concours, la fille d'un banquier peu scrupuleux mais cossu [2]. »

Son de cloche identique venant d'un autre observateur des mœurs contemporaines : « Les peintres surtout passent pour des nababs chez qui l'or afflue de tous côtés ; l'État leur fait des commandes de 100 000 francs, le moindre portrait de femme du monde est coté 750 louis, les marchands de tableaux américains couvrent de dollars leurs toiles de quatre ; on s'arrache leurs pochades à des prix fous [3]. »

Tous les peintres et encore moins tous les sculpteurs ne sont pas, il s'en faut, brusquement devenus riches. Mais la fortune de certains et les signes extérieurs de cette richesse frappent plus que la misère des autres. Paul Arène, en 1882, ne craint pas d'ironiser : « Il fut un temps, on aura peut-être quelque peine à le croire ! il fut un temps où les artistes n'étaient pas riches [4]. »

Vers la même date, Edmond de Goncourt, évoquant le milieu des peintres, juge qu'il devrait récrire son roman de *Manette Salomon* composé en 1865-1866, en prenant cette fois pour héros un peintre fortuné de l'avenue de Villiers [5].

De fait, le peintre en vue, soutenu par une clientèle mondaine, ambitionne de loger son atelier dans un hôtel particulier comme l'extraordinaire construction Renaissance, élevée par Meissonier, place Malesherbes, et nous avons déjà signalé que la plaine Monceau et les alentours de l'avenue du Bois sont devenus les quartiers habituels des artistes élégants.

Ceux qui veulent se classer, ne peuvent que suivre ces exemples. Boldini, persuadé que son atelier de la place Pigalle n'était plus digne de lui, fut tout heureux de pouvoir s'installer vers 1885 dans l'ancien hôtel laissé libre par Sargent, boulevard Berthier. Forain, enrichi par le succès de ses dessins satiriques plus que par sa peinture, fit sensation en achetant un terrain rue Spontini, près de la porte Dauphine et en y faisant bâtir un hôtel : *L'Écho de Paris* du 29 avril 1897 ne manqua pas d'informer ses lecteurs que le terrain seul avait coûté 62 000 francs.

Les peintres qui réussissent sont souvent des portraitistes de gens du monde et ils deviennent à leur tour des personnages difficiles à approcher. *Le Courrier français* prétend qu'il faut être recommandé par un général, un ministre ou un ambassadeur, si l'on veut se faire peindre par Léon Bonnat [6]. C'est que Bonnat n'oublie jamais de mettre en valeur la chevalière ou la rosette de ses modèles. Les femmes revêtent leurs plus étonnants chapeaux et leurs fourrures pour obtenir leur portrait, tracé d'une pointe habile par Helleu ou d'un pinceau élégant par Laszlo, Boldini ou Carolus-Duran. Le tableau revient d'autant plus cher au modèle que certains peintres exigent, dit-on, des robes exceptionnelles qui peuvent coûter 10 000 francs.

Aussi ces peintres sont-ils reçus dans le monde, tout au moins dans le monde de certains nobles et de grands bourgeois, chez qui le snobisme est une des valeurs dominantes. On les rencontre à leur tour parmi les cavaliers du Bois, enfourchant les premières bicyclettes, fréquentant les cafés à la mode. Et s'ils restent fidèles au Salon, ils ont un faible pour les expositions privées, celles auxquelles on n'accède qu'avec des cartes : ainsi l'exposition organisée chaque année à partir de 1878 par le Cercle artistique et littéraire de la rue Volney, ou encore celle de l'Union artistique, plus connue sous l'appellation de « Mirlitons », et logée d'abord rue Boissy-d'Anglas puis, après 1889, place Vendôme.

Le groupe des artistes mondains comporte un grand nombre de femmes. Certes, le phénomène n'est pas nouveau dans le milieu des arts : de Mme Vigée-Lebrun à Mlle Godefroy et à Rosa Bonheur, plus d'une femme a tenu une place honorable dans la production picturale du xixᵉ siècle. Mais parmi elles dominaient les miniaturistes et les copistes, d'assez pauvres créatures pour la plupart. Et les jeunes filles du monde, exercées à l'aquarelle, ne cherchaient pas à présenter leurs œuvres hors du cercle de leurs intimes. A la fin du siècle, les facilités des conditions d'exposition leur permet de se grouper en une Union des Femmes peintres et sculpteurs où elles se font connaître, en dehors de leurs confrères masculins [7].

Les plus chanceuses peuvent sans contradiction revendiquer le métier de peintre et s'entourer d'un salon. La princesse Mathilde, cousine de Napoléon III, avait donné le ton en peignant à l'aquarelle, en envoyant ses œuvres aux expositions nouvelles et en ouvrant largement ses salons à l'élite du monde des arts et des lettres. Dans son hôtel de la rue de Courcelles comme dans son pavillon de Saint-Gratien au nord de Paris, Gavarni, Hébert ou Carpeaux pouvaient retrouver des personnalités comme le comte de Nieuwerkerke, lui-même sculpteur, mais devenu directeur des Musées. Après 1870, la princesse continua ses réceptions rue de Berry et encouragea des artistes plus jeunes comme Chapu et Marcel Baschet.

Quoique de naissance moins noble, Madeleine Lemaire fut proclamée par ses amis « impératrice des roses » : célèbre, en effet, comme peintre de fleurs, elle reçoit, rue de Monceau, Robert de Montesquiou et le duc de Gramont. Elle réunit autour d'eux Forain, Sem, Helleu, Detaille, Gérôme et beaucoup d'autres. Marcel Proust, qui l'a bien connue, a évoqué ce salon en créant le « petit clan » Verdurin, et c'est encore à Madeleine Lemaire qu'il pense quand il nous montre Mme de Villeparisis recevant ses amis, avec « ses pinceaux, sa palette et une aquarelle de fleurs commencée ». De son côté, Albert Flament, qui a bien saisi le caractère de ces réunions, écrit dans son journal : « Le secret de Mme Madeleine Lemaire est que ses mardis soirs font figure d'élégance pour les artistes et qu'ils sont à fréquenter les plus amusants de Paris pour les gens du monde [8]. » Voilà qui montre l'espèce d'osmose qui se produit entre les artistes et la haute société et donne progressivement au titre d'artiste ses lettres de noblesse.

L'artiste apparaît désormais comme un homme qui s'attache à des valeurs éloignées du vulgaire. S'occuper d'art, mettre l'art au-dessus de l'argent, de la politique ou de la morale, c'est faire preuve d'une supériorité qui vous place dans l'élite.

On voit alors se proclamer artistes des hommes qui ne sont pas des créateurs, mais simplement des amateurs ou des connaisseurs. Edmond de Goncourt publie, en 1881, *La Maison d'un Artiste* : il décrit sous ce titre son propre logis où, romancier et chroniqueur, il a rassemblé, avec une attention et un goût minutieux, des bibelots et des œuvres d'art. La classe des artistes s'accroît ainsi de tous ceux qui mettent leur soin à vivre dans un cadre esthétiquement soigné, au milieu de belles choses. Après 1881 et sous l'influence de leurs émules anglais, on les appelle plus volontiers des « esthètes » [9].

Mais à l'époque où des peintres et des sculpteurs s'appliquent eux aussi à soigner l'harmonie de leurs logis, le rapprochement se précise entre le milieu où vivent des « artistes », hommes du monde ou riches bourgeois, et celui des véritables créateurs, devenus à leur tour quelque peu esthètes.

Et l'on voit les ateliers d'artistes des quartiers élégants recherchés par de jeunes snobs qui y déploient des étoffes, les ornent de bibelots de tous styles et les garnissent de vastes divans ; c'est dans des décors de cette espèce que les héroïnes des romans de Paul Bourget cèdent le plus souvent à leurs séducteurs. De leur côté, peintres et sculpteurs, influencés par le goût de l'époque, prennent l'habitude de recevoir leurs riches modèles dans des ateliers qui prennent des airs de galeries d'art. Il n'y a plus grande différence entre le salon-atelier de tel homme du monde, un Robert de Montesquiou par exemple, et l'atelier-salon d'un Jacques-Émile Blanche, peintre mondain. Colette a rappelé dans *Mes Apprentissages* les conséquences de ces mœurs : « En ce temps-là, il y avait déjà plus d'ateliers

que de peintres, mais les peintres ne trouvaient pas d'ateliers à louer à cause des amants mondains, des femmes
excentriques et des simples particuliers qui se les dispu-
taient pour le plaisir de les meubler de bancs de jardin,
de divans-lits, de ciboires, d'ombrelles japonaises et de
stalles de chœur [10]. »

Les uns et les autres semblent moins rechercher un lieu
commode au travail qu'une atmosphère favorable à la
contemplation et à la rêverie. L'accumulation de bibelots
hétéroclites, de chinoiseries, d'étoffes drapées contribue à
la créer. Volontiers on accentue le côté « décadent » du
décor fin de siècle, en détournant à des intentions laïques
des objets religieux, lutrins ou chasubles ; on brûle de
l'encens et parfois on s'adonne à l'opium ou à l'éther.

Les chroniqueurs contemporains, attentifs aux curiosités
de leur temps, se sont amusés à décrire des intérieurs de
ce type en les attribuant souvent à des personnages imagi-
naires, inspirés plus ou moins directement de modèles
connus. Tel l'atelier du peintre « érotico-mystique »
Norlinger, présenté par Jean Lorrain comme le rendez-
vous de rapins et d'écrivains chevelus, descendus des
hauteurs de Montmartre, pour écouter la muse du peintre
vaticiner esthétique et littérature ; à leur tour les poètes,
« accroupis dans la pénombre sur des tabourets modern-
style », lisent leurs derniers sonnets au milieu d'un décor
qui nous est ainsi dépeint :

> Un fatras d'objets hétéroclites, des usagers et des religieux, frater-
> nisant dans une promiscuité significative, renseignait dès le seuil sur
> l'état intellectuel du maître de céans. C'était des soufflets de cuisine,
> des crémaillères et des landiers de campagne, des horloges rustiques,
> des huches et jusqu'à des pétrins provençaux voisinant avec des
> chandeliers d'église, d'anciennes chasubles, des vasques de bénitier,
> des lutrins, des croix de procession, des bannières de Fête-Dieu et
> jusqu'à des retables d'autel... D'énormes cornues d'alchimiste don-
> naient à cette brocante un équivoque aspect de laboratoire.

Atmosphère voisine, décrite par le même Jean Lorrain,
comme celle de l'atelier de Claudius Ethal, pour lequel
on sait qu'il s'est inspiré du peintre mondain La Gandara,

amateur de masques de cire. La pièce est entièrement tendue de tapisseries anciennes :

> Toute une foule de jadis semblait processionner le long des murailles, avec, çà et là, un visage de spectre émergeant de l'ombre dans les méplats strictement modelés d'une des têtes de cire, une face hagarde aux prunelles vides et au sourire peint. Plantés dans d'énormes chandeliers d'église, douze longs cierges brûlaient trois par trois, dans chaque coin ; clarté fuligineuse dont l'atelier d'Ethal semblait comme agrandi, les angles reculés dans de l'inconnu [11].

Dans cette liste qui pourrait être longue, on peut encore citer le peintre imaginé par Octave Mirbeau qu'il montre particulièrement préoccupé de rester en harmonie avec le décor de son atelier et se vêtant tantôt d'un costume japonais très brodé, tantôt d'un habit Louis XIII : « Quelle jolie tache je fais, se dit-il, en contemplant dans une glace son image qui s'élève en fond clair sur un fond de bahut gothique ou en sombre sur la blancheur d'une tenture soyeuse [12]. »

*
* *

Une certaine mystique assez discutable pousse la plupart des esthètes à mêler la religion à l'art, mais c'est que, par une confusion des valeurs, l'art est considéré à son tour comme une véritable religion. Les adeptes de Joséphin Péladan, plus connu du public parisien par ses extravagances vestimentaires que par ses théories, voulut, en s'appuyant sur la tradition médiévale des Rose-Croix, faire de l'artiste un chevalier de l'idéal. Péladan, qui avait à son profit ressuscité le titre chaldéen de *Sâr*, se promenait en pourpoint moiré garni de manchettes et de cols de dentelles. Trop infatué de sa personne pour maintenir un groupe de disciples autour de lui, il réussit pourtant à attirer des artistes soucieux, eux aussi, de réintroduire des tendances idéalistes dans un monde dominé par les plus basses réalités. En créant les Salons de la Rose-Croix, il accomplit la plus utile de ses manifestations. Malheureusement la curiosité qui attira au premier de ces Salons en 1892 un public considérable, n'était pas toujours du meilleur aloi ; on souhaitait entrevoir le Sâr à la barbe assyrienne, respirer les vapeurs d'encens, entendre les trompettes d'ouverture ou les orgues invisibles qui jouaient en sourdine — le tout inspiré d'un cérémonial wagnérien —, plus encore que regarder les œuvres exposées.

Il est vrai que celles-ci, choisies selon des critères parfois étranges, tel celui qui repoussait tout portrait... sauf ceux de Pédalan, étaient de qualité très inégale.

Les Salons de la Rose-Croix se maintinrent pourtant pendant cinq années, mais celui de 1897 devait être le dernier. Il avait permis à de jeunes artistes encore inconnus, comme Rouault et Bourdelle, de présenter quelques-unes de leurs premières œuvres [13].

La tentative de Péladan de rassembler des artistes, en vue d'un même combat, était vouée à l'échec dès le départ en raison de la personnalité de l'animateur et des singularités dont elle s'entoura. Mais elle n'est que l'une parmi beaucoup d'autres auxquelles songent des hommes venant d'horizons différents. La diffusion contemporaine des idées socialistes n'est pas étrangère à ces tendances. Beaucoup imaginent les avantages qu'ils pourraient retirer d'une vie en commun, non seulement sur le plan matériel, mais sans doute plus encore dans l'échange des idées ou la confrontation enrichissante des esthétiques. Face à une société restée fondamentalement hostile à leurs problèmes, un groupe bien organisé pourrait offrir les avantages à la fois d'un phalanstère et d'un couvent.

Une telle conception est toujours restée à l'état de chimère, et rien n'a jamais ressemblé en France à ce que fut, par exemple, vers 1850 la confrérie anglaise des préraphaélites. Mais des esquisses de vie commune ont été tentées dans certaines cités d'ateliers de la rive gauche ou de Montmartre, et quelques personnalités isolées se sont efforcées de trouver un élan nouveau dans des expériences communautaires. Lorsque van Gogh partit pour Arles en 1888, il fit venir Gauguin près de lui. Van Gogh croyait que les tableaux dont il rêvait, dépassaient « la puissance d'un individu isolé ; ils seront donc créés probablement par des groupes d'hommes se combinant pour exécuter une idée commune [14] ». Émile Bernard et Laval avaient laissé entendre qu'ils pourraient rejoindre les deux amis en Provence, et Seurat à son tour aurait peut-être suivi. Mais on sait de quelle triste façon se termina cette aventure.

C'est à la fin de la même année que de jeunes peintres, admirateurs de Gauguin, se proclament comme les « prophètes » de la nouvelle peinture. Un peu de mystère ne messied pas selon le goût du temps, et ils préfèrent se désigner par le mot hébreu de *nabis*. Mais s'ils dînent ensemble, s'ils se réunissent « dans le Temple », c'est-à-dire tout simplement dans l'atelier de l'un d'entre eux, Paul Ranson, ils ne mettent pas vraiment leur vie en commun.

Il en aurait été autrement à Ligugé si J.-K. Huysmans avait pu réaliser ses projets. En se faisant construire une maison dans ce bourg du Poitou, à l'ombre d'une abbaye bénédictine, le romancier souhaitait y mener une calme vie, la vie digne de l'oblat qu'il était devenu. Mais il espérait aussi réaliser un projet qui lui était cher : constituer autour de lui une petite communauté d'artistes et d'écrivains catholiques. Malheureusement son ami, le dessinateur Jean de Caldain, refusa de le suivre, et le peintre Charles-Marie Dulac, sur qui il comptait beaucoup pour la rénovation d'un art authentiquement mystique, mourut en 1898, avant même que fût terminée l'installation de Huysmans dans le Poitou [15].

Ainsi toutes ces tentatives se soldèrent par des échecs. Quoique ces derniers fussent dus à des raisons différentes, l'individualisme foncier des artistes français semble bien constituer un obstacle suffisant à toute vie réellement communautaire.

*
* *

Bien que les artistes pouvant se payer de luxueuses fantaisies soient plus nombreux à la fin du siècle, la bohème n'a pas pour autant disparu. Mais dans ce milieu aussi, un certain rapprochement se fait avec le public. Ce dernier renonce à l'apitoiement sentimental et dédaigneux du temps de Murger ; il retient davantage le côté divertissant de la vie d'artiste et en approuve plus facilement l'aimable liberté.

Montmartre, jusqu'alors faubourg écarté, est de plus en plus recherché à cause de son aspect champêtre, et la Butte devient le centre d'une vie d'artiste bon enfant où le public se mêle aux divertissements des rapins. Une légende se crée qui va porter le nom de Montmartre aux quatre coins de l'univers. C'est pourtant l'époque où la lente construction du Sacré-Cœur vient donner un autre sens au mont des Martyrs. Mais on oublie la religion au profit de la liberté des esprits et des mœurs [16].

Les artistes ont beaucoup contribué à faire naître ce Montmartre-là, non seulement en fréquentant les cabarets du quartier mais en les décorant, en y organisant des soirées et des spectacles dont la renommée s'étend très vite. On les trouve d'abord à la Grande-Pinte, à partir de 1878, un café dont la façade sur l'avenue Trudaine s'orne de vitraux qu'a dessinés Henri Pille ; en 1890 lui succède, au même lieu, l'Ane-Rouge décoré par de Feure et par Willette. Ce dernier est un des grands animateurs des cabarets montmartrois : il peint des fresques pour l'Auberge-du-Clou, il participe à la création du Chat-Noir ; on le retrouve tout en haut de la Butte, au Cabaret-des-Assassins qui devient bientôt, en raison d'une enseigne peinte par André Gill, et à la faveur d'un calembour, *Le Lapin agile*.

Le plus célèbre de ces lieux est *Le Chat noir*, fondé par Salis, ancien élève des Beaux-Arts et rapin sans talent. Au départ, il rassemble les jeunes peintres, de jeunes poètes et leurs compagnes. Leur art est tourné vers la blague, la caricature, la parodie, de même que les poètes y cultivent l'épigramme et le quatrain vite troussé. Mais Willy, Maurice Donnay, Alphonse Allais, contribuent avec Willette, avec Rivière, avec Steinlen et quelques autres à créer un esprit mineur sans doute mais non dénué de charme. Que ces cabarets d'artistes aient peu à peu attiré le public et soient devenus, sous l'impulsion d'habiles commerçants, des centres d'attraction pour les Parisiens et les étrangers, voilà qui est nouveau et qui vulgarise les blagues d'atelier et des traditions jusqu'alors surtout connues dans un milieu très fermé. Ils ne sont pas loin de concurrencer des lieux de plaisir comme le Moulin-Rouge et le cirque Medrano, institutions montmartroises elles aussi, et que fréquentent des artistes attirés par le monde du spectacle et du music-hall, Degas, Toulouse-Lautrec et quelques autres [17].

Le public a d'autres occasions d'être familiarisé avec le milieu des artistes par des manifestations qui font quelque bruit. C'est ainsi que les avatars du bal des Quat'z'arts, ont, par les échos qui défraient la presse, dépassé le milieu qui l'avait conçu.

Des bals organisés par de jeunes artistes avaient certes eu lieu tout au long du siècle. Le plus fameux avait été celui dont Alexandre Dumas avait pris l'initiative en 1833 et dont le souvenir avait subsisté bien au-delà de l'époque romantique. Entre autres fantaisies, Dumas n'avait-il pas fait en quelques jours décorer un appartement vide par une dizaine de ses amis qui s'appelaient notamment Delacroix, Boulanger, Johannot ? Et ceux-ci avaient rivalisé d'habileté décoratrice avant de se mêler le soir du bal à plusieurs centaines d'invités, tous costumés et menant un tapage endiablé jusqu'à neuf heures le lendemain matin [18].

Cette fête, dont la verve de Dumas dans ses *Mémoires* a encore accru la résonance, reste le type même de ces réunions échevelés qui font rêver les bourgeois mais dont l'éclat doit plus encore à la légende qu'à la réalité.

En revanche, la création du bal des Quat'z'arts en 1892 apparaît d'abord comme une initiative parfaitement raisonnable et exempte de tout bluff. Dans l'esprit de l'élève architecte Henri Guillaume et d'un groupe de ses camarades, il s'agissait simplement de créer pour l'École des beaux-arts un bal annuel du type de ceux des autres grandes écoles : les quat'z'arts — peinture, sculpture, architecture, poésie (remplacée ensuite par la gravure) — auraient donc leur bal corporatif. Le 23 avril 1892, la salle de l'Élysée-Montmartre — on notera que pour cette circonstance c'est une salle au pied de la Butte qui avait été retenue — abrita une réunion à la bonne franquette dont le succès ne dépassa guère les milieux de rapins. Seuls les costumes avaient donné lieu à quelques directives : ayant exclu l'habit noir des gens en place, les jeunes artistes avaient pensé qu'ils devaient manifester leur originalité en refusant aussi les costumes loués au fripier.

Les choses changèrent l'année suivante. Toujours dans le

même esprit, les ateliers des Beaux-Arts voulurent porter leur effort sur la décoration et les travestis : luttant pour faire sensation, ils préparèrent un défilé costumé et par souci d'unité limitèrent les costumes à l'Antiquité. Ce qui faussa le climat, ce fut l'intervention du journal *Le Courrier français*, organe d'échos et de caricatures, très libre de ton et par là très « montmartrois ». Jules Roques, directeur du journal, s'intéressa aux projets des rapins et leur apporta son concours ; mais, en revanche, des invitations furent distribuées à ses abonnés tandis que le reste des cartes restait, comme l'année précédente, à la disposition des massiers.

Très excités à l'idée de découvrir le milieu fermé des ateliers, les lecteurs du *Courrier français*, où se trouvaient mêlés quelques journalistes, donnèrent au deuxième bal des Quat'z'arts un retentissement dont il se serait bien passé. Le défilé costumé fit sensation : avec la participation de leurs modèles habituels, les élèves de l'atelier de Gérôme avaient reconstitué son tableau de *Bellone*, ceux de Rochegrosse le cortège de Cléopâtre. Or, la Cléopâtre était une magnifique rousse, Sarah Brown, à peu près nue sous un maillot en filet. La tenue des autres figurantes du cortège et de certaines assistantes était également plus proche de celle d'un modèle qui pose que d'une Parisienne dans la rue. On cria à la débauche et à l'orgie ; le scandale se répandit ; un procès fit suite au bal et quatre modèles, ainsi qu'Henri Guillaume, furent condamnés à des amendes. Furieux d'un jugement, qu'on pouvait pourtant craindre plus sévère, les étudiants du Quartier latin organisèrent des manifestations qui, dégénérant, firent un mort.

Ces graves incidents n'arrêtèrent pas, comme on aurait pu le croire, une fête entrée dans les mœurs. L'année suivante, les élèves des Beaux-Arts prirent des mesures sévères, proscrivant le nu, laissant aux seuls massiers la responsabilité des invitations. Redevenu purement privé et corporatif, le bal des Quat'z'arts devait instaurer une tradition, favorisée par une moindre sévérité de l'opinion[19].

Dans une note voisine, Willette et ses amis eurent l'idée d'exploiter l'attirance de la foule pour les fêtes d'artistes, mais cette fois en la conviant à y participer directement. En 1896 et 1897, ils organisèrent, comme une parodie des anciens défilés du bœuf gras, un cortège de chars encadrant la « vache enragée », cette sympathique nourrice des malheureux.

La « vachalcade » de 1896 n'eut qu'un succès médiocre, mais l'année suivante elle devait connaître un large retentissement. Willette avait inspiré les chars évoquant Paris la nuit, la cour des Miracles et quelques autres thèmes. De jeunes artistes comme Grün, Radiguet, Guirand de Scevola avaient montré à leur manière l'Imagination, la Folie, le Veau d'or... De jeunes montmartroises, modèles ou cousettes, assuraient la figuration. L'une d'elles fut place Blanche, proclamée muse de Montmartre et ce « couronnement de la muse » bénéficia même d'une partition originale de Gustave Charpentier, exécutée par quelque cent cinquante musiciens. Un comité d'honneur, présidé par Puvis de Chavannes, n'avait pas craint de patronner la fête, dont le but avoué était de provoquer une aide charitable au profit des artistes nécessiteux. Mais les organisateurs eurent bien du mal à éponger les dettes entraînées par leur initiative [20].

Qui sait d'ailleurs si ce genre de manifestation n'ancrait pas davantage l'opinion dans l'idée dangereuse que les artistes sont avant tout de joyeux plaisants ?

*
* *

Le rapprochement des artistes et du public, qui marque les dernières années du siècle, se fait ainsi aussi bien dans la haute bourgeoisie quand il s'agit des peintres mondains qu'à un niveau plus populaire, en accordant une sympathie amusée à leurs manifestations collectives. Le membre de l'Institut, sérieux et parfois un peu snob, ou le rapin, toujours fier de son chapeau aux grands bords et de sa cravate lavallière, sont dans l'ensemble mieux adaptés à la société française. Ils n'inquiètent plus guère que les mères de famille rétrogrades.

Sur l'essentiel pourtant, le fossé est plus profond que jamais entre le public et les artistes novateurs. Si les uns deviennent millionnaires ou simplement vivotent de leur art, après avoir mangé de la vache enragée, d'autres n'arrivent ni à vendre leurs œuvres ni même à se faire reconnaître de la critique. Van Gogh, installé d'abord à Montmartre chez son frère Théo, a fui Paris. Gauguin cherche la solitude en Bretagne puis dans les îles lointaines. Cézanne, à Aix, reste inconnu jusqu'en 1892-1894 au moins.

A l'heure où Verlaine vient de signaler au monde l'existence de poètes « maudits », vivent non loin d'eux des peintres qui pourraient accepter la même étiquette [21]. Au-delà de ces fêtes d'un jour, de ces apparences futiles où se trouve résumée pour la foule la vie d'artiste, la lutte quotidienne continue, amère et rude pour certains, mais heureusement riche de tous les espoirs qui soutiennent les vrais créateurs.

BIBLIOGRAPHIE SOMMAIRE

Les problèmes présentés ici n'ont jamais été étudiés dans leur ensemble. On en trouvera certains aspects dans :

Rosenthal (L.) : *Les Conditions sociales de la Peinture sous la monarchie de Juillet,* dans *Gazette des Beaux-Arts* (*G.B.A.*), février-avril 1910.

Leroy (A) : *La Vie familière et anecdotique des Artistes français,* Gallimard, 1941.

Les conditions matérielles de la vie des peintres ont été analysées par White (H.C. et C.A.) : *Canvases and careers, institutional change in french painting world,* Wiley, New York, Londres, 1965.

PRINCIPAUX TÉMOIGNAGES CONTEMPORAINS

Amaury-Duval : *L'Atelier d'Ingres,* Charpentier, 1878.

Blanc (Ch.) : *Les Artistes de mon temps,* F. Didot, 1876.

Burty (Ph.) : *Croquis d'après nature.* Revue rétrospective, 1892.

Champfleury : *Souvenirs et Portraits de jeunesse,* Dentu, 1872.

Chennevières (Ph. de) : *Souvenirs d'un Directeur des Beaux-Arts,* dans *L'Artiste,* 1883-1885.

Chesneau (E.) : *Peintres et Statuaires romantiques,* Charavay, 1880.

Claretie (J.) : *L'Art et les Artistes français contemp.,* Charpentier, 1876.

Delacroix (E.) : *Journal,* éd. par A. Joubin, Plon, 1960, 3 vol.

Correspondance génér., éd. par A. Joubin, Plon, 1936-1938.

Delécluze (E.-J.) : *L. David, son école et son temps,* Didier, 1855, 5 vol.

Flandrin (H.) : *Lettres et Pensées,* éd. par H. Delaborde, Plon, 1865.

Gigoux (J.) : *Causeries sur les artistes de mon temps,* Calmann-Lévy, 1885.

Jouin (H.) : *Lettres inédites d'Artistes français du XIXe siècle,* Protat, Mâcon, 1901.

Les Maîtres peints par eux-mêmes, Gaultier-Magnier, vers 1900.

Laurens (J.) : *La Légende des Ateliers,* Brun, Carpentras, 1901.

MORISOT (B.) : *Correspondance* publiée par D. Rouart, Editart, 1950.

SILVESTRE (Th.) : *Histoire des Artistes vivants*, Blanchard, 1855.

VACHON (M.) : *Pour devenir un artiste*, Delagrave, 1903.

VENTURI (L.) : *Les Archives de l'Impressionnisme*, Durand-Ruel, 1939, 2 vol.

VÉRON (P.) : *Les Coulisses artistiques*, Dentu, 1876.

VIRMAÎTRE (Ch.) : *Paris-Palette*, 2ᵉ éd., Savine, 1888. — *Paris-Médaillé*, L. Genonceaux, 1890.

VOLLARD (A.) : *En écoutant Cézanne, Degas, Renoir*, Grasset, 1938.

Soixante ans dans les ateliers d'artistes, Dubosc modèle, Calmann-Lévy, 1900.

SOURCES LITTÉRAIRES

BALZAC (H. de) : *Pierre Grassou*, Souverain, 1840.

CHAMPFLEURY : *Contes vieux et nouveaux (Confessions de Silvius)*, M. Lévy, 1852.

DURANTY : *Le Pays des Arts*, nouvelles, Charpentier, 1881.

GONCOURT (J. et E. de) : *Manette Salomon*, Lacroix, 1865. Éd. définitive, Flammarion, 1925.

JOURDAIN (Frantz) : *L'Atelier Chantorel*, Charpentier, 1893.

MOREAU-VAUTHIER (Ch.) : *Les Rapins*, Flammarion, 1896.

MURGER (H.) : *Scènes de la Vie de bohème*, M. Lévy, 1851.

ZOLA (É.) : *L'Œuvre*, Charpentier, 1886. Éd. Œuvres complètes, Bernouard, 1928.

MONOGRAPHIES D'ARTISTES

Parmi les très nombreuses biographies que nous avons consultées, nous ne retenons ici que celles, de préférence rédigées par des témoins directs, qui nous permettent de pénétrer dans l'intimité du travail des artistes. Ainsi nous ont été particulièrement précieux les livres où E. Moreau-Nélaton présente chaque peintre « raconté par lui-même » : *Corot* (1924, 2 vol.), *Daubigny* (1925), *Manet* (1926, 2 vol.), *Millet* (1921, 3 vol.).

Citons encore :

BASILY-CALLIMAKI (M.) : *Isabey*, Frazier-Soye, 1909.

BLANC (Ch.) : *Ingres*, J. Renouard, 1870. — *Les trois Vernet*. Laurens, 1898.

CHASSÉ (Ch.) : *Gauguin et son Temps*, Bibl. des Arts, 1955.

CLÉMENT (Ch.) : *Gleyre*, Didier, 1878.

CLÉMENT-JANIN : *La Curieuse Vie de Marcellin Desboutin*, Floury, 1922.

DAVID (J.-L.) : *Le Peintre L. David*, Havard, 1880-1882.

DÉLAS (M.) : *Willette*, s. d.

DELESTRE (J.-B.) : *Gros*, 2ᵉ éd., 1867.

EPHRUSSI (Ch.) : *Paul Baudry*, L. Baschet, 1887.

ESCHOLIER (R.) : *Delacroix*, Floury, 1929, 3 vol.

FIDIÈRE (O.) : *Chapu*, Plon, 1894.

FOURCAUD (L. de) : *Rude*, Librairie d'art ancien et moderne, 1904. — *Bastien-Lepage*, I. Baschet, 1885.

GAUTHIER (M.) : *Achille et Eugène Deveria*, Floury, 1925.

LAFOND (P.) : *Degas*, Floury, 1918-1919.

LAPAUZE (H.) : *Ingres*, Impr. Petit, 1911.

LARROUMET (G.) : *Meissonier*, L. Baschet, 1898.

LEMOINE (P.-A.) : *Degas*, Arts et Métiers graphiques, 1949, t. I.

MACK (G.) : *La Vie de P. Cézanne*, Gallimard, 1938.

MOREAU-VAUTHIER (Ch.) : *Gérome*, Hachette, 1906.

POULAIN (G.) : *Bazille et ses Amis*, Renaissance du Livre, 1932.

RIAT (G.) : *G. Courbet*, Floury, 1906.

RIVIÈRE (G.) : *Renoir et ses Amis*, Floury, 1921.

ROOSEVELT (Bl.) : *Gustave Doré*, Libr. ill., 1887.

SAUNIER (Ch.) : *Auguste Lepère*, Le Garrec, 1931.

SENSIER (A.) : *Millet*, Quantin, 1881.

STRYIENSKI (C.) : *Landelle*, Émile-Paul, 1911.

VACHON (M.) : *Puvis de Chavannes*, Soc. d'éd. artist., v. 1905. — *Detaille*, Lahure, 1898. — *Bouguereau*, Lahure, 1900.

VATTIER (G.) : *Augustin Dumont*, Oudin, 1885.

Parmi les ouvrages plus généraux, nous avons consulté :

BENOÎT (Fr.) : *L'Art français sous la Révolution et l'Empire*, Baranger, 1897.

LUC-BENOIST : *La Sculpture romantique*, Renaissance du Livre, 1928.

REWALD (J.) : *Histoire de l'Impressionnisme*, A. Michel, 1955. — *Le Post-Impressionnisme*, A. Michel, 1961.

SOUBIES (A.) : *Les Membres de l'Académie des Beaux-Arts*, Flammarion, 1904-1914.

TABARANT (A.) : *La Vie artistique au temps de Baudelaire*, Mercure de France, 1942.

ASPECTS PARTICULIERS

Nous avons reporté la mention des ouvrages utiles à la connaissance de ceux-ci dans les *notes* des différents chapitres.

NOTES

CHAPITRE PREMIER

MAITRES ET APPRENTIS

1. *Paris-Rapin*, 1855, p. 43.

2. M. Vachon : *Pour devenir un artiste*, p. 21.

3. Texier : *Tableau de Paris*, Paulin et Lechevallier, 1852, I, p. 36.

4. M. Vachon : *op. cit.*, p. 14.

5. *Caricature sur les brimades* : lithographie de Moynet, 1843.

6. Moreau-Vauthier : *Gérome*, p. 25 *sq.* — Cf. Goncourt : *Manette Salomon*, pp. 34-35 ; et G. Poulain : *Bazille et ses Amis*, p. 18. — Sur les rapins : *Paris-Rapin*, 1885 ; et J. Chaudes-Aigues : dans *Les Français peints par eux-mêmes*, t. I, 1840.

7. Willette : *Feu Pierrot*, Floury, 1919, p. 60 *sq.* — A. Alexandre : *Raffaëlli*, 1909, pp. 31-32.

8. *Croquis de Girodet corrigeant* : Bibl. nationale (B.N.), Estampes, Na 106, Pet. fol.

9. Cf. Amaury-Duval : *L'Atelier d'Ingres*, 1878, p. 45. — R. Balze : *Ingres, son école*, 1880, p. 2.

10. O. Redon : *A soi-même*, 1922, pp. 22-24.

11. Jouin : *Lettres inédites d'Artistes français*, p. 346.

12. Ch. Clément : *Gleyre*, p. 171, *sq.* — Fourcaud : *Rude*, p. 280 *sq.*

13. Antonin Proust : *Manet*, Laurens, 1913, p. 17 *sq.*

14. G. Rivière : *Renoir et ses Amis*, pp. 55-56.

15. Cf. *Mémoires de Guéniot*, dans *Gazette des Beaux-Arts* (=*G.B.A.*), avril 1966.

16. Balze : *op. cit.*

17. J. Adhémar : *L'Enseign. académique en 1820, Girodet*, dans *Bull. de la Soc. de l'hist. de l'art français*, I, 1933, *p.* 270 *sq.*

18. Cf. Adhémar : *La Lithographie de paysage*, A. Colin, 1937, p. 13 *sq.*

19. Ch. Blanc : *Les Artistes de mon Temps*, p. 108.

20. Rewald : *Hist. de l'Impressionnisme*, p. 62.

21. A. Proust : *op. cit.* ; et ses souvenirs dans *La Revue Blanche*, 1ᵉʳ févr. 1897.

22. Ch. Clément : *op. cit.*, p. 171.

23. Régamey : *Lecoq de Boisbaudran*, 1903. — Cf. A. Jullien : *Fantin-Latour*, Laveur, 1909, p. 6 *sq.* ; J.-E. Blanche : *Propos de peintre*, 1919, p. 75.

24. Papiers Courbet : B.N., Estampes ; et *Le Monde illustré*, 15 mars 1862.

25. Sur l'atelier Suisse, cf. Dubuisson : *Les Échos du Bois sacré*, p. 14.

26. Académie Julian : C. Debans : *Plaisirs de Paris*, 1889, p. 185-211.

CHAPITRE II

DE L'ÉCOLE DES BEAUX-ARTS A LA VILLA MÉDICIS

1. Taine : dans *Paris-Guide*, A. Lacroix, 1867, I. p. 845 *sq.* — Texier : *Tableau de Paris*, II, 1853, p. 188 *sq.* A. Lemaistre : *L'École des Beaux-Arts*, F. Didot, 1889. E. Muntz : *Guide de l'École des B. A.*, v. 1895.

2. Fourcaud : *Rude*, p. 59.

3. Taine : *loc. cit.* Beulé : *Éloge de Duban à l'École des B. A.*, 1872.

4. Concours de Rome : J. Laurens : *La Légende des Ateliers*, p. 390 *sq.* — J. Claretie : *E. Hébert*, dans *Revue d'art ancien et moderne*, t. xx, 1906, p. 400 *sq.*

5. Amaury-Duval : *L'Atelier d'Ingres*, p. 8-11. — Lauréats de Rome dans *Arch. Art fr.*, V, p. 273 ; et *Nouvelles Arch. Art fr.*, II, p. 451.

6. Cf. H. Regnault : *Corresp.*, 1872, pp. 127-128 et p. 390.

7. Villa Médicis : E. Hébert : *La Villa M. en* 1840, dans *G.B.A.*, 1901, pp. 265-276. — L. Bénédite : *J.-J. Henner*, dans *G.B.A.*, 1908, I, pp. 37 *sq.* — H. Lapauze : *Hist de l'Acad. de France à Rome*, II (1802-1910), Plon, 1924. — A Besnard : *Sous le ciel de Rome*, Éd. de France 1925. — J.-P. Alaux : *L'Acad. de France à Rome*, Duchartre, 1933.

8. Lapauze : *op. cit.*, p. 72, note 1.

9. Cité par Ch. Blanc : *Les Artistes de mon Temps*, p. 231.

10. H. Regnault : *op. cit.*, p. 32.

11. G. Planche : dans *L'Artiste*, 1832.

12. Lettre d'H. Vernet à Gérard, dans *Corresp.* de F. Gérard. Lainé et Havard, 1867, p. 789.

13. G. Radet : *Hist. et Œuvre de l'École fr. d'Athènes*, Fontemoing, 1901.

14. P. Fromageot : *V. Schnetz directeur de l'École de Rome,* dans *Arch. Art. fr.,* t. VIII, 1914, pp. 329-341.

15. Henner : dans *G.B.A.,* 1908, I, p. 41. — Fidière : *Chapu,* p. 40.

16. *Ibid.,* p. 54.

17. Cf. G. Lecomte : *La Vie héroïque... de Carpeaux,* Plon, 1928.

18. H. Vernet : dans Lapauze ; *op. cit.,* p. 217.

CHAPITRE III

LOGIS ET ATELIERS

1. O. Merson : *Les logements d'artistes au Louvre,* dans *G.B.A.,* 1881, pp. 264 *sq.* ; II, pp. 276 *sq.* — Ch. Aulanier : *Hist. du Palais du Louvre,* t. I, 1947 ; t. IX, 1964, pp. 46-48.

2. Jouin : *Les maîtres peints par eux-mêmes,* pp. 264-265.

3. Delaborde : *L'Acad. des Beaux-Arts,* 1891, pp. 176, 193.

4. Delécluze : *L. David,* pp. 15 *sq.,* 297 *sq.*

5. J. Bonnerot : *La Sorbonne,* P.U.F., 1927, pp. 27 *sq.* — Vattier : *Augustin Dumont,* H. Oudin, 1885, pp. 27 *sq.*

6. Maillard : *Rodin statuaire,* Floury, 1899, p. 23. — Montrosier : *J.-P. Laurens,* dans *G.B.A.,* 1899, I, p. 154.

7. Caricature anonyme, vers 1840.

8. Pyat : *Les Artistes,* dans *Nouveau Tableau de Paris,* IV, 1834, p. 15.

9. Moreau-Vauthier : *La Vie d'artiste,* 1892.

10. J. Claretie : *L'Art et les Artistes fr. cont.,* 1876, pp. 70 *sq.*

11. A. Joubin : *Logis et Ateliers de Delacroix,* dans *Bull. Soc. Hist. Art fr.,* 1938, pp. 60-69. Monet et Renoir habitèrent rue de Furstenberg, du 15 janvier 1865 au 4 février 1866.

12. Banville : *Mes souvenirs,* pp. 84, 174. — G. Geoffroy : *Daumier,* dans *Revue Art ancien et mod.,* t. IX, 1901, p. 229.

13. Cf. Berthoud : *Le Singe de Biard,* dans *Musée des Familles,* 1839, p. 275.

14. Burty : *L'Atelier de Mme O'Connell,* dans *G.B.A.,* 15 mars 1860.

15. Berthoud : *ibid.,* p. 347.

16. L. Fournier : *Un Grand Peintre, F. Ziem,* Lambert, Beaune, 1897, pp. 74-75.

17. Gautier : *Albertus,* 1831, strophes LXXV-LXXVI.

18. Clément : *Gleyre,* p. 182 *sq.*

19. Valéry : *Degas, danse, dessin (Œuvres,* II, Gallimard, 1960, p. 1174).

20. Fervacques : dans *Le Figaro*, 25 décembre 1875.

21. J.-E. Blanche : *Propos de peintre*, 1919, p. 145.

22. P. Véron : *Les Coulisses artistiques*, p. 26 sq.

23. Goncourt : *Manette Salomon*, pp. 166-167.

24. Atelier de Meissonier : Soubies : *Les Membres de l'Acad. des Beaux-Arts*, t. III, p. 25 ; et l'album de photos, B.N., Est., Na. 295 in-4°.

25. Texier : *Tableau de Paris*, II, p. 44.

CHAPITRE IV

LES SUJETS, L'INSPIRATION ET LES MODÈLES

1. M. Du Camp : *Souvenirs littéraires*, 3ᵉ éd., II, 1906, p. 202.

2. Ch. Lenormant : *A. Scheffer*, dans *Le Correspondant*, t. 47, 1859, p. 478.

3. Rapporté par Th. Silvestre : *Hist. des Artistes vivants*, pp. 15-16.

4. Moreau-Nélaton : *Manet*, p. 26.

5. Ch. Clément : *Prud'hon*, 1872, pp. 314 sq.

6. R. Escholier : *Delacroix*, t. III, 1929, p. 50.

7. Le texte est cité par Moreau-Vauthier : *Gérome*, pp. 102-103.

8. L. de Planet : *Souv. de travaux de peinture avec M. Delacroix*, éd. Joubin, 1929, p. 63.

9. Jouin : *Maîtres contemp.*, p. 217.

10. Rochette : *Notice historique sur la vie... de M. Pradier*. Institut de France, 1883.

11. Cf. J. Lethève : *La République de Soitoux*, dans *G.B.A.*, oct. 1963.

12. M. Vachon : *Pour devenir artiste*, p. 131.

13. Th. Silvestre : *Hist. des Artistes vivants*, p. 49.

14. J. Lethève : *Le Public du Cabinet des Est. au xixᵉ siècle*, dans *Mélanges J. Cain*, Hermann, 1968.

15. Ch. Blanc : *Les Artistes...*, p. 48. — Bergeret : *Lettre d'un Artiste sur l'état des arts en France*, 1848, cité par H. Naef : *Parmi les gravures de la coll. Ingres*, dans *Bull. Musée Ingres*, déc. 1965.

16. L. Hautecœur : *L. David*, 1954, pp. 201-208.

17. M. Vachon : *op. cit.*, p. 225.

18. Taine : dans *Paris-Guide*, I, p. 851.

19. Claretie : *Peintres et Sculp. contemporains*, p. 124. — Burty : *Croquis d'après nature*, 1892. — Duranty : *Le Pays des Arts*, 1881, p. 141.

20. Delacroix : *Corr. génér.*, III, p. 195.

21. Fourcaud : *Rude*, p. 203. — Ch. Blanc : *Ingres*, p. 80, 118.

22. Cf. Joubin : *Les Modèles de Delacroix*, dans *G.B.A.*, 1936, I, pp. 345 *sq.*

23. Caricatures d'Ed. de Beaumont pour *Les Croquis parisiens*, chez Martinet, 1859.

24. Comédie de Brazier, Varner et Bayard, citée par P. Dorbec : *La Peinture au temps du romantisme*, dans *G.B.A.*, 1918, XIV, p. 281-282.

25. L. de Planet : *op. cit.*, pp. 35-36.

26. *Dubosc modèle*, p. 123. — Sur les modèles : cf. *Journal des Artistes*, II, 1829, pp. 348-350 ; les notes de Zola pour *L'Œuvre*, publiées dans l'éd. Le Blond, p. 423 ; et Virmaître : *Paris-Palette*, 1888, pp. 79-87.

27. L. Leroy : *Physionomies parisiennes, artistes et rapins*, 1868, pp. 106-107.

28. J. Le Roux : *L'Enfer parisien*, Havard, 1888, pp. 68-82 ; cf. *L'Illustration*, 4 janv. 1890.

29. *Dubosc modèle*, p. 121.

30. Du Seigneur : *Paris, voici Paris*, p. 224.

31. Delacroix : *Journal*, 18, 24 et 26 janv. 1824.

CHAPITRE V

TECHNIQUE ET EXÉCUTION

1. Degas à son ami Jeanniot, cité par J. Bouret : *Degas*, 1965, p. 112. Sur la technique des peintres : Moreau-Vauthier ; *La Peinture*, Hachette, 1912 ; *Comment on peint aujourd'hui*, Floury, 1923 ; R. Piot : *Les Palettes de Delacroix*, Libr. de France, 1931 ; D. Rouart : *Degas à la recherche de sa technique*, Floury, 1945 ; M. Grosser : *The Painter's eye*, 1951 (trad. franç., Marabout-Université, 1965).

2. A. Joubin : *Haro entre Ingres et Delacroix*, dans *L'Amour de l'Art*, mars 1936.

3. Delacroix : *Corresp.*, I, p. 207.

4. Balze : dans *G.B.A.*, 1911, II, p. 144, n° 1.

5. Duranty : *L'Atelier*, dans *Le Pays des Arts*, 1881, pp. 174-176.

6. O. Fidière : *Chapu*, 1894, p. 97.

7. Cf. R. Bordier : *Les Susse : une dynastie coulée dans le bronze*, dans *Jardin des Arts*, juin 1966.

8. Jean Paladilhe : préface au Catalogue de l'exposition G. Moreau, musée du Louvre, 1961, p. 16.

9. B. Morisot : *Correspondance* publiée par D. Rouart, Editart, 1950, pp. 33-34.

10. A. Vollard : *En écoutant Degas...* p. 80.

11. Delacroix à Berryer, 18 oct. 1858 : *Corresp.*, IV, p. 50.

12. DELACROIX : *Gros*, dans *Revue des Deux Mondes*, 1ᵉʳ sept. 1848.

13. VOLLARD : *En écoutant Cézanne...*, p. 65.

14. *Dubosc modèle*, p. 51.

15. GIGOUX : *Causeries...*, p. 172.

16. F. WEY : *L'Ami des Peintres*, dans *Les Français peints par eux-mêmes*, t. I, 1840.

17. SOUBIES : *Les Membres de l'Acad. des Beaux-Arts*, II, p. 49.

18. Cf. HUYGHE, G. BAZIN et H. ADHÉMAR : *Courbet, l'Atelier*, Éd. des musées nationaux, vers 1940.

19. M. DU CAMP : *Souvenirs littéraires*, 3ᵉ éd., I, 1906, p. 247. — *Dubosc modèle*, p. 137.

20. L. BÉNÉDITE : dans *Rev. d'Art anc. et mod.*, t. II, 1908, p. 67.

21. J. CLARETIE : *L'Art et les Artistes...*, p. 395.

CHAPITRE VI

VOYAGEURS ET PAYSAGISTES

1. THORÉ : *Salons*, 1868, p. 14.

2. GIGOUX : *Causeries...*, p. 12.

3. Lettre citée par MOREAU-NÉLATON : *Daubigny raconté...*, p. 30.

4. BALZAC : dans son roman *Un Début dans la vie*, 1844.

5. MOREAU-NÉLATON : *op. cit.*, p. 69.

6. CHAMPFLEURY : *Les Noireau*, dans *Contes vieux et nouveaux*, 1852, pp. 295-296.

7. Rapporté par J. ADHÉMAR : *La lithogr. de paysage en France à l'époque romantique*, A. Colin, 1937, p. 17.

8. *Manette Salomon*, p. 28.

9. Lettre à Henriet, 30 sept. 1872, citée par MOREAU-NÉLATON, *op. cit.*, pp. 109-110.

10. MURGER : *Adeline Protat*, M. Lévy, 1854.

11. Sur Marlotte, *Revue de l'Art*, t. V, 1899, pp. 103 *sq.*

12. TAINE : *Vie et Opinions de Th. Graindorge*, Hachette, 1867. — Sur Barbizon, voir aussi : J.-G. GASSIES : *Le Vieux Barbizon*, 1907 ; E. MICHEL : *La Forêt de Fontainebleau*, Laurens, 1909 ; A. BILLY : *Les Beaux Jours de Barbizon*, 1947 ; M.-Th. de FORGES : *Barbizon (Lieu-dit)*, 1962.

13. R. LÉCUYER : *Demeures inspirées et Sites romantiques*, I, 1949.

14. FLEURY et SOLONET : *La Société du Second Empire*, t. III, p. 349.

15. Th. GAUTIER : *Hist. du Romantisme*, 1874, p. 232.

16. MOREAU-NÉLATON : *op. cit.*, p. 38. — Cf. F. HENRIET : *Le Paysagiste aux champs*, Faure, 1866.

17. Ce texte qui raconte « la journée d'un paysagiste » a été en réalité écrit par Arthur Stevens (sous le nom de J. GRAHAM : *L'Étranger au Salon*, 1863), mais attribué à Corot ; il avait été inspiré par le peintre qui ne l'a pas désavoué.

18. POULAIN : *Bazille...*, pp. 40-41.

19. A. DELVAU : dans *Le Figaro*, série « Les Châteaux des Rois de Bohême », 1865.

20. Lettre à M. Luce, citée par REWALD : *Post-Impressionnisme*, p. 174. — Sur Pont-Aven, cf. Ch. CHASSÉ : *Gauguin et le Groupe de Pont-Aven*, 1921, et *Gauguin et son Temps*, 1955.

21. Citée par P. MIQUEL : *P. Huet*, Sceaux, éd. de la Martinelle, 1962, p. 34.

22. HENRIET : *Le Paysagiste aux champs*, p. 58.

23. VAN GOGH : *Corresp. complète*, Gallimard-Grasset, t. III, 1960, p. 465.

24. M. GUILLEMOT : dans *Revue illustrée*, déc. 1897 - juin 1898.

25. MOREAU-NÉLATON : *op. cit.*, p. 118.

26. *Journal* de PAUL SIGNAC, publié dans *G.B.A.*, avril 1952.

27. P.-A. LEMOISNE : *Degas*, I, p. 100.

28. Gauguin à Schuffenecker, lettre de 1888 citée par REWALD : *Hist. de l'Impressionnisme*, p. 327.

CHAPITRE VII

LE SALON ET LES EXPOSITIONS

1. J. JANIN : *L'Été à Paris*, 1844, p. 148.

2. Jongkind : J. REWALD : *Hist. de l'Impressionnisme*, p. 70. — Holtzappel : TABARANT : *Vie artistique au temps de Baudelaire*, p. 440.

3. Un arrêté du 28 ventôse an VIII (5 août 1800) institue une commission chargée de veiller aux bonnes mœurs et d'écarter les œuvres politiquement dangereuses ; le texte est cité par Ch. AULANIER : *Hist. des Palais et du Musée du Louvre*, t. II, 1951, p. 44 .

4. Sur les réformes de 1830, cf. *Journal des Artistes*, août-sept. 1830, janv.-févr. 1831, *passim*.

5. Discours du maréchal Vaillant en tête du catalogue du Salon de 1866.

6. MOREAU-NÉLATON : *Daubigny*, p. 115.

7. J. FERRY : dans catalogue du Salon de 1880, p. VI ; propos tenus au Comité des 90 du 17 janv. 1881, dans catalogue du Salon de 1881, p. IX.

8. Le Salon « s'est enrichi de nouvelles productions. Les amateurs ont vu paraître avec satisfaction l'*Œdipe* de M. Ingres ». (*Journal des Artistes*, 20 avril 1828) ; cf. AMAURY-DUVAL : *L'Atelier d'Ingres*, p. 126.

9. *Journal des Artistes*, 3 janv. 1841.

10. Zola : *L'Œuvre*, éd. Bernouard, p. 301.

11. Sensier : *Souvenirs sur Th. Rousseau*, L. Techener, 1822, p. 90.

12. Poulain : *Bazille et ses Amis*, p. 111.

13. Salon de l'an VIII, grav. de Devisme d'après Monsaldy ; peinture de Heim montrant Charles X distribuant les récompenses au Salon de 1824.

14. *L'Artiste*, 1831, t. I, p. 145.

15. Gigoux, *Causeries...* p. 65. — Luc-Benoist : *La Sculpture romantique*, p. 30.

16. Maxime Du Camp : *Souvenirs littéraires*, I, p. 849.

17. *Le Monde illustré*, 22 mars 1884. — *La Vie moderne*, 1880, p. 277. — J. E. Blanche : *Propos de peintre*, pp. 15-16.

18. Zola : *L'Œuvre*, p. 308.

19. Taine : dans *Paris-Guide*, 1867, I, p. 849.

20. Benoît : *L'Art français sous la Révolution et l'Empire*, p. 133, n. 1.

21. C.-P. Landon : *Salon de 1810* p. 11 ; *Le Prisme*, v. 1840, pp. 98-101, 116-120.

22. *Journal des Artistes*, 16 déc. 1827, 14 mars 1841.

23. *Journal des Artistes*, 1845, p. 248. — Cf. M. Duseigneur : *Les Expos. particulières aux XVIII* et XIX* s.* dans *L'Artiste*, I, 1882, p. 540-556.

24. Cf. L. Lagrange : *Des Sociétés des Amis des arts en France*, J. Claye, 1861.

25. Baudelaire : dans *Le Corsaire-satan*, 21 janv. 1846. — Sur la Société Taylor : *Bull. de l'Alliance des Arts*, 30 janv. 1845, E. Maincot : *Le Baron Taylor*, 1963.

26. L. Hautecœur : *L. David*, 1954, p. 181 *sq.*

27. G. Riat : *Courbet*, 1906, p. 131 *sq.*

28. Cf. H. Mitterand : *Zola journaliste*, Colin, 1962, pp. 59 *sq.* — J. Lethève : *Impressionnistes et Symbolistes devant la presse*, Colin, 1959, pp. 35 *sq.* Sur les salons comiques : M.-C. Chadefaux, *Le Salon caricatural de 1846...*, dans *G.B.A.*, mars 1968.

29. Virmaître : *Paris-Médaillé*, 1890, p. IV ; cf. du même : *Paris-Palette*, 1888.

CHAPITRE VIII

COMMANDES ET DÉBOUCHÉS

1. Th. Natanson : *Peints à leur tour*, A. Michel, 1948, p. 49.

2. H. Malo : *Thiers et les Artistes de son Temps*, dans *Revue de Paris*, 1er juill. 1924.

3. Rapporté par P. Lelièvre : *Vivant-Denon*, 1942, p. 42.

4. *Dubosc modèle*, p. 72.

5. Montalivet : *Le Roi Louis-Philippe et la Liste civile*, 1851, p. 115.

6. Jouin : *Lettres d'Artistes*, p. 224.

7. Sur Soitoux, cf. J. Lethève : *La République de Soitoux*, dans *G.B.A.*, oct. 1963. En ce qui concerne Haussman, les artistes apprécièrent mal ses vues, cf. Hautecœur : *Hist. de l'Architecture class.*, VII, p. 75.

8. Chennevières : *Souvenirs...*, 2ᵉ part. p. 3 *sq.*

9. H. Bouchot : *Le Salon de 1893*, dans *G.B.A.*, 1893, I, p. 445.

10. Stryienski : *Landelle*, p. 62-63.

11. *Journal des Artistes*, 2 déc. 1827, 7 sept. 1828. — Burty : *Croquis d'après nature*, 2ᵉ série, p. 13.

12. Viel-Castel : *Des Beaux-Arts*, dans *L'Artiste*, 1831, I, p. 289.

13. Delacroix : *Corresp.*, I, p. 290.

14. Fourcaud : *Rude*, p. 160.

15. Lettre de Delacroix, dans *L'Artiste*, I, 1831, p. 49.

16. *Bull. des Arts*, 10 juin 1846.

17. *Journal* de Delacroix, 3 avril 1847.

18. Balzac : *Les Paysans*, 1844, éd. Conard, XXIII, p. 12.

19. Etex : *Pradier*, 1859, p. 37.

20. Cité par Luc-Benoist : *La Sculpture romant.*, p. 30.

21. J. Laurens : *La légende des Ateliers*, p. 310.

22. Virmaître : *Paris-Palette*, 1888, p. 57.

23. *Ibid.*, p. 114.

24. Vollard : *En écoutant Cézanne...*, pp. 180, 257.

25. Jal : *Causeries du Louvre*, 1833, p. 99.

26. Soubies : *Membres de l'Académie des Beaux-Arts*, t. II, p. 28.

27. Stryienski : *Landelle*, p. 79.

28. Burty : dans *Paris-Guide*, 1867, II, p. 261 (qui donne de précieuses indications sur le commerce des tableaux).

29. Sur les locations de tableaux : Tabarant, *La Vie artistique au temps de Baudelaire*, p. 13.

30. Rosenthal : dans *G.B.A.*, 1910, I, p. 59.

31. Stryienski : *op. cit.*, p. 14.

32. *Bull. de l'Alliance des Arts*, 10 juill. 1844.

33. *L'Artiste*, 3 janv. 1858. — Cf. Henriet : *ibid.*, 15 nov. 1854, 1ᵉʳ février 1860.

34. Sur le père Tanguy : E. Bernard : *J. Tanguy*, dans *Mercure de France*, 16 déc. 1908 ; et Vollard : *En écoutant Cézanne... passim.*

35. Moreau-Nélaton : *Millet*, II, p. 71 *sq.*

36. L. Venturi : dans *Archives de l'Impressionnisme*, I, p. 14. — Mémoires de Durand-Ruel, *ibid.*, II.

37. É. Zola : notes publiées dans *L'Œuvre*, éd. Le Blond, p. 419-422.

38. Si Durand-Ruel a joué ainsi un rôle souvent difficile, on ne

peut ignorer que des tableaux, achetés par lui à Manet 35 000 F, ont été revendus pour plus de 800 000 F à des collectionneurs et musées américains (cf. WHITE : *Canvases...*, p. 126).

CHAPITRE IX

LA QUESTION D'ARGENT

1. MOREAU-VAUTHIER : *Gérome*, p. 33.

2. POULAIN : *Bazille et ses Amis*, p. 23.

3. Papiers Courbet : B.N., Estampes.

4. Lettres de Zola à Cézanne, dans VOLLARD : *En écoutant Cézanne...* p. 12.

5. P. ROUSSEL et M. DUBOIS : *De quoi vivait V. Hugo*, Éd. des Deux-Rives, 1952, p. 115-116.

6. *La Vie Moderne*, 1880, p. 258. — Cf. G. d'AVENEL : *Les Riches depuis 300 ans*, 1909.

7. BERGERET : *Lettre d'un Artiste...*, 1848, p. 15.

8. Notes de ZOLA pour *L'Œuvre*, éd. Leblond, p. 423.

9. Cf. G. TOMEL : *Petits Métiers parisiens*, Charpentier, 1898.

10. *Journal des Artistes*, 27 juin 1841.

11. Cavé, directeur des Beaux-Arts, ne disposait que de 4 000 F alors qu'il estimait le tableau à 20 000 F. Mais Delacroix accepta cette offre qui correspondait à sa propre estimation. (Ch. BLANC : *Les Artistes de mon Temps*, p. 85).

12. Cf. G. LARROUMET : *Meissonier*, p. 127.

13. P. LELIÈVRE : *Vivant-Denon*, p. 89.

14. GIGOUX : *Causeries*, p. 88 ; la « misère » d'Ingres à Florence a été discutée par ses meilleurs biographes (cf. H. LAPAUZE : *Ingres*, I, p. 212) ; mais, en tout cas, elle fut bien réelle à Rome entre 1815 et 1818.

15. JOUIN : *Lettres d'Artistes*, p. 168.

16. *Ibid.*, pp. 314-317.

17. P. COURTHION : *Autour de l'impressionnisme*, N.E.F., 1964, p. 12.

18. Lettre de Monet à Bazille du 8 août 1869.

19. Les gains de Pissarro sont détaillés dans WHITE : *Canvases...*, p. 134-138.

20. Dayot : *Les Vernet*, 1898, p. 189-236.

21. Virmaître : *Paris-Palette*, p. 210.

22. Stryienski : *Landelle*, p. 103-104.

CHAPITRE X

LA GRAVURE ET LES MÉTIERS D'APPOINT

1. Gigoux : *Causeries*, p. 184-186.

2. Goncourt : *Manette Salomon*, p. 380.

3. Ch. Blanc : *Les Artistes de mon Temps*, p. 101 *sq.*

4. L. Wellisz : *Jasinski*, Van Oest, 1934.

5. Jouin : *Lettres d'Artistes*, p. 194.

6. L. de Planet : *Souvenirs*, p. 107.

7. H. Gérard : *Corresp. de F. Gérard*, 1867, p. 171.

8. Moreau-Nélaton : *Manet*, II, p. 51.

9. Saunier : *Lepère*, Le Garrec, 1934.

10. Champfleury : *Les aventures de Mademoiselle Mariette*, 1856, p. 196.

11. Valmy-Baysse : *G. Doré*, M. Seheur, 1930, p. 57-59.

12. *Le Courrier français*, 16 févr. 1902. — Cf. J. Lethève : *Caricature et presse sous la III*ᵉ *République*, 1959, p. 49.

13. Goncourt : *Journal*, 5 janv. 1893.

14. *G.B.A.*, 1862, I, p. 293.

15. Amaury-Duval : *L'Atelier d'Ingres*, p. 161.

16. Jullien : *Fantin-Latour*, p. 11 *sq.* — Lostalot : *Les Copistes au musée du Louvre* (*L'illustration*, 23 août 1890) ; cf. Th. Reff : *Copyists in the Louvre* (*The Art bull.* déc. 1964, p. 552-558).

17. Goncourt : *Manette Salomon*, p. 56.

18. Lanoë : *Hist. de la Peinture de paysage*, Nantes, 1903, p. 49.

19. Mémoires de Viel-Castel, cités par J. Guillerme : *L'Atelier du Temps*, Hermann, 1964, p. 168.

20. Cf. Mme H. Bessis : *Les Élèves de Delacroix* (mémoire pour l'École du Louvre, inédit).

21. Delécluze : *Louis David*, p. 284.

22. O. Fidière : *Chapu*, p. 51. — Faure-Frémiet : *Frémiet*, 1934, p. 27 — Moreau-Vauthier : *Gérome*, p. 51.

23. *Paris-vivant*, **1858**.

24. Banville : *Mes Souvenirs*, Charpentier, 1882, p. 384-85. — Amaury-Duval, *op. cit.*, p. 29.

25. *La Caricature*, 5 mars 1843.

CHAPITRE XI

LA VIE EN SOCIÉTÉ

1. Sur la bohème des artistes : A. Delvau : *H. Murger et la Bohème*, 1866. — E. Goudeau : *Dix ans de bohème*, 1888. — A. Warnod : *La Vraie Bohème de Henri Murger*, P. Dupont, 1947.

2. Cf. Th. Gautier : *Hist. du romantisme*, p. 32, 219. — Maigron : *Le Romantisme et la mode*, Champion, 1911. Sur Pradier : M. Du Camp : *Souvenirs littéraires*, I, p. 246.

3. Silvestre : *Hist. des Artistes vivants*, p. 305. — Cf. sur les difficultés du sculpteur Dumont pour entrer à l'Institut à cause de sa barbe : G. Vattier : *Dumont*, 1885, p. 83.

4. Lettre de Duranty à Zola, citée par Rewald : *His. de l'Impressionnisme*, p. 256. — Cf. J.-E. Blanche : *Propos de Peintre*, p. 142.

5. Cf. *G.B.A.*, 1869, I, p. 512 *sq.* — Jal : *Les Soirées d'Artistes* (*Le Livre des 101*, t. I, 1831).

6. E. Chesneau : *Peintres et Statuaires romantiques*, p. 65.

7. Goncourt : *Gavarni*, 1873, p. 169-170.

8. Sur les cafés : A. Delvau, *Hist. anecd. des Cafés et Cabarets de Paris*, 1862. — Virmaître : *Paris-Palette*, 1888, p. 54-57. — Champfleury : *Souv. et portrait de jeunesse*, p. 186. — G. Rivière : *Renoir et ses Amis*, p. 28-32.

9. Café Guerbois : Ad. Jullien : *Fantin-Latour*, p. 158. — Clément-Janin : *La Curieuse Vie de Marcellin Desboutin*, p. 90. — A. Silvestre : *Au pays des souvenirs*, 1892, chap. 13.

10. F. Jourdain : *L'Atelier Chantorel*, 1893, p. 118-119.

11. Fidière : *Chapu*, p. 63-64. — Silvestre : *Hist. des artistes vivants*, p. 196. — Ph. de Chennevière : *Lettre sur l'art français en 1850*, 1851.

12. Sur Fradelle : Bergeret : *Lettre d'un Artiste*, 1848, p. 80. — Sur la Société Taylor : *Bull. de l'Alliance des Arts*, 30 janv. 1845, p. 225-226 ; E. Maingot : *Le Baron Taylor*, 1963, p. 86 *sq.*

13. *L'Avenir national*, 5 mai 1873.

14. Van Gogh : *Lettres à Théo*, p. 194. — *Cf.* P. Angrand : *Naissance des Artistes indépendants (1884)*, Debresse, 1965.

15. Champfleury : *Souvenirs*, p. 183.

16. Moreau-Nélaton : *Corot raconté*, II, p. 163.

17. *Dubosc modèle*, p. 146.

18. A. Daudet : *Les Femmes d'Artistes*, 1874, p. 5.

19. Sur la garde nationale : Amaury-Duval : *L'Atelier d'Ingres*, p. 159. — *Journal des Artistes*, 1840, II, p. 71-73. — Texier : *Tableau de Paris*, 1851, p. 189.

20. Th. Silvestre : *Hist. des Artistes vivants*, p. 7.

21. L. Reybaud : *J. Paturot à la recherche de la meilleure des républiques*, 1848, p. 48.

22. Soubies : *Les Membres de l'Acad. des Beaux-Arts*, II, p. 171.

23. Dans la rubrique « République des Lettres et des Arts » du *Bull. des Arts*, 10 mars 1848, p. 305.

24. Cf. E. Herbert : *The Artist and Social Reform*, Yale University Press, 1961.

25. M. Vachon : *Pour devenir artiste*, p. 259 .

26. Moreau-Nélaton : *Daubigny*, p. 113.

27. Cité par Benoît : *L'art français sous la Révolution et l'Empire*, p. 251.

28. *Victor Hugo raconté par ceux qui l'ont vu*, 1931, chap. XLIX.

29. Clément-Janin : *La Curieuse Vie de M. Desboutin*, 1878, p. 157.

30. Lettre de Courbet citée par H. d'Ideville : *Courbet*, 1878, p. 35-36.

31. Rewald : *Hist. de l'Impressionnisme*, p. 255. — Champfleury : *Souvenirs*, p. 229.

32. Jouin : *Lettres d'Artistes*, p. 45, 90.

33. *L'Artiste*, 1841, VII, p. 277.

34. Cf. H. Delaborde : *L'Académie des Beaux-Arts*, 1891.

CHAPITRE XII

FIN DE SIÈCLE

1. Bertall : *La Comédie de notre Temps*, t. I, 1873, p. 480-483.

2. F. Jourdain : *L'Atelier Chantorel*, 1893, p. 74.

3. M. Du Seigneur : *Paris, voici Paris*, 1889, p. 212-213.

4. *L'Artiste*, 1882, I, p. 548.

5. Ed. de Goncourt : *Journal*, 1er mai 1882.

6. *Le Courrier français*, 2 juin 1883.

7. Sur les femmes artistes à la fin du siècle : O. Uzanne : *La Femme à Paris*, 1894, chap. 11. — J. de La Faye : *La Princesse Mathilde*, 1929.

8. A. Flament : *Le Bal du Pré-Catelan*, 1946, p. 155.

9. J. Lethève : *Un personnage typique de la fin du XIX* siècle : l'esthète (G.B.A.,* mai 1965). — Ph. Jullian : *R. de Montesquiou*, Perrin, 1965.

10. Colette : *Mes Apprentissages*, p. 195.

11. J. Lorrain : *Pelléastres*, 1903, p. 75-76 ; *M. de Phocas*, 1901, p. 124-125.

12. O. Mirbeau : *Des Artistes*, Flammarion, 1922, 1ʳᵉ série, p. 17, *sq.*

13. J. Lethève : *Les Salons de la Rose-Croix* (*G.B.A.*, déc. 1960).

14. Van Gogh à E. Bernard, cité par Rewald : *Post-Impressionnisme*, p. 123.

15. R. Baldick : *La Vie de J.-K. Huysmans*, 1958, p. 320.

16. Sur Montmartre et sa légende : J. Émile-Bayard : *Montmartre hier et auj.*, 1925. — *Montmartre* (*Le Crapouillot*, juill. 1959), etc.

17. Sur les cabarets, cf. *Revue encyclopédique*, 1896, p. 251-255.

18. Bal d'A. Dumas : dans *L'Artiste*, 1833, t. V, p. 120. — Dumas : *Mes Mémoires*, chap. XXXVIII.

19. G. Montorgueil : *Paris-dansant*, 1898, p. 121 *sq.* — J. Roques : dans *Le Courrier français*, 12 févr., 19 mars, 25 juin, 9 juill. 1893.

20. J. Émile-Bernard : *op. cit.*, p. 90-91, 288.

21. Verlaine : *Les Poètes maudits*, Vanier, 1884.

TABLE DES MATIERES

LA VIE QUOTIDIENNE

ANTIQUITÉ

MOYEN AGE

TEMPS MODERNES

a) en France

EN FRANCE AU TEMPS DE LA RE-
NAISSANCE, par Abel Lefranc, de
l'Institut.

AU TEMPS D'HENRY IV, par Philippe
Erlanger.

AU TEMPS DE LOUIS XIII, par Émile
Magne.

AU MARAIS DU XVII° SIÈCLE, par
Jacques Wilhelm.

SOUS LOUIS XIV, par Georges Mon-
grédien.

DES COMÉDIENS AU TEMPS DE
MOLIÈRE, par Georges Mongré-
dien.

DES MÉDECINS AU TEMPS DE MO-
LIÈRE, par François Millepierres.

EN FRANCE A LA FIN DU GRAND
SIÈCLE, par Jacques Saint-Ger-
main.

DES MARINS AU TEMPS DU ROI-
SOLEIL, par Jean Merrien.

A VERSAILLES AU XVII° ET AU
XVIII° SIÈCLE, par Jacques Le-
vron.

SOUS LA RÉGENCE, par Ch. Kunstler, de l'Institut.

SOUS LOUIS XV, par Ch. Kunstler,
de l'Institut.

SOUS LOUIS XVI, par Ch. Kunstler,
de l'Institut.

DES PROTESTANTS SOUS L'ANCIEN
RÉGIME, par Michel Richard.

b) dans les autres pays

DES INDIENS DU CANADA A L'ÉPO-
QUE DE LA COLONISATION FRAN-
ÇAISE, par R. Douville et J.-D.
Casanova.

EN NOUVELLE-FRANCE, LE CANADA,
DE CHAMPLAIN A MONTCALM,
par R. Douville et J.-D. Casanova.

A FLORENCE AU TEMPS DES MÉ-
DICIS, par J. Lucas-Dubreton.

AU PARAGUAY SOUS LES JÉSUITES,
par Maxime Haubert.

A VENISE AU XVIII° SIÈCLE, par
Norbert Jonard.

EN ITALIE AU XVIII° SIÈCLE, par
Maurice Vaussard.

DES COURS ALLEMANDES AU XVIII°
SIÈCLE, par Pierre Lafue.

DANS LA ROME PONTIFICALE AU
XVIII° SIÈCLE, par Maurice An-
drieux.

EN ESPAGNE AU SIÈCLE D'OR SOUS
PHILIPPE II, par Marcelin Defour-
neaux.

AU PÉROU AU TEMPS DES ESPA-
GNOLS (1710-1820), par Jean
Descola.

AU PORTUGAL APRÈS LE TREMBLE-
MENT DE TERRE (1755), par
Suzanne Chantal.

EN ANGLETERRE AU TEMPS DE
GEORGE III, par André Parreaux.

A VIENNE A L'ÉPOQUE DE MOZART
ET DE SCHUBERT, par Marcel
Brion, de l'Académie française.

ÉPOQUE CONTEMPORAINE

a) en France

b) dans les autres pays

Achevé d'imprimer le 5 septembre 1968 dans les ateliers
de l'imprimerie CINO DEL DUCA, 18, rue de Folin, 64-Biarritz, N° 162.

Dépôt légal n° 145 - 3e trimestre 1968.
23.12.1686.01